Hé...

de l'Âge...

Le Peuple du Poisson

La quête des signes 4

Cristina Rebière & Olivier Rebière

COLLECTION « Héritiers de l'Âge de Pierre »

Série "La quête des signes"

Tome 1 – La furie des eaux

Tome 2 – L'Amulette des Saisons

Tome 3 – La Montagne d'Or

Tome 4 – Le Peuple du Poisson

Tome 5 – La Grotte des Signes (à paraître)

Cycle "Anciennes cités ibères"

La Bastida

TABLE DES MATIÈRES

Préface

Il y a plus de six millénaires avant notre ère, l'Europe du Mésolithique est ébranlée par des cataclysmes climatiques. Des pluies diluviennes s'abattent sur le monde, la mer Méditerranée envahit les côtes, les eaux de l'Océan Atlantique montent de plusieurs mètres à cause de la fonte massive des glaciers polaires, détruisant des villages et chassant des populations terrifiées. Bien que la partie orientale du continent semble moins touchée, la Mer Noire ne cesse de se remplir et de gagner du terrain sur le littoral.

C'est le début d'une période de migrations forcées qui placent l'humanité dans une situation où chaque homme, chaque femme devra faire des choix cruciaux qui modifieront à jamais l'avenir de leur peuple. Paradoxalement peu documentée et controversée, cette époque méconnue de notre préhistoire ouvre cependant les perspectives de la fabuleuse révolution de l'agriculture et des changements profonds qui suivront dans les sociétés humaines du Néolithique. Et en vérité, les extraordinaires contraintes climatiques, sociologiques et culturelles obligeront nos ancêtres à prendre des mesures drastiques et courageuses. Profondément... humaines. Un message du passé pour les profondes mutations qui se déroulent de nos jours et nous obligent à réagir ?... Comment se sont organisés nos ancêtres pour faire face à la montée des eaux ? Quelles technologies ont-ils développé pour réussir à survivre ? Quelles alliances ont-ils dû forger pour arriver à dépasser ces terribles catastrophes et obstacles ? Quelles croyances ont pu leur donner l'inspiration, la force et la motivation nécessaires pour continuer à lutter contre l'adversité et à transmettre le fruit de leur expérience aux générations suivantes ?

Ce sont les questions auxquelles la série les « Héritiers de l'Âge de pierre » tentent, humblement, de répondre. Cette série de fiction s'appuie sur certaines découvertes archéologiques mises au jour en Eurasie et, bien évidemment, sur les suppositions et l'imagination de ses auteurs.

Nous espérons que les aventures de nos héros et héroïnes d'un lointain passé vous aideront à réfléchir aux défis sans précédent qui se posent aujourd'hui aux habitants de cette si merveilleuse biosphère que nous avons en partage.

Nous, qui sommes leurs *héritiers*.

1.

Kadmeron

En face d'eux, les montagnes brillaient légèrement sous le soleil naissant. Quelques rayons de lumière effleuraient le sol, faisant scintiller les gouttes de rosée sur l'herbe. La forêt se réveillait d'une nuit particulièrement humide, et le sentier glissant exigeait toute l'attention des cueilleurs matinaux. Au loin, des bruissements de feuilles et des petits cris trahissaient le réveil des autres habitants de la contrée : animaux, insectes, rapaces. Tous se préparaient à survivre une journée de plus. L'aigle royal commença à survoler les vallées en contrebas, planant au gré des courants d'air, prêt à fondre sur le moindre lièvre qui ne serait pas assez rapide pour s'abriter. Les martèlements incessants des piverts raisonnaient dans les sous-bois, à la recherche de la population comestible grouillant sous les écorces des milliers de conifères qui habillaient les versants des montagnes. Au loin, un brame de cerf retentit, l'onde sonore profonde se propulsant aisément à la surface du lac, ricochant sur les flancs escarpés. La lutte pour la survie continuait, indifférente au cycle de la nuit et du jour. Inexorablement.

Pour les humains cependant, la tâche était bien plus aisée. La vie en communauté leur permettait d'affronter avec confiance l'hiver rigoureux qui allait arriver bientôt. De fortes pluies tombaient les derniers mois, beaucoup plus qu'à l'accoutumée aux dires des anciens de la ginte. Certaines plantes souffraient à cause de l'humidité, et même les humains et les animaux avaient du mal à s'habituer à tant de pluies. Les torrents avaient monté en puissance et le niveau des cours d'eau s'était élevé, proposant de nouveaux défis aux populations en modifiant les passages à gué, nécessitant de carrément contourner certaines zones de cueillettes ou de chasse. Le gibier lui aussi était contraint de se rendre plus en altitude ou de quitter la région, obligeant les chasseurs à rallonger la durée et l'ampleur de leurs campagnes.

Néanmoins, il fallait impérativement mobiliser toutes les forces disponibles pour la recherche et le stockage de la nourriture, et surtout, avec toute cette eau tombée du ciel, assurer sa protection contre l'humidité et la pourriture. Avec les siècles, les techniques s'étaient sans cesse améliorées : séchage, salage, ensevelissement. À la ginte du Rocher fendu, les anciens avaient même aménagé une véritable chambre froide et sèche. Creusée profondément dans le sol, de la forme d'une demi-sphère allongée, elle pouvait accueillir d'énormes quantités de viande et de poisson séché. Les murs et le toit étaient constitués de pierres plates savamment empilées, de sorte à ne laisser entrer que peu d'air mais que la circulation de celui-ci se fît lentement et régulièrement. L'entrée était condamnée par une porte et il était interdit de venir se servir soi-même, la distribution de la nourriture étant uniquement dévolue à la Matriarche, Zlata. Chaque famille disposait également d'une réserve de racines ensevelies dans des cavités creusés dans leurs maisons et remplies de sable, ce minéral qui absorbait efficacement l'humidité et empêchait leur pourriture. Cette technique leur permettait de consommer des carottes jaunes et des panais des bois aussi frais que s'ils venaient d'être cueillis, en plein hiver.

Kadmeron et Zia se tenaient par la main, tout en échangeant de temps en temps des regards pleins d'amour. Leurs pas étaient assurés car ils commençaient à bien connaître le sentier qui menait dans les clairières de la vaste forêt qui entourait le petit village du Rocher Fendu. L'herbe ne poussait plus sur l'étroit passage qui serpentait entre les huttes, creusé par des milliers de pas qui allaient et venaient, au gré des tâches quotidiennes. Les jeunes mariés passèrent devant la chambre froide. Le bâtiment imposant se remplissait, petit à petit, de victuailles, au fur et à mesure des efforts collectifs. Kadmeron ne connaissait pas ce système ingénieux pour conserver les aliments, mais Zia en revanche lui avait expliqué qu'à la Gorge des Ancêtres, ils avaient également une maison froide creusée près de la montagne et recouverte de pierres et de poteaux en bois. Le chasseur ne s'étonnait même plus de ces technologies qui lui semblaient si étonnantes : il avait bel et bien compris que, plus il s'avançait vers le soleil levant, plus les humains faisaient montre d'ingéniosité et parfois de génie. D'ailleurs, quelque chose au fond de lui *savait* qu'il se rapprochait du secret des signes-mots. Certes, il s'était un peu éloigné de l'objet de sa quête en raison des aventures qu'il avait vécues récemment, et surtout depuis sa rencontre avec celle qui était devenue sa chère épouse. Leur union s'était passée si vite ! Trop vite ?!

Il serra un peu plus fort la main de la jeune femme qui semblait sautiller à ses côtés avec la légèreté d'une chèvre des montagnes. Elle lui sourit, radieuse, ses yeux semblant pétiller de bonheur. Ils débouchèrent sur la place centrale du village. Une certaine agitation y régnait : des bruits sourds et réguliers s'entendaient et plusieurs personnes s'agitaient autour d'un tronc d'arbre. Ion était là et participait à la danse des haches d'obsidienne s'abattant sans relâche pour fendre l'écorce et détacher des éclats de bois suffisamment étroits pour entretenir un foyer. Des femmes et des anciens recueillaient les copeaux alors que sous les coups des charpentiers apparaissaient les futurs piliers et les solives des huttes qui seraient construites dès le printemps prochain, après le séchage sous un auvent, bien à l'abri des intempéries.

Les deux amoureux saluèrent leurs voisins qui leur répondirent d'un geste de la main, reprenant leur tâche exténuante mais nécessaire. Ce matin-là, le couple avait un but précis : la cueillette des champignons et des panais des bois qu'il fallait ramasser avant l'arrivée du froid. Cela allait leur prendre sûrement une bonne partie de la matinée. C'était l'occasion privilégiée de quitter les habitations, de se trouver au calme, loin des autres, et de parler plus librement entre eux. Mais aussi de gravir des pentes, de parcourir des collines et de chercher les dizaines de cachettes qui abritaient ces friandises comestibles que l'on pouvait agrémenter de tant de manières. La jeune femme souriait en pensant aux recettes gourmandes qu'elle allait concocter pour son homme et la communauté qui les avait si chaleureusement accueillis.

Kadmeron et Zia avaient finalement obtenu une hutte pour abriter leur amour et vivre au quotidien : l'un des nombreux cadeaux de la ginte du Rocher Fendu. Après leur mariage aussi inattendu que somptueux, Zlata et Vlad n'avaient pas tardé à mobiliser tous les membres de leur village pendant plusieurs jours afin de leur ériger une cabane solide, l'une des plus belles du village. Les malheurs de Kadmeron et son orgueil blessé s'étaient petit à petit atténués en même temps que ses blessures, face à l'avalanche de gentillesse et de prévenance dont ils faisaient désormais l'objet, Zia et lui.

Après quelques minutes de marche silencieuse, ils arrivèrent à la lisière de la forêt et les bruits des humains commençaient à s'estomper derrière eux. Des feuilles mortes crissaient sous leurs pas, et leurs reflets d'or étaient un enchantement pour les yeux. La pente était raide mais les promeneurs étaient jeunes et vigoureux, rompus à l'effort physique intense et prolongé.

— C'est si magnifique, ici ! Ces forêts sont majestueuses ! s'exclama Zia, s'arrêtant pour contempler le paysage grandiose qui s'offrait à son regard. Elle resta sur place un moment, figée dans l'admiration. Le soleil se levait, révélant la beauté endormie de toute chose. La nuit avait abandonné la partie, faisant place à l'aurore et à ses nuances pastel. Il n'y a pas des sapins comme ça chez moi ! ajouta-t-elle, pensive, en se remémorant avec nostalgie la Gorge des Ancêtres.

— C'est vrai ?

— Oui. Grand-ma me disait que c'est parce que les montagnes ne sont pas assez hautes chez nous, continua-t-elle alors qu'un nuage traversa son regard.

— C'est sans doute la bonne explication car il y en avait tout au long de mon long chemin depuis l'Abri des Marterons.

— Regarde toutes ces couleurs ! La saison des feuilles qui tombent est ma préférée après celle de la Renaissance, lui confia-t-elle avec enthousiasme.

Son compagnon se tourna vers elle et l'observa attentivement. Le visage de la jeune femme reflétait une véritable extase, une sorte d'abandon. Sa poitrine se soulevait lentement au rythme de sa respiration en dépit de l'effort fourni. De la vapeur d'eau sortait régulièrement de ses narines, témoin flagrant des températures matinales plutôt basses qui avaient pris possession du village du Rocher Fendu et de toute la région alentour. Elle s'accroupit, adoptant une position familière qui lui semblait terriblement attendrissante et qui parfois suscitait en lui une excitation presque animale. Mais ce n'était pas le cas en ce moment précis. Il faisait encore froid, et il savait qu'elle n'avait pas envie de partager les plaisirs avec lui. N'avaient-ils pas, d'ailleurs, passés ensemble une grande partie de la nuit à s'accoupler sur leur couche de paille ? Il sentait encore sur sa peau l'odeur de l'herbe haute des montagnes et de la transpiration de Zia. Certes, ils s'étaient lavés tous les deux rapidement dans le ruisseau qui coulait un peu plus bas, mais il avait pris soin de ne pas *tout* nettoyer. Kadmeron aimait particulièrement l'odeur de son épouse et appréciait de la conserver avec lui. Après le lavage matinal, il s'était occupé de Potac, s'assurant qu'il allait bien et lui indiquant de ne pas s'éloigner trop du village. Cani, quant à lui, était resté dans leur hutte, à ronger un os. Zia lui avait demandé de surveiller leur hutte et le chien avait semblé être d'accord avec sa mission du jour.

De retour à la réalité, Kadmeron s'arrêta à son tour, puis la regarda : la jeune femme était totalement absorbée dans sa contemplation. Depuis toute petite, la guérisseuse avait cette capacité presque magique de pouvoir déceler la beauté dans la moindre petite chose. Et la patience de savoir s'arrêter pour en profiter et s'en emplir. Après un long moment, elle se mit à sourire, imperceptiblement, et le chasseur remarqua le léger plissement à la commissure de ses lèvres. Il s'y attendait. Il savait que ce sourire allait venir et sentit un élan d'amour pour celle qui transformait profondément sa vie. Lui donnait un sens. C'était... parfait.

— Oh oui, tu as raison mon amour ! dit Kadmeron.

Cependant, il ne regardait pas les montagnes dorées, ni le soleil pâle qui perçait péniblement les nuages bas par endroits. Il n'avait d'yeux que pour elle, son épouse. Sa femme. Depuis leur union si inattendue, célébrée avec faste par Zlata et Vlad, il sentait un changement subtil et profond s'opérer en lui. Certes, il avait encore tant de choses à découvrir sur celle qui allait partager sa vie et ses peines, et notamment son village natal, sa famille, mais il se surprenait à aimer passionnément ses petites mimiques, ses grimaces, ses attitudes. Comme celle qu'elle adoptait en ce moment-même : l'accroupissement inattendu et la contemplation d'une souche couverte de mousse et, qui, d'après elle, abritait tout un monde féerique.

Il s'attachait vraiment à elle. Il se surprenait à évoquer mentalement la foule de petits détails qui lui plaisaient, qui faisaient d'elle une femme tout à fait unique, tout à fait remarquable. Certes, il n'arrivait pas encore à tout expliquer de ses bouleversements intérieurs, que ce fût à lui-même ou aux autres, mais il ne pouvait que constater l'intensité de ce qu'il ressentait et qui grandissait ainsi, au fond de lui-même. Comme une plante inconnue qui emplissait le vide, la tristesse et la douleur qui avaient été ses compagnes de souffrance pendant si longtemps commençaient enfin à disparaître, à s'estomper.

Elle est si belle, comme ça... pensa-t-il, comme une évidence.

Le sourire de Zia s'élargit encore plus. Kadmeron se sentit attiré par la courbe de ses lèvres. Par la chaleur qui semblait irradier de son corps et qui le réchauffait, lui aussi, à quelques mètres de distance. Presque sans s'en rendre compte, le chasseur s'approcha d'elle, comme magnétisé. Ses pas ne faisaient pas de bruit, les sandales en cuir de daim amortissant le contact avec le sol tapissé d'une mousse épaisse. Il commença à amorcer un détour, sortant du champ de vision de la jeune femme. Il voulait la surprendre en l'enlaçant avec ses bras, par-derrière.

— Hé ! Tu voulais me faire peur, hein ?! lança-t-elle, se retournant subitement, le prenant sur le fait.

Les yeux de Zia pétillaient de malice et d'amusement. Elle rit aux éclats, voyant le visage tout penaud de Kadmeron. Elle aussi était une fine observatrice, une vraie chasseresse, et ses oreilles avaient décelé un bruit inhabituel, malgré sa séance de contemplation. L'homme crispa ses lèvres, légèrement dépité. Il était pourtant persuadé du succès de sa manœuvre !

— Ben alors, tu ne voulais pas me surprendre... ou me *faire* quelque chose, mon chéri ? continua Zia. Ses yeux brillaient. Un bout de sa langue rose passa sur ses lèvres.

En un instant, elle lâcha son panier, se jeta sur lui et colla brutalement sa bouche contre la sienne. Son homme la serra dans ses bras puissants et lui rendit son baiser avec passion. Ils s'embrassèrent avec fougue, pressant leurs corps l'un contre l'autre. Soudain, elle recula, écarta les jambes et sauta sur lui, l'enlaçant puissamment avec ses cuisses. Puis elle commença à agiter ses hanches, frottant le bas de son ventre à celui de sa monture improvisée.

— Arrête ! Je n'arrive plus à respirer ! articula Kadmeron, se dégageant un instant de l'emprise de Zia, tiraillé entre son attirance physique pour sa femme et sa capacité physiologique. Il avait du mal à reprendre son souffle. Comment veux-tu que je respire, si tu m'étouffes comme ça ?!

Elle relâcha d'un coup son étreinte, bondit au sol et s'écarta, se penchant pour récupérer son panier vide. Son petit rire résonna dans la clairière.

— Je ne veux pas t'étouffer, mon beau chasseur ! J'ai besoin de toi pour d'autres plaisirs ! Les montagnes sont magnifiques, mais j'aime aussi ta compagnie... et ton énergie ! D'ailleurs, nous avons si bien fait l'amour, cette nuit... tu ne semblais pas t'en plaindre, du manque d'air !

Devant la moue vexée de Kadmeron, elle ajouta :

— Je me sens heureuse avec toi !

— Moi aussi ma chérie... répliqua-t-il, soulagé que la discussion prît un autre ton. Attends, tu as perdu quelque chose !

Kadmeron se pencha et ramassa un morceau de tissu qui était tombé du panier d'osier de sa compagne. Tissé en laine de mouton, il était bariolé de motifs colorés caractéristiques de l'art des tisserands du Rocher Fendu.

Se relevant, il remarqua les signes-mots qui couvraient une large bande horizontale de la pièce. Il se plongea dans la contemplation.

— Hé ! Tu viens ou quoi ? cria Zia, qui avait déjà gravi une bonne partie de la pente. Allez, nous avons tout un panier de champignons à remplir et je n'ai pas encore dégoté le moindre panais. Je sens que nous allons trouver beaucoup plus de chanterelles par ici !

D'un pas décidé, elle reprit la montée, d'une foulée ample et forte. Un peu plus bas derrière elle, Kadmeron restait totalement immobile, comme s'il observait une proie pendant la chasse. Intriguée et ne le voyant pas la suivre, sa compagne s'arrêta et se retourna.

— Alors, qu'est-ce que tu fais ? Tu as trouvé quelque chose ou quoi ?!

— Viens voir ! répliqua-t-il.

Ennuyée par le fait de redescendre la pente qu'elle avait un peu peiné à monter, la jeune femme commença à le faire quand même, avec précaution, prenant garde de ne pas trébucher sur les feuilles glissantes. De jeunes arbres lui offrirent des branches flexibles auxquelles s'accrocher pour éviter de dégringoler. Elle avait emprunté ses vêtements chauds à Zora et ne voulait pas tacher ou déchirer ses braies avant même d'avoir rassemblé quelques bolets ou chanterelles. Pendant la veillée précédente à la maison longue, Zia s'était vantée devant tous les villageois de ses talents de dénicheuse de champignons et s'était fait fort de remplir son panier d'ici la fin de la matinée. Ce contretemps inexplicable n'était donc pas pour lui plaire. Elle arriva un peu énervée auprès de son compagnon.

— Qu'est-ce qui se passe ?! Pourquoi descendre alors que tu pouvais monter et me rejoindre ? Nous devons nous mettre à chercher les champignons et les panais des bois que nous a réclamés Zlata ! s'impatienta-t-elle.

Restant silencieux, Kadmeron lui tendit le tissu.

— Tu as vu ça ?!

— Quoi ?

— Tous ces motifs, ce sont en fait des signes-mots ! Je ne les avais pas remarqués avant que ce morceau de tissu ne tombe de ton panier !

— Ah bon ? Et tu penses qu'il faut que nous nous arrêtions maintenant alors que nous sommes censés remplir nos paniers ? Allez, viens, nous pourrons en parler ensemble pendant que nous cueillons !

Un peu à contre-cœur, Kadmeron se décida à la suivre en profitant de l'occasion pour lui poser des questions sur sa famille dont elle ne parlait pas si souvent. Il savait que la perte de Lidova était encore une blessure béante en elle.

— La Gorge des Ancêtres et ta famille ne te manquent-ils pas ? l'interrogea-t-il, le cœur serré, en pensant à son propre peuple disparu.

— Si, mon père et ma petite sœur, Kaigiza, me manquent beaucoup. Je pense souvent à eux, dit-elle avec un sourire mélancolique. Je suis sûre que tu aimerais beaucoup Coson, mon grand frère. J'espère qu'un jour tu le rencontreras...

— Je l'espère aussi. Et ta maman ? s'intéressa-t-il. Si j'ai bien retenu, tu n'es pas très proche d'elle. N'est-ce pas ?

— Oh, Menodora n'est proche de personne. Elle me manque aussi, mais moins que les autres. D'ailleurs, c'est bien que tu m'en parles car elle n'arrête pas de surgir dans mes pensées ces derniers jours... Il est temps de revenir à la Grande Rivière Mère car je dois continuer mon voyage initiatique, continua-t-elle alors que son visage perdit tout sourire.

Il trotta, réduisant la distance qui les séparait, et vint finalement à sa hauteur. Zia continuait à scruter d'un air expert les sous-bois à la recherche de quelque chose à cueillir. De nombreux champignons avaient déjà trouvé leur place dans le panier alors même que la conversation se poursuivait. Dès qu'elle localisait un endroit propice et reconnaissait le chapeau et le pied caractéristique de ce qu'elle cherchait, elle se penchait vivement et arrachait le champignon avec adresse. Son mouvement était précis, ne durant que quelques secondes.

— Pourquoi devrais-tu faire cela ? Je t'ai déjà dit que je suis passé pas loin de la source de cette grande rivière. C'est très loin d'ici, et c'est vraiment impossible d'y aller pendant la saison des neiges. Traverser ou même longer les grandes montagnes qui se trouvent vers le couchant est déjà très difficile pendant la saison chaude, mais là, ça serait de la folie !

Zia continuait à déambuler entre les arbres, se penchant et épiant tous les recoins sans plus y penser. Son expression était vide.

— Mère m'a dit que je ne pourrai revenir à la maison que lorsque j'aurais atteint la source de la Grande Rivière-Mère.

Kadmeron posa son bras sur le sien, attirant ainsi son attention.

— Mais tu as déjà une maison, *notre* maison, ici, au Rocher

Fendu, ne manqua pas Kadmeron de lui rappeler. Et puis n'oublie pas que ta grand-mère t'avait conseillée de suivre ton cœur... Même si je ne l'ai pas connue, je trouve son conseil plein de sagesse et je ne peux qu'être d'accord avec elle. Ton cœur te dit-il de continuer ton voyage initiatique ?

Zia baissa le regard et s'arrêta. Elle s'appuya contre un grand sapin et réfléchit un instant, puis répondit sans hésitation :

— Mon cœur me pousse à aller voir le Peuple du Poisson. Nous devions y aller avec Grand-ma si elle... l'émotion vive et inattendue l'étrangla, l'empêchant de finir sa phrase.

Kadmeron s'approcha et caressa sa tête avec tendresse.

— Je sais que Lidova te manque beaucoup... dit-il en la serrant dans ses bras.

En reniflant, elle décida de ne pas se laisser submerger par la tristesse. Elle leva la tête et avec un sourire un peu forcé lança :

— Alors, tu viens avec moi rendre visite au Peuple du Poisson ? Je suis sûre qu'ils pourront te guider dans ta quête des signes-mots ! clama-t-elle en sortant le tissu bariolé de son panier à moitié rempli de chanterelles jaunes, le brandissant devant lui.

Kadmeron recula légèrement.

— Peut-être plus tard, mais là, nous venons à peine de nous installer dans notre maison du Rocher Fendu. Nous commençons vraiment à être heureux là-bas... Et... Je veux apprendre plus de choses sur l'or ! Vlad m'a confié qu'il y a encore plein de secrets non seulement sur comment on le travaille mais comment on le trouve, également. Tu imagines un peu ce qu'on pourrait accomplir si on avait de l'or ?

— Mais nous en avons déjà ! Nos anneaux d'or, précisa-t-elle en secouant son doigt devant la mine déconfite de Kadmeron. Ça ne te suffit pas ? ajouta-t-elle en écarquillant les yeux.

— Nous ne pouvons pas échanger nos anneaux contre d'autres choses. Ils sont les signes de notre union, de notre mariage, Zia ! s'indigna-t-il.

Elle se retourna, reprenant sa cueillette. Puis elle rétorqua :

— Je ne pensais pas du tout les échanger contre quoi que ce soit. J'aime bien le mien, lança-t-elle en admirant son serpentin d'or. Enfin, si tu n'es pas sage, je le donnerai peut-être contre un bon arc... plaisanta-t-elle en tirant la langue et en s'enfuyant.

Malgré sa contrariété, Kadmeron la poursuivit un moment

entre les arbres, mais elle arrivait à bien s'esquiver à chaque fois qu'il allait poser la main sur son épaule ou une partie de ses vêtements de peau. À bout de souffle, il réussit enfin à l'attraper lorsqu'elle trébucha et s'écroula au sol. Le chasseur se jeta sur sa proie humaine, la plaquant au sol de toute sa masse. Le panier tomba au sol, renversant tous les champignons. Leurs visages collés jusqu'à ne plus pouvoir distinguer leurs traits, ils restèrent l'un sur l'autre, haletant. Le temps de quelques respirations, les battements de leurs cœurs se calmèrent progressivement. Puis Kadmeron se redressa sur ses coudes, plantant ses yeux dans ceux de sa femme, couchée sous lui sur le sol.

— J'aimerais vraiment rester ici, Zia. Il y a tant de choses à découvrir auprès de cette ginte ! tenta-t-il de lui faire entendre raison.

Elle lui sourit gentiment.

— J'aimerais partir, Kadmeron. Ma quête me mène vers le Peuple du Poisson. Tu le sais, je te l'avais déjà dit auparavant.

— Oui, mais tu n'as pas envie d'en apprendre plus sur l'or et sur les techniques le concernant ? J'ai l'impression que tu as aimé aussi en chercher dans la rivière avec moi, non ?

Elle se libéra de son emprise d'un coup sur son avant-bras, se roula sur elle-même, se releva, et commença à ramasser les chanterelles étalées dans l'herbe. Kadmeron vint l'aider, puis lança :

— Écoute, ma chérie ! De toute façon, nous allons être bloqués pendant cette saison des neiges qui approche... Alors autant en profiter pour découvrir le maximum de secrets, non ?

— Je ne crois pas. Nous avons encore le temps de partir avant que les neiges ne tombent. Il vaudrait mieux regagner les rives de la Grande Rivière Mère : il y a des gintes qui pourraient nous accueillir là-bas et nous serions même capables d'arriver à destination avant la neige. Il y a quand même plusieurs lunes jusqu'à ce que la saison blanche s'installe !

Kadmeron commença à s'agiter, se balançant d'un pied sur l'autre. Il n'arrivait pas à comprendre cette obstination chez elle. Il se sentait bien dans cet endroit magnifique et chaleureux, et visiblement c'était son cas à elle aussi. Il savait qu'elle considérait Zora comme son amie. Alors pourquoi vouloir partir ? Et si rapidement alors que l'hiver s'annonçait ?

— Sincèrement, je ne te comprends pas, là. Nous avons

notre hutte, les gens de la ginte du Rocher Fendu sont accueillants et nous ont permis de nous installer. Ils nous ont même mariés ! N'était-ce pas ce que tu voulais pour nous deux ?

Zia lui fit face. Ses traits n'affichaient plus le sourire lumineux qui avait habité son visage jusqu'alors. Elle le regarda droit dans les yeux.

— Si, bien sûr. Mais... pas si vite. Pas comme ça.

— Comment ça, pas "comme ça" ? rétorqua Kadmeron interloqué.

— Eh bien... Je pensais que nous aurions pu célébrer notre union à la Gorge des Ancêtres, avec ma famille, au sein de mon peuple.

— Tu veux dire... Avec ta mère dont nous venons à peine de parler ?! demanda-t-il en écarquillant les yeux et en s'avançant d'un pas. Crois-tu vraiment qu'elle aurait été prête à m'accepter, moi, un inconnu, un étranger ? Ce n'est pas toi qui affirmais que personne ne s'entend bien avec elle ? Même pas toi ?

Kadmeron se redressa imperceptiblement sur ses talons, et Zia se mit un peu sur la défensive.

— Écoute ! Je n'y ai pas pensé intensément, répliqua Zia. Je suis très heureuse, bien sûr, d'avoir pu m'unir à toi à la ginte du Rocher Fendu... Mais il y a quelque chose qui me gêne dans tout ça, ajouta-t-elle pensante. Ça s'est passé trop vite ! Nous n'avons pas vraiment eu le temps de nous préparer...

Kadmeron fronça les sourcils.

— Tu sais, il y a des moments dans la vie où il faut prendre les choses comme elles sont, et ne pas se poser autant de questions ! Tu sais bien ce qui est arrivé aux Marterons, non ? Ils ont été avalés par les eaux... aussi vite que ça ! lança-t-il en claquant des doigts rageusement. Toi aussi tu aurais pu te faire tuer par l'ours, non ? Tu aurais même pu mourir dans le ventre de la terre, avec Cani, si je ne t'avais pas retrouvée, n'est-ce pas ?! Alors pourquoi refuser toutes ces bonnes choses qui nous arrivent ?

Zia baissa les yeux un moment, avant de les relever, le regard plus dur.

— Écoute, chéri, ce n'est pas la peine de me raisonner comme ça ! Je suis bien consciente que la vie est précieuse, et c'est d'ailleurs pour cela que j'aime aider les gens autour de moi, j'aime apprendre les secrets des plantes et me réjouir de chaque petite chose. Les plantes soignent les gens, elles soulagent leurs souffrances, elles ! Je n'ai pas l'impression que l'or te soulage de quoi que ce soit, non ? Au contraire, il t'obscurcit l'esprit !

Le chasseur se raidit.

— Comment ça ? Qu'est-ce que tu veux dire ?

— C'est pourtant simple, Kadmeron ! Désormais, l'or passe avant les signes-mots pour toi, alors que c'était TA quête depuis que je te connais. Nous avons pu vivre très bien, toi chez les Marterons et moi à la Gorge des Ancêtres sans avoir besoin de ce métal brillant, non ? J'ai la nette impression que tu es en train de mettre de côté ta quête concernant les signes-mots.

Il bomba le torse.

— Ce n'est pas vrai ! Toi aussi tu as aimé chercher les cailloux d'or dans la rivière ! Je me rappelle bien !

— Je ne le nie pas, mais pour moi ce n'était qu'un jeu !

Kadmeron écarquilla les yeux, totalement surpris.

— Un jeu ?!

— Oui, tout comme chercher les champignons, avec toi, ici, mon amour ! J'aime m'amuser tout en découvrant de nouvelles choses. Mais je vois que pour toi c'est plus important l'or... Trop important.

Kadmeron pivota sur lui-même, s'éloignant de quelques pas. Puis il se retourna.

— Je ne te comprends pas, Zia. Je ne sais plus ce que tu veux...

— Je te l'ai dit, pourtant...

Elle le regarda gravement un long moment, puis afficha un sourire plus joyeux.

— Allez viens, finissons de remplir mon panier et revenons au village, tu veux bien ?

— Bon. D'accord... lança Kadmeron en grommelant tout en lui emboîtant le pas. *Vais-je réussir un jour à la comprendre ?* pensa-t-il en grimaçant.

✦

La cueillette s'était finalement bien finie. Les chanterelles et les panais des bois s'étaient accumulés très rapidement au gré des allées et venues des promeneurs et le panier n'avait pas été suffisant pour accueillir toute la cueillette. En conséquence, Kadmeron avait utilisé sa blouse en la transformant en baluchon. Les deux amoureux étaient ensuite retournés au village, et Zia se dirigea vers la maison longue pour remettre les victuailles à Zlata. La Matriarche allait décider comment les répartir entre les villageois.

Ensuite, Zia se joignit aux autres femmes pour aider à préparer le repas du soir. Ce rythme de travail s'était petit à petit établi et elle aimait échanger avec ses amies, notamment Zora, pendant ces moments privilégiés de partage et de travail en commun.

Le chasseur quant à lui était préoccupé par la tension de la récente discussion dans les bois. Il n'arrivait pas à s'expliquer ce qui lui semblait être une incohérence chez Zia. Mais les tâches quotidiennes l'appelaient, lui aussi. Après avoir apporté de l'eau pour les besoins ménagers, il partit vers la lisière de la forêt et siffla longuement trois fois de suite. Il arracha une pleine poignée d'herbes hautes puis il tendit l'oreille, aux aguets.

Il ne fallut que quelques instants pour que Potac fît son apparition. Hennissant de joie, le cheval se rapprocha de son ami. Kadmeron l'enlaça par l'encolure, le serrant de toutes ses forces. Ensuite, il commença à essuyer vigoureusement les flancs de l'équidé, avec l'herbe qu'il avait ramassée.

— Alors, as-tu passé une bonne matinée mon frère ? lui demanda Kadmeron. Tu sais, j'ai failli me disputer avec Zia tout à l'heure, pendant la cueillette des champignons... En fait, je constate que nous ne partageons pas du tout le même avis, elle et moi, sur beaucoup de choses, continua-t-il son récit à son ami fidèle.

Potac émit un gémissement, et regarda son maître avec tendresse.

— Tu penses que je ne devrais pas m'énerver comme ça, n'est-ce pas ?

L'œil de l'équidé sembla confirmer la réponse la plus évidente.

— Oui, c'est vrai. Je sais qu'elle m'aime. Et, par tous les esprits de la forêt, je l'aime moi aussi, si fort ! Pourtant... elle n'est pas d'accord avec moi. Elle voudrait partir de la ginte, et moi pas. Pas du tout, en fait. Je me sens vraiment bien ici. Encore mieux que chez les peuples des lacs !

Soudain, le cheval s'éloigna et pointa son museau vers un

immense épicéa. Puis il poussa Kadmeron au niveau du plexus solaire, là où les pierres de ses parents étaient cachées, dans le petit sac en cuir. Kadmeron mit un moment à comprendre le message.

— Tu veux que j'invoque l'esprit de l'épicéa, c'est cela ? demanda-t-il.

Un puissant hennissement d'approbation déchira le silence des sous-bois.

— D'accord, c'est un bon conseil, je vais le suivre ! Sans doute que l'esprit du Cheval est moins indiqué pour comprendre ce qui se passe au Rocher Fendu.

Potac fixa Kadmeron, puis se raidit.

Kadmeron regarda autour de lui. Personne n'était aux alentours, alors il s'approcha de l'épicéa qui semblait l'attendre tranquillement au milieu de la clairière. Il n'avait pas le temps d'accomplir un rituel complet comme il l'avait fait à plusieurs reprises pendant son long périple, mais il décida qu'il pouvait se connecter à la puissance de l'arbre pour le moment. Après tout, il n'avait besoin que d'un avis, pas plus, sur la marche à suivre.

Il n'était plus qu'à un pas du tronc épais. Fermant les yeux, il fit tomber ses bras le long du corps, son menton penché vers l'avant. Puis il commença à respirer profondément, longuement. Progressivement, le vide se fit dans sa tête. La musique du vent dans le feuillage se fit de plus en plus présente. La respiration profonde de la forêt devint la sienne. Il vacillait légèrement, au rythme subtil de la nature autour de lui. Les bruits des animaux et des oiseaux s'estompèrent et il lui sembla sentir la sève des plantes pulser en lui, au même rythme que son cœur.

Instinctivement, ses mains s'incurvèrent, et ses bras se levèrent à l'horizontale, de part et d'autre du tronc. Puis ses mains agrippèrent l'écorce, et il se rapprocha de l'épicéa, l'enlaçant sans s'en rendre compte, presque amoureusement. Sa joue se colla au bois. Il inspira, puis expira... Il commença à sentir les vibrations de la matière ligneuse, connectée à la terre, à la sève nourricière. Une sensation étrange, au fin fond de sa conscience, se manifesta subtilement. Il *allait* recevoir la parole de l'épicéa, il pourrait peut-être recevoir sa réponse. Pour cela, il lui suffisait de...

— Kadmeron ! hurla une voix derrière lui. Tu fais quoi, là?!

Le chaman se cabra, comme frappé par la foudre. Il tomba

à la renverse, les fesses heurtant douloureusement les épaisses racines de l'épicéa. À qui appartenait cette voix masculine railleuse, et pourtant si familière ?

Diegis.

— Alors, tu enlaces les arbres, maintenant ?! lança le prêtre d'un air moqueur. Étreindre ton épouse toute la nuit ne te suffit plus ?!

Le visage empourpré par la surprise et le postérieur sévèrement endolori, Kadmeron se releva tant bien que mal. Il était assez fâché. Mais comment réagir ? Fallait-il s'énerver et mettre à terre ce malotru comme le lui intimaient toutes les fibres de ses muscles ? Lui apprendre ce qu'était un chasseur des Marterons en colère ? Il allait le massacrer ! La respiration saccadée, il serra les poings alors que la confusion semait le trouble dans son esprit. Et pourtant, il fallait bien qu'il se rendît à l'évidence : Diegis se moquait de lui !

Potac apparut promptement sur le côté et, en un éclair, Kadmeron se rappela la scène terrible avec Tigol, lorsqu'il s'en était fallu de peu qu'il massacrât le jeune Sequat qui lui avait volé son cheval. Instantanément, il décida de se calmer. Il inspira plusieurs fois, limitant ses tremblements et la rage qui le consumait de l'intérieur. Ses joues avaient rougi et ses yeux brillaient.

Je ne dois pas me laisser dominer par la colère et la honte. Je ne faisais rien de mal à vouloir communiquer avec l'esprit de l'épicéa. Et... je ne veux pas me disputer avec Diegis. Pourquoi le ferais-je, alors que je veux rester ici ? pensa-t-il rapidement.

— Eh bien, tu ne supportes pas l'étreinte de cet arbre-là ?! lança Diegis en ricanant.

Kadmeron expira longuement. Il passa rapidement ses mains sur ses fesses et ses avant-bras, chassant les épines et les feuilles qui s'étaient collées à lui lors de sa chute.

— Diegis, qu'est-ce qui t'amène par ici ? répliqua-t-il en ignorant sa question.

— Eh bien, l'esprit du serpent, pour tout te dire. Je suis venu le consulter.

— Ah bon, et c'est par ici que cela se passe, pour toi ?

— Exactement. Un peu plus loin, il y a un sanctuaire de pierres où je sais que les serpents résident. C'est là que je les invoque. Les serpents connaissent les secrets de la Mère-Terre.

Kadmeron écoutait, sceptique. Il avait réussi à se tranquilliser et à faire bonne contenance malgré la scène précédente. Il connaissait la foi de Diegis dans les serpents mais les croyances mystérieuses de la ginte du Rocher Fendu étaient encore assez inconnues pour lui.

— Oui, mais ils ne sont pas les seuls. De là où je viens, les animaux à quatre pattes sont plus importants que les serpents. Nos anciens les ont peints sur les parois des grottes sacrées. Et toute chose a un esprit ! Toute chose a des choses à dire, des connaissances, mais il faut savoir l'écouter ! dit-il, en écartant les bras pour montrer la forêt tout autour d'eux.

Diegis le regarda, d'un air narquois et condescendant. Il se redressa, se préparant à répliquer.

— Certes. Mais ces croyances sont bien anciennes, chez nous. De moins en moins de gens y adhèrent. Beaucoup ne savent plus où sont ces grottes, n'y vont même plus. Elles sont souvent inaccessibles ou recouvertes par la végétation. Quel est leur pouvoir si elles ne peuvent éviter de tomber dans l'oubli ?

Kadmeron se raidit à nouveau.

— Et alors, qu'est-ce que le serpent a de plus que l'épicéa, la source, le cheval ou la tortue d'eau ?

Diegis se pencha, l'œil brillant.

— Le serpent sait où se trouve l'or. Il fouille les entrailles de la Terre et découvre là où il gît. Il nous indique où chercher !

— Ah oui ?! s'étonna le chaman.

— Oui, c'est bien le cas, affirma Diegis en souriant, victorieux. Maintenant, retourne au village car je dois aller parler au serpent ! lança-t-il en s'éloignant, sans regarder derrière lui.

Kadmeron resta un moment sur place, interdit.

Comment ça, le serpent sait où se cache l'or ? C'est... incroyable !

Sans s'en rendre compte, il se mit à regagner sa hutte. Les pensées se bousculaient dans son esprit. Potac sentit l'agitation de son ami, et se rapprocha de lui. Tendrement, le cheval frotta son museau dans le dos de l'humain. Ce dernier se retourna et saisit à pleines mains la crinière de l'équidé. Il se câlinèrent un long moment, pendant lequel la paix finit par se manifester. Il savait ce qu'il allait faire, désormais. Se penchant vers l'oreille de Potac, il lui confia :

— Décidément, l'or a bien des secrets ! Je dois les

découvrir !

Kadmeron se retourna vers le village, délaissant son cheval. Puis il accéléra son pas, enthousiaste et résolu.

Derrière lui, l'épicéa se dressait majestueusement dans la clairière, silencieux.

2.
Zia

Zia sortit de la maison à pas de loup pour ne pas réveiller Kadmeron. Elle n'avait aucunement envie de se disputer encore avec lui. Le soir précédent, elle avait dû faire semblant de s'endormir pour ne plus avoir à répéter toutes les raisons qui la poussaient à vouloir partir de la ginte du Rocher Fendu. Kadmeron se refusait à voir les signes qui pourtant s'accumulaient vers une même direction : Zlata et Vlad fomentaient un plan les concernant et ils essayaient de les contrôler d'une manière ou d'une autre. Elle avait longuement réfléchi et la conclusion s'imposait à elle : ce mariage précipité n'avait rien de bienveillant, en fait. Les deux chefs du Rocher Fendu ne les connaissaient que depuis trop peu de temps. En plus de cela, elle n'avait jamais exprimé publiquement son souhait de s'unir à Kadmeron et lui non plus. D'ailleurs, lorsqu'elle lui avait posé cette question-là, afin de tenter de lui ouvrir les yeux, elle avait pu se rendre compte qu'il ne comprenait pas ce qui était en train de se dérouler à son insu. Et à chaque fois qu'elle voulait lui expliquer ses soupçons, il affirmait qu'elle exagérait et qu'elle voyait le mal partout. *Voir la vérité telle qu'elle est, même si elle n'est pas celle qu'on souhaite, est bien mieux que de se voiler la face !* pensa-t-elle.

Après avoir saisi son seau en bois, elle l'accrocha à son épaule grâce à l'épaisse corde tressée. Elle remarqua aussitôt que le cercle supérieur qui maintenaient les douves de bois cintrées assemblées avait été travaillé. Intriguée, elle souleva le seau pour l'examiner de plus près et en resta bouche bée. Un superbe motif, finement sculpté, entrelaçait des feuilles et des fleurs pour aboutir sur une tête de cheval. *Qu'est-ce que c'est beau ! C'est sûrement Kadmeron qui a fait ça, mais quand ? Peut-être cette nuit...* se dit-elle alors que Cani vint la sortir de ses pensées en aboyant avec enthousiasme.

— Arrête de faire tout ce bruit, Cani ! Tu vas réveiller tout le monde ! le gronda-t-elle tout en se baissant pour le caresser.

Le soleil pointait ses premiers rayons et la fraîcheur matinale la firent frissonner.

— Allez, suis-moi ! On va chercher de l'eau, ajouta-t-elle en pressant le pas.

Cani secoua joyeusement sa queue et la dépassa en courant. Zia se dirigea vers la lisière de la forêt où les *Biephis* avaient ingénieusement aménagé une source d'eau, captée un peu plus loin. L'eau était acheminée grâce à des auges en bois jusqu'à un bassin creusé dans le sol et tapissé de pierres. Le trop plein s'écoulait par des rigoles jusqu'à la rivière. Le grand avantage de cette installation était que cette eau qui jaillissait directement des entrailles de la montagne était toujours propre et cristalline, même lorsque des grosses pluies souillaient la rivière en contrebas avec des débris de toute sorte.

Zia remplit son seau d'eau et le porta à ses lèvres en avalant goulûment plusieurs gorgées pour étancher sa soif. Elle était glacée, mais cela ne la dérangeait pas du tout. Zia déposa ensuite le récipient en bois sur la margelle puis s'assit pour contempler le village encore endormi. Cani se coucha à ses pieds et regarda la femme sans vraiment comprendre ce qui se passait. Il se mit à grogner doucement pour lui attirer l'attention.

— Oui, Cani, je sais que tu es là. Sois patient ! Je me reposais un peu avant de commencer la journée. Je dois aller traire les vaches puis préparer le fromage avec le lait déjà caillé et je devrai aussi m'occuper de soigner quelques malades.

Le chien aboya une fois puis se mit à frapper sa queue frénétiquement contre le sol, se réjouissant que Zia lui parlât enfin. Pourtant son attention fut subitement détournée et il sauta sur ses pattes, prêt à bondir. En effet, une silhouette familière fit son apparition près de la hutte de Diegis et Zora. Cette dernière, habillée dans une longue robe crème, secoua ses longs cheveux noirs et se mit à les tresser. Lorsqu'elle finit elle dirigea son regard vers l'endroit où se trouvait Zia. Celle-ci lui fit signe de la main puis se leva pour aller à la rencontre de son amie.

— Bonne matinée Zora ! la salua-t-elle dès qu'elles furent suffisamment proches.

— Qu'est-ce que tu es lève-tôt, Zia !

— Ah oui, j'aime bien me réveiller avant les autres et prendre un peu de temps pour moi... Je suis allée chercher de l'eau pour préparer la tisane du matin avant d'aller traire les vaches. Tu viens aussi ? s'intéressa-t-elle.

— Oui, j'arrive, mais je dois manger d'abord. Tu devrais en faire de même car après ça, nous serons occupées avec la préparation du fromage, des *pitas* et tous les plats pour la prochaine fête de la saison des feuilles qui tombent.

Zia se raidit un peu et se frappa le front avec la main.

— Ah, oui, j'avais oublié qu'elle approche ! Zlata m'en a parlé, mais j'avoue que je n'ai pas fait trop attention à ce détail, chuchota-t-elle en esquissant un sourire espiègle. Tu ne lui diras rien, hein ?

Zora la regarda un peu surprise mais lui sourit également à son tour.

— Non, je garderai ton secret. Va manger maintenant car je dois y aller si je ne veux pas mouiller ma robe ! finit-elle en se précipitant vers les latrines.

— À tout à l'heure ! lança Zia en se dirigeant vers sa cabane, suivie de près par Cani qui était content de voir son univers se peupler ainsi.

Après avoir préparé une *păpăradă* avec des œufs et des chanterelles cueillies la veille, ainsi qu'une tisane à la menthe, elle mangea en compagnie de Kadmeron qui s'était réveillé de meilleure humeur. Ils se couvrirent de baisers pendant un moment avant que la jeune femme ne se redressât, déterminée à partir.

— Je suis déjà en retard pour la traite, lança-t-elle en avalant rapidement les derniers morceaux. J'y vais ! dit-elle en sortant en vitesse de la maison après avoir déposé un baiser rapide sur le front de son homme.

✦

Lorsqu'elle arriva à la maison-longue, Zia constata que la plupart des vaches étaient déjà parties paître dans un pré un peu plus éloigné.

— Oh là là ! Vous avez déjà fini la traite ? demanda Zia en se dirigeant vers Zora.

— Il ne reste plus que Negrita, ta préférée. Elle t'attend, répondit-elle en lui pointant du doigt la vache encore attachée dans l'abri des bovins. Moi, j'ai presque fini ! annonça-t-elle gaiement. Eh bien... Tu en as mis du temps pour te préparer, dis donc ! À quoi ça sert alors de te lever plus tôt que les autres ?

— Mmm... J'ai mangé avec Kadmeron et c'est vrai que ça a duré plus que prévu, répliqua-t-elle en caressant la croupe de la vache pour la rassurer. Ma jolie, désolée pour l'attente, tu pourras vite retrouver ton petit au pré, annonça Zia en saisissant le tabouret à trois pieds et en le positionnant avec agilité près du pis de la vache.

Elle alla ensuite remplir un pot d'eau qu'elle utilisa pour laver les mamelles de Negrita avant de se mettre à la traire. Zia avait mis du temps avant d'apprendre la technique des *Biephis* mais maintenant elle y arrivait à peu près bien. Elle s'assit sur la chaise et après avoir positionné son seau en bois sous le pis de la vache, elle pinça un mamelon avec les cinq doigts de la main droite et un autre avec ceux de la gauche, en plaçant soigneusement son pouce sur son index. Puis elle comprima la chair délicate avec un mouvement doux de haut en bas, puis serra le poing. Ensuite, elle laissa le lait couler à nouveau dans le mamelon, avant de resserrer son poing. Zia avait encore un peu de mal à synchroniser ses mouvements car il fallait traire alternativement avec chaque main. Lorsqu'elle finit, elle lava à nouveau le pis avec de l'eau fraîche et délivra Negrita qui se dirigea hâtivement vers le pré à la recherche de son veau qui l'appelait déjà en meuglant avec le désespoir de la faim.

Attrapant soigneusement son seau rempli du lait frais, Zia se dirigea vers la maison-longue. Une partie de cette bâtisse était dédiée au stockage du lait et à la fabrication des fromages. La porte en était grande ouverte, alors Zia franchit le seuil et alla rejoindre Zora qui l'avait devancée de peu et se trouvait près d'un grand contenant en terre cuite rempli du liquide blanc.

— Je pensais faire un peu de fromage avec mon lait. J'aimerais bien apprendre comment vous préparez le délicieux fromage en bois de sapin que tu m'as donné à manger l'autre jour, déclara Zia. Tu veux bien m'expliquer comment faire ?

— Oui, bien sûr, répondit Zora en souriant. Mets ton lait à cailler ! Je te montrerai avec celui qui est déjà caillé pour gagner du temps. Tu sais déjà comment faire le fromage blanc, n'est-ce pas ?

— Je l'ai appris pendant mon voyage initiatique et maintenant j'arrive bien à maîtriser la technique. Kadmeron a beaucoup aimé. Je vais m'occuper de mon lait et reviens tout de suite, annonça Zia en se dirigeant vers le foyer qui était entretenu jour et nuit.

Sur une grande table en bois, il y avait plusieurs récipients en terre cuite, remplis de lait. Grâce à la chaleur constante pourvue par le foyer à proximité, le liquide blanc caillait en deux ou trois jours. Zia versa le contenu de son seau dans un des pots vides, puis le couvrit avec un des tissus propres rangés à proximité à cet effet. Elle revint ensuite vers Zora qui se trouvait près d'un endroit dédié à la fabrication du fromage blanc. Sur une grande poutre en bois étaient accrochés plusieurs paquets en tissu remplis de fromage qui gouttaient dans des vases situés juste en dessous de chacun d'entre eux.

— Eh bien, me voilà, je suis prête ! lança Zia.

Zora se retourna et l'accueillit avec un sourire bienveillant. Elle souleva ses manches et se baissa pour attraper un des vases. À cet instant-là, Zia remarqua une trace circulaire de couleur rougeâtre qui commençait à virer au bleu sur son avant-bras.

— Oh ! Mais qu'est-ce que tu t'es fait au bras, ici ?

demanda-t-elle inquiète en essayant de l'examiner de plus près.

— Oh... Euh... Rien du tout, répondit rapidement Zora en baissant les yeux. Je me suis cognée en faisant de l'ordre dans la maison, continua-t-elle après une courte pause alors que ses joues s'empourpraient. Viens, maintenant on va s'occuper du *zer* ! dit-elle en se dirigeant avec le vase vers le foyer.

Zia fit une moue dubitative et marqua une courte pause. Mais la curiosité l'emporta : elle allait apprendre une nouvelle technique !

— C'est quoi le *zer* ? s'intéressa Zia en lui emboîtant le pas, en décidant de ne pas l'interroger davantage sur son bleu car elle avait senti le malaise éprouvé par son amie.

— Ben, c'est ça ! répondit-elle en se retournant et montrant son vase rempli du liquide jaune-verdâtre. Ne me dis pas que tu ne sais pas ce que c'est, quand même ! s'étonna Zora en écarquillant les yeux.

— Ah, c'est ce qui s'écoule du fromage blanc dans ces paquets de tissu suspendus là ? Mais qu'est-ce que tu fais avec ? Tu ne le jettes pas ?

— Non, surtout pas ! Nous l'utilisons pour fabriquer notre fromage et pas seulement ça, d'ailleurs ! répliqua-t-elle d'un air étonné. Le zer est vraiment très utile et c'est avec lui qu'on fabrique notre *urda*.

Zia fronça les sourcils.

— Encore un mot qui m'est inconnu. J'avoue que je ne savais pas qu'il peut être employé pour faire du fromage compte tenu du fait que c'est le liquide écoulé dont on a déjà obtenu le fromage frais. Mais, *urda*... ne serait-ce pas justement le nom du fromage en écorce de sapin ? tenta Zia.

— Non, mais ce n'est pas loin... En fait, c'est le nom du fromage que je vais t'apprendre à faire. Une partie de cette *urda* nous l'enveloppons dans des écorces de pin et la laissons vieillir avant qu'elle se transforme dans le fromage que tu as tant apprécié. Celui-ci n'a pas encore un nom, mais moi je l'appelle "sapinette" et beaucoup de gens ont commencé à l'appeler ainsi ! expliqua-t-elle en lui faisant un clin d'œil.

Zora posa son vase sur une grande pierre plate près du feu.

— Voilà ! Maintenant, nous avons un peu de temps pour discuter et je peux aller te montrer nos fromages dans le garde-manger, proposa Zora. Le zer doit cailler.

— D'accord, répondit Zia en la suivant à l'extérieur. Mais... j'aimerais savoir... vous l'utilisez à quoi le zer, en plus de la urda et de la sapinette ? s'intéressa-t-elle, toujours contente d'apprendre de nouvelles choses.

— Moi, je l'utilise pour mes cheveux, avoua-t-elle en chuchotant. J'ai remarqué que si je les lave avec, ils deviennent brillants et plus beaux !

— Ah, c'est ça ton secret ? Tu as des cheveux magnifiques et je me demandais justement comment ils peuvent briller autant. J'utilisais de l'huile pour ça, mais ça rend les cheveux plus lourds et collants alors que les tiens sont si vaporeux ! J'adore ! Merci d'avoir partagé ça avec moi Zora, lança-t-elle joyeusement.

— Avec plaisir, toi aussi tu m'as appris comment utiliser certaines plantes dont je ne connaissais même pas les propriétés. Comme ces fleurs – les étoiles perforées avec lesquelles nous avons préparé ensemble cette huile qui rend la peau si douce ! D'ailleurs, j'ai entendu que dans une ginte voisine, un guérisseur donne le zer à boire aux enfants chétifs.

— Ah, c'est vrai ? Et ça leur fait quoi ?

— Ben, ça les rend plus forts, il paraît.

— Comment ça ? poursuivit Zia, intriguée.

— Je ne sais pas trop car je ne suis pas guérisseuse, mais d'après ce qu'on m'a dit, ils doivent en boire un peu tous les jours, et puis petit à petit ils deviennent de plus en plus costauds.

— C'est intéressant, ça... Je devrais peut-être me rendre là-bas pour en apprendre davantage.

— Nous pourrons y aller un jour si tu veux. En tout cas, ça marche car même dans notre ginte, le petit Tan en a bu. Il était tout maigrichon avant...

— Tu parles du blondinet aux yeux noisette ? demanda Zia. Il a l'air en pleine forme.

— Tu aurais dû le voir il y a un an... que les os et la peau, le pauvre !

Les deux jeunes femmes arrivèrent devant le garde-manger. Elles descendirent les quelques marches pavées avec des pierres et ouvrirent la porte épaisse en bois. Zora prit une lampe à résine qu'elle alluma avec sa pierre à feu avant d'entrer dans la grande pièce creusée sous la terre. Elles se dirigèrent vers les étagères qui se trouvaient au fond. Sur l'une d'entre elles étaient alignés plusieurs cylindres de la hauteur d'une paume. En s'approchant, Zia reconnut leur forme caractéristique et s'exclama :

— Mais ce sont les fromages en écorce de sapin !

— Oui, c'est ça. Tu n'étais pas venue ici auparavant ? s'étonna Zora.

— Non, je n'avais pas osé. Zlata m'avait parlé de ce garde-manger mais comme elle ne me l'a pas fait visiter, j'ai pensé que je devais attendre qu'elle m'autorise à y entrer. Il me semble qu'elle est assez stricte sur les règles... expliqua-t-elle en faisant la grimace.

— Oui, c'est vrai, éclata de rire Zora. Mais enfin, maintenant que vous habitez dans notre ginte, que vous en faites partie, que vous contribuez avec Kadmeron à la vie du village, il me semble normal que vous ayez accès à tout. Ici nous conservons nos fromages car la température est toujours la même, qu'il fasse chaud ou froid dehors. Cela leur permet de bien vieillir sans pourrir. Puis nous gardons aussi toutes nos charcuteries comme tu peux voir là-bas, dit-elle en soulevant sa lampe et en la dirigeant vers un autre coin où pendaient de nombreux morceaux de viande fumée, des saucissons et des morceaux blancs dont Zia s'approcha, curieuse.

— Mmm, ça sent bon toutes ces choses fumées, lança-t-elle en se léchant les lèvres. C'est quoi ces morceaux de graisse ? C'est fumé ? demanda-t-elle en approchant son nez et en reniflant.

— C'est de la *slană*, répondit Zora. Et oui, c'est fumé pour que ça puisse résister pendant de longues périodes sans devenir immangeable. Moi, j'adore ça ! En fait, c'est de la graisse du ventre et du dos du cochon que nous frottons avec du sel et laissons dans de la saumure pendant presque une lune entière. Ensuite, on la met dans des fumoirs pendant une vingtaine de jours.

Zia était émerveillée par l'explication et la longueur du processus.

— Je n'ai pas encore goûté ça, j'ai hâte d'essayer ! gazouilla Zia alors que ses yeux brillaient de gourmandise. Mais il y a un courant d'air par ici... s'étonna-t-elle en regardant tout autour pour déterminer sa provenance.

— En effet, il y a besoin d'air pour garder une bonne ambiance et pour éviter que la nourriture se gâte. Il y a plusieurs puits d'aération creusés et qui débouchent sur l'extérieur. Mais revenons à nos fromages car pour la *slană* tu vas sûrement en manger tout l'hiver ! lança Zora en souriant.

— Oh, ce n'est pas si sûr... répliqua Zia en baissant sa voix.

— Pourquoi pas ? s'étonna Zora.

— Parce que je ne sais pas si je vais passer l'hiver ici, répondit Zia après une courte hésitation.

— Ah bon ?! fit la jeune femme. Je croyais que vous alliez rester chez nous, continua-t-elle avec une pointe de déception dans la voix.

— Kadmeron veut rester, mais moi par contre... elle ne finit pas sa phrase et s'approcha de l'étagère, puis prit un des cylindres foncés dans sa main. C'est donc ça le fameux fromage que j'ai goûté l'autre jour chez toi ? demanda-t-elle pour changer de sujet.

Zora revint à leur sujet de conversation.

— Oui, c'est bien la sapinette. Celles qui sont sur la planche en bas sont les plus vieilles. Leur goût diffère en fonction du temps qu'elles passent ici. Plus une sapinette est vieille, plus le goût sera fort. Je n'aime pas trop la vieille sapinette, mais Diegis si. Moi, je préfère les fromages du milieu, précisa-t-elle en désignant la planche concernée.

— Et celui que j'ai goûté chez toi était vieux alors ? s'intéressa Zia.

— Non, moyenne maturation. Juste dix jours, pas plus. Revenons voir si notre zer s'est pris ! lança-t-elle en se dirigeant vers la porte. Maintenant, tu sais où se trouvent nos fromages et nos charcuteries et tu pourras venir en chercher.

— Je peux venir quand je veux ? s'intéressa Zia.

— En principe, oui, mais avant de prendre quoi que ce soit, tu dois passer par Casita qui est responsable du garde-manger. Elle note tout ce qui est pris par chaque famille et veille à ce que les fromages et charcuteries soient équitablement distribués à tous, précisa-t-elle. Elle viendra avec toi et te donnera ce qui te revient en fonction de ce dont tu as envie, de ce que tu vas faire avec et ce qui est disponible.

— Je comprends, Zlata m'en avait parlé d'un fonctionnement similaire pour la maison-froide, mais c'était Doru qui en était responsable si je me rappelle bien.

— C'est vrai, confirma Zora en se dirigeant vers la maison-longue qui était remplie de femmes et d'hommes préparant les vivres et s'adonnant aux activités quotidiennes de la ginte.

Lorsqu'elles arrivèrent devant le vase près du foyer, Zia remarqua tout de suite qu'il avait changé d'aspect. Zora utilisa une grande cuillère en bois pour mélanger.

— Oh, mais il semble s'être aggloméré ! dit-elle.

— C'est vrai. Normalement il faut mélanger de temps en temps si tu mets ton vase plus près du feu. Il sera bientôt près à égoutter, là.

— Ah bon... Il faut le laisser s'égoutter, comme pour le fromage blanc ? demanda Zia.

— Oui, tu as bien deviné ! répondit Zora en se dirigeant vers un grand coffre en bois d'où elle sortit un tissu propre.

Elle le plaça sur un seau en bois qu'elle attrapa au passage sur une étagère où étaient disposés des contenants en bois de plusieurs tailles et formes.

— Tu peux m'aider maintenant. Tiens fermement le tissu pour que je puisse verser le fromage !

Zia s'approcha et plaça ses mains de part et d'autre en maintenant fermement le tissu au-dessus du seau. Zora attrapa un gros morceau de peau épaisse qu'elle utilisa pour protéger ses mains du vase brûlant.

— Attention, je vais verser maintenant ! la prévint-elle.

Zia s'éloigna un peu tout en conservant ses mains en position sur le tissu et le bord du seau.

— Mais... c'est presque comme pour le fromage blanc ! conclut Zia. Peut-on encore utiliser le zer qui en résultera ?

— Non, après ça ne marche plus. Nous avons essayé déjà mais il ne caille plus.

— Vous le jetez alors ? s'intéressa Zia.

— Non, les cochons l'apprécient beaucoup, alors nous le leur donnons à boire ou dans leur bouillie à manger.

— Et combien de temps il faut laisser égoutter ? Comme pour le fromage blanc ?

— Moins longtemps. Juste une nuit, tout au plus. Puis nous salons le fromage et le roulons dans des écorces de sapin que nous lions avec des cordes.

— Donc, c'est l'écorce de sapin qui donne ce goût particulier alors ?

— Oui, en effet, mais aussi la durée plus ou moins longue durant laquelle on les laisse dans le garde-manger. Voilà, maintenant tu sais tout et tu pourras préparer toute seule la sapinette ! annonça Zora en liant les quatre coins du tissu et en appuyant doucement pour en extraire le liquide.

— Merci beaucoup Zora ! Je suis impatiente de m'y mettre. Tu veux venir boire une tisane chez moi ?

— Avec plaisir, répondit-elle en se dirigeant vers la poutre pour accrocher son paquet. De ce côté-là ce sont les fromages blancs, puis ici on met à égoutter la *urda*.

— Elle peut se manger comme ça aussi ?

— Bien sûr, nous la mangeons avec des oignons et on en fait des gâteaux aussi, répondit Zora.

— Miam ! J'aime bien les gâteaux !

— Oh, mais tu aimes tout ce qui se mange, Zia, gourmande comme tu es ! rigola son amie.

Lorsque les deux jeunes femmes arrivèrent chez Zia, Kadmeron n'était pas là. Le jeune Haganita prépara une tisane parfumée avec des pignons de pin et profita du calme qui régnait autour d'elles pour faire parler Zora. Elle apprit ainsi que ses soupçons concernant les traces sur l'avant-bras de son amie étaient avérés : elles étaient bien causées par Diegis. Même si elle eut du mal à la faire avouer, avec du tact et de la patience, elle réussit à aborder le sujet. Elle profita pour faire comprendre à Zora que l'attitude autoritaire de Diegis n'était pas normale et qu'elle ne devait pas accepter des violences physiques de sa part.

— Tu sais Zora, j'ai pu voir dans ma ginte de la Gorge des Ancêtres ce qui arrivait si une femme ne disait rien lorsque son homme levait la main sur elle...

Zora baissa les yeux sans rien dire.

— La violence n'est pas bonne dans un couple, et cela que ça vienne de l'homme comme de la femme, précisa-t-elle pour essayer de diminuer le malaise qui s'était installé entre elles depuis qu'elle avait abordé le problème.

— Mais il n'est pas violent, protesta Zora. Il m'a juste serré le bras trop fort.

— Et pourquoi donc ? Pour te retenir par la force alors que tu voulais t'en aller, si j'ai bien compris, n'est-ce pas ? demanda calmement Zia.

— Oui, peut-être que je n'aurais pas dû essayer de partir. C'est ma faute car si je ne voulais pas m'en aller, il n'aurait pas attrapé mon bras, continua-t-elle.

— Et tu voulais partir pourquoi ? insista Zia.

— Parce que je n'aime pas les disputes et il n'arrêtait pas de me critiquer et d'imaginer des choses que je n'avais pas faites.

— Tu avais donc le droit de t'en aller : je ne vois pas pourquoi cela serait ta faute, répliqua Zia. Nous sommes quand même libres de nos mouvements, n'est-ce pas ?

Zora ne répondit pas, mais sur son visage, Zia put lire la lutte intérieure qui la consumait. Elle finit par lever les yeux :

— Qu'est-il arrivé à la femme de ta ginte ? Celle dont tu as parlé... demanda-t-elle tout à coup.

— L'homme la battait de plus en plus souvent. Et surtout lorsqu'il avait bu beaucoup de *cornata*. Il n'avait plus toute sa tête, mais même lorsqu'il l'avait, il considérait qu'il avait le droit de lui taper dessus. Menodora, ma mère, a dû intervenir à la demande insistante de Grand-ma qui trouvait cela scandaleux. En tant que guérisseuse, elle allait souvent soigner ses blessures qui ne faisaient que s'aggraver.

— Diegis n'est pas comme ça. Il ne m'a jamais vraiment blessée, lui, intervint Zora.

— Ah, mais les traces sur ton bras ne sont-elles pas une blessure ? s'étonna Zia. Je sais bien que l'amour peut laisser des traces sur la peau, par exemple lorsque vous partagez les plaisirs, mais celles que tu as là ne semblent pas en être. Crois-tu vraiment qu'il t'a fait ça... par amour ?

Zora baissa à nouveau le regard et son visage s'assombrit. Après un long moment de silence, elle finit par admettre :

— Non, je ne crois pas... Le soleil est déjà haut dans le ciel. Je vais y aller maintenant car je dois préparer le repas pour midi. Diegis n'apprécie pas de manger en retard, précisa-t-elle en se levant. Merci pour la tisane, elle était très bonne ! ajouta-t-elle.

— Avec plaisir Zora, et merci à toi pour tout ce que tu m'as appris aujourd'hui ! dit Zia en s'approchant et en l'enlaçant chaleureusement avec les bras, puis en déposant un baiser sur sa joue. Tu es toujours la bienvenue chez nous.

Après le départ de son amie, Zia s'assit un long moment

pour réfléchir. Elle était troublée par toute cette conversation. Petit à petit, des détails, des attitudes, des mouvements défensifs inexplicables dans le comportement de Zora, qui lui avaient semblés totalement insignifiants de prime abord, lui revinrent en mémoire.

Je n'avais pas fait attention à tout ça, pensa-t-elle. *Mais lorsque je m'approche d'elle sur le côté et qu'elle ne me voit pas venir, elle sursaute et lève un peu les bras, comme si... Comme si j'allais la frapper ! Oui, c'est ça.*

Elle se leva, commençant à tourner et marcher dans la pièce, en proie à une grande agitation. La colère commençait à pointer dans sa tête.

En fait, c'est ça. Elle a peur. Elle a peur constamment. Même de moi. C'est devenu une sorte de réflexe car elle ne sait pas d'où peut venir la menace. Je ne comprends pas pourquoi certaines femmes se laissent malmener comme ça... songea-t-elle.

Les souvenirs de la Gorge des Ancêtres se bousculaient dans son esprit à présent. Menodora et Duras, ses propres parents, n'étaient-ils pas parfois en train de se disputer, la nuit ? Et son père, n'était-il pas frappé par Menodora, quelquefois ? Les souvenirs se mélangeaient. Les impressions aussi.

J'étais enfant. J'étais petite. Je ne me rappelle plus bien...

Et puis une autre image s'imposa à elle : celle de Lidova. Pour elle, sa relation merveilleuse avec Danil était l'exemple, le modèle à suivre pour elle et Kadmeron. Pourtant, sa grand-mère se disputait aussi avec son homme, mais bien moins souvent que les autres quand même. Elle s'assit, puis se releva encore. Tout cela lui semblait bien compliqué. Confus, même.

Elle inspira longuement, se raidit, se forçant à se calmer et pensa : *Non, Grand-ma et Grand-pa s'entendaient très bien. Je le sais. Je l'ai vu. Et j'en ai parlé avec elle pendant notre traversée. Pour ce qui est de Menodora et papa, c'est clair pour moi que c'est elle, ma mère, qui battait mon père, parfois. Mais... Pourquoi se laissait-il abuser ainsi ? Pourquoi permettait-il une telle attitude de la part de sa femme ?!*

Zia avait du mal à comprendre la portée d'une telle révélation. Visiblement, les rapports entre un homme et une femme n'étaient pas si simples. Elle réalisait bien qu'il fallait s'adapter à des situations de danger, de crise... venant de l'extérieur : des animaux sauvages, d'autres gintes, d'autres croyances, la pluie, le vent, la neige. Et si le danger se trouvait juste auprès d'elle ? Tout comme pour Zora ?

Est-ce que ça m'arriverait, à moi aussi ? Je sais bien que parfois Kadmeron me serre ou me bouscule un peu pendant que nous partageons les plaisirs... mais moi aussi je fais pareil ! Et, si j'étais sincère, j'aime ça même si ça fait un peu mal. Ça dépend, en fait... Pendant la journée cependant, il ne m'a jamais violentée comme ça. Il m'enlace, parfois il hausse la voix, mais... non, pas de cette manière ! Enfin, je crois...

Soudain, la porte de la hutte s'ouvrit.

— Alors, qu'est-ce qu'on mange aujourd'hui ?! clama Kadmeron, un large sourire aux lèvres.

Zia sursauta, subitement arrachée à ses sombres pensées.

— Euh... eh bien, on pourrait aller à la maison-longue et partager le repas avec les autres, hein ? Parce que là, je n'ai rien préparé. D'ailleurs, ce n'était pas ton tour de faire à manger aujourd'hui ?

Kadmeron recula, pris sur le fait. Il éclata de rire, surpris. Puis il l'enlaça et la couvrit de baisers. L'ambiance changea dans la hutte et Zia se sentit beaucoup mieux.

— Oh ! Eh bien, c'est fort possible, en fait ! Mais j'avoue que je n'ai pas trop envie de cuisiner maintenant, dit-il en la faisant tourner sur elle-même, comme s'il exécutait une danse rituelle.

— Ah bon, tu faisais quoi d'ailleurs ? Je ne t'ai pas vu par ici !

— Eh bien, je suis allé faire une reconnaissance de la région avec Potac. Il avait besoin que nous passions plus de temps ensemble. Ces dernières semaines, avec tous les préparatifs pour la saison des neiges, c'est vrai que nous n'avons pas eu l'occasion de galoper.

— C'est très bien ça, répliqua-t-elle en souriant. Et qu'avez-vous découvert ensemble ?

Kadmeron s'assit et adopta une mine plus grave. Visiblement, il avait quelque chose d'important à confier. Zia reconnut immédiatement la mimique du chasseur et sourit silencieusement. Elle savait ce qui allait suivre.

— Eh bien, il y a un groupe de cerfs et de biches qui est entré dans la vallée depuis deux jours, je pense. J'ai vu leurs traces ainsi que des crottes, un peu plus haut sur la montagne d'en face. J'estime qu'il y a une trentaine d'individus, à peu près, dont sept ou huit jeunes de cette année. Un mâle dominant, et deux ou trois plus jeunes qui vont bientôt devoir quitter le groupe. Ils sont calmes pour l'instant, même s'ils ont repéré notre village. Je pense que nous devrions prochainement organiser une chasse. Ce serait un moyen rapide de ramener la nourriture à la ginte et...

— ...et de te faire bien voir par le Patriarche, n'est-ce pas ? lança son épouse, avec un sourire un peu moqueur. Elle sentait qu'il ne fallait pas qu'elle laissât son époux se prendre un peu trop au sérieux. Sinon, il finirait par ne plus accepter la critique, et donc ne pourrait plus s'améliorer.

Son interlocuteur quant à lui se raidit. Mais lui aussi avait compris l'attitude de son épouse. Quelque chose lui intima de se calmer, de ne pas tout de suite s'irriter. Zia vit tout cela se dérouler sur les traits de son visage. Elle se réjouit de constater que, fondamentalement, il ne lui voulait pas de mal et corrigeait volontairement sa première impulsion, qui n'était pas toujours la meilleure. Pour l'encourager à continuer dans la même voie, elle arqua un sourcil de façon amusée.

— Et quoi ? Que veux-tu dire ? Que ce n'est pas bien de travailler pour le bien de la ginte ? demanda-t-il.

— Mais si. Certainement ! Surtout si cela peut t'aider à en apprendre plus sur l'or, n'est-ce pas ?

— Eh bien... Oui, pourquoi pas ? De toute façon, il faut tout de même accumuler de la nourriture. Et le ragoût de cerf, tu aimes ça aussi, non ? lança-t-il pour dévier la discussion.

Alors là, il vaudrait mieux qu'il ne m'entraîne pas dans les plats gourmands, sinon... pensa-t-elle avec appétit. Zia s'approcha de lui.

— Oui, j'adore le cerf ! Je te préparerai de bons petits plats, c'est promis. Mais là n'était pas le sujet de notre conversation. Enfin, ce matin, j'ai appris de Zora comment préparer les sapinettes, annonça-t-elle avec enthousiasme.

Kadmeron écarquilla les yeux.

— Les *sapinettes* ? C'est quoi, ça ?

— Du délicieux fromage enveloppé en écorce de sapin. Tu en as déjà mangé chez elle, mais désormais, je sais comment le fabriquer ! Et puis, j'ai vu aussi autre chose...

Je dois lui en parler. Il doit savoir, lui aussi.

— Quoi ?

Zia s'accroupit par terre, saisissant les genoux de son homme. Elle parla à voix basse.

— Je crois que Zora est malmenée par son mari. Qu'il la bat, en fait.

— Diegis ?! Comment ça ? manqua-t-il de s'écrier alors que Zia lui plaçait la main sur la bouche, pour étouffer son cri.

Elle poursuivit, sur le ton de la confidence :

— Eh bien, lorsque nous avons manipulé ensemble les récipients pour le lait caillé, j'ai vu clairement qu'elle avait des bleus sur les bras. Comme si quelqu'un l'avait maintenue par la force. Ou l'avait tirée...

Kadmeron lui fit un signe de tête, pour continuer.

— Et lorsque je lui ai demandé ce qui s'était passé, elle m'a dit qu'elle s'était cognée dans la hutte, quelque part. Mais bien sûr, ce n'était pas le cas car cela ne laisse pas des traces circulaires.

— Et ? l'incita-t-il à poursuivre.

— Elle est venue avec moi, ici, et nous avons parlé un moment. Je sentais très clairement qu'elle cachait quelque chose. En fait, elle a peur de lui. Après son départ, je me suis rappelée que, souvent, elle se retire vite lorsqu'on s'approche d'elle sans prévenir. Elle sursaute dès qu'on la touche, des choses comme ça.

Kadmeron réfléchit un moment, puis prononça :

— C'est curieux... Hier il s'est moqué de moi ouvertement, lorsque j'étais dans la forêt et que j'ai voulu consulter l'esprit de l'épicéa.

— Il s'est moqué de toi ?

— Oui, il est arrivé par derrière et il m'a fait peur, à moi, aussi ! réalisa le chaman, penaud. Je suis tombé sur les fesses et en plus, je me suis fait mal !

— Ah bon ? Mais qu'est-ce qu'il te voulait ?

— Il allait consulter les serpents, d'après ce qu'il disait. J'ai voulu parler un peu avec lui, mais il est parti, comme si je n'étais pas digne de discuter avec lui. Toute cette histoire m'a mis assez mal à l'aise, en fait.

Zia s'écarta.

— Bon, eh bien tu vois : il n'hésite pas à faire peur aux autres, même à toi !

Kadmeron fronça les sourcils.

— C'est ce qu'il semble. Et pourtant, je ne m'effraie pas facilement ! Mais de là à battre Zora… Tu penses que c'est bien le cas ?

— J'en suis sûre !

Le chasseur se leva d'un bond. Son regard durcit instantanément et il serra les poings.

— Je vais aller le voir. Maintenant ! Il va comprendre qu'il faut respecter les femmes et ne pas les frapper !

Zia se sentit rassurée, mais apeurée. Elle n'en attendait pas moins de Kadmeron, mais il fallait qu'elle le contrôlât : donner cours à ses impulsions ne les aiderait pas à améliorer leur situation dans la ginte, ni dans le couple de son amie. Elle le saisit à bras-le-corps, avec toute sa force.

— Tu restes là mon chéri ! Tu ne bouges pas !

Kadmeron se bloqua sous l'étreinte. Il renifla, déglutit difficilement et inspira plusieurs fois, avant d'arriver à se calmer.

— Ce n'est pas comme ça qu'il faut agir pour améliorer les choses... lui dit Zia. Et franchement, je ne sais pas encore comment il faudrait faire. C'est compliqué.

Ils se rassirent.

— Tu sais, il faudrait que l'on parle, toi et moi.

— Tu n'as pas faim ? demanda Kadmeron.

— Pas vraiment. Surtout que je ne sais pas ce qui se passe par ici. J'ai un peu l'impression qu'il y a partout de la violence.

— De la violence ?

— Ben oui ! Tu vois bien, Diegis se moque de toi, et puis il bat sa femme, Zora.

— Rien de très différent de ce qui se passe ailleurs, tu sais.

— Peut-être, mais je ne peux pas m'empêcher de ressentir que je ne peux pas faire ce que je veux ici. Je me sens *obligée* maintenant de m'occuper de cette ginte. Et ce n'était pas vraiment mon choix. Je n'ai rien demandé et puis Zlata... Je dois terminer ma quête, moi, changea-t-elle brusquement de sujet en détournant le regard.

Kadmeron se renfrogna.

— C'est encore cette sensation que tu as concernant notre mariage, n'est-ce pas ?

— Oui, mais pas seulement ça.

La mine de l'homme s'assombrit.

— Mais enfin, tu vois le mal partout, Zia ! Nous sommes heureux ici. Il n'y a pas plus de problèmes dans cette ginte-là que dans les tribus des lacs, chez les Marterons, voire à la Gorge des

Ancêtres. J'en suis sûr ! finit-il par hausser le ton.

Zia baissa les yeux, puis les releva.

— Ne me crie pas dessus comme ça ! Tu ne le sens pas encore, peut-être, mais l'or est un poison. Déjà il t'est rentré dans le crâne et tu oublies ce que tu dois faire. Tu oublies que, même si nous voulions nous unir l'un à l'autre, nous n'avons pas *choisi* de le faire nous-mêmes, à notre manière. Nous y avons été *obligés*.

— Obligés ?! Un "poison" ?! C'est comme ça que tu me vois ?

D'un bond, il se leva et partit, claquant la porte derrière lui.

Zia s'affala sur la chaise, le visage crispé.

Il ne veut pas comprendre ce qui se passe ici. Zlata et Vlad ne nous ont pas mariés parce qu'ils nous apprécient ! Il y a autre chose caché derrière tout ça !

Elle se releva.

Je dois penser à tout ce qui est en train de se passer et être encore plus vigilante. Même si Kadmeron est fâché, je ne peux pas le pousser à bout, sinon il laissera vraiment faire parler la colère en lui. Et je sens que ce serait dangereux...

Elle soupira, puis prononça à voix haute :

— Lidova, pourquoi ne m'as-tu pas dit que c'était aussi difficile de vivre à deux ?

3.
Zlata

La hutte des chefs des Biephis se dressait majestueusement au centre du village. Elle offrait aux regards des passants tous les attributs visuels du pouvoir. Surplombant les autres demeures, elle était plus haute et plus grande, aux murs plus épais et particulièrement bien décorée. De la fumée s'échappait par l'orifice aménagé dans le faîte du toit. À l'intérieur, l'atmosphère était inhabituellement surchauffée. Le feu brûlait intensément dans le foyer pratiqué à même le sol. La Matriarche allait et venait dans la large pièce principale, son ombre se projetant sur les fourrures étalées sur les parois de la cabane. Sur des étagères, de nombreuses poteries et des objets en or scintillaient, en rythme avec les flammes.

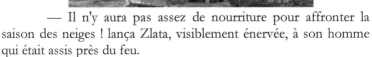

    — Il n'y aura pas assez de nourriture pour affronter la saison des neiges ! lança Zlata, visiblement énervée, à son homme qui était assis près du feu.

    — Calme-toi ! rétorqua Vlad. Je pense que nous pourrons faire face aux besoins de la ginte.

Zlata planta ses poings sur ses hanches, apostrophant le Patriarche :

— Comment ça ?! Tu vois bien que les pluies continuent, que le gibier a quitté nos contrées et les cueillettes ne rapportent plus autant de baies et de fruits que l'année dernière... Qui était encore moins fructueuses que l'année précédente ! Tu as une idée, alors ?! répliqua-t-elle sceptique.

Vlad lança une brindille dans le feu, et darda les yeux sur le bois qui rougissait progressivement, dévoré par les flammes.

— Je pense qu'il faudrait faire plus attention aux quantités que nous donnerons aux gens du village...

— C'est-à-dire ?!

Zlata s'assit sur un tabouret. Un frisson la secoua.

— Eh bien... Réduire les portions, annonça froidement Vlad.

— Ah oui, et tu crois que ça suffira ?

— Non.

— C'est bien ce que je pensais ! dit-elle en expirant longuement. Il nous faudra autre chose !

Vlad étendit ses jambes.

— Et puis il y aura peut-être moins de bouches à nourrir très bientôt.

— Ah oui ?! Tu veux dire que certains de nos anciens vont mourir ? chuchota Zlata.

Vlad continua la conversation sur le même ton de la confidence.

— Oui, c'est bien ça. Diegis est allé consulter les serpents. Il m'a annoncé que Lena et Gelu rejoindront la Mère-Terre dans les prochaines semaines.

— Le père et la mère de Zora ?

— Oui.

— Mais, c'est terrible ! Il est rare que deux parents meurent en même temps comme cela.

— Oui, je te l'accorde, mais ça peut arriver...

Zlata redressa le buste et toucha nerveusement le délicat serpent d'or qui enlaçait son bras. Elle demanda :

— Euh... Vlad ! Pouvons-nous faire confiance aux mots de Diegis ?

Il se retourna vivement vers elle.

— Nous a-t-il trahis jusqu'à présent ? N'a-t-il pas exécuté nos ordres ?

Zlata leva les mains, en signe de concession. Le Patriarche reprit sa charge :

— Bien. Mais plus encore : ne nous a-t-il pas été de bon conseil ? N'a-t-il pas indiqué où se trouve les filons d'or qui nous permettent désormais de devenir une ginte puissante et respectée ?

Zlata acquiesça, convaincue.

— Oui, c'est vrai, mais la population de la ginte augmente, comme tu le sais. Nous avons eu des naissances pour pratiquement deux fois les doigts des deux mains cette dernière année. Trois bébés sont morts, mais il faut continuer à assurer toute la nourriture et les ressources disponibles diminuent. Avec ce temps pluvieux certaines denrées ont moisi.

Vlad pivota pour faire face à nouveau au foyer. Il jeta une souche sèche au milieu des flammes, qui se calmèrent momentanément.

— Nous y arriverons, et tous les moyens seront bons pour réussir. Diegis m'a même parlé d'une possibilité qui est, disons... plus extrême.

Zlata se pencha, posant sa main sur l'épaule de son homme. Vlad pourtant refusa de lui faire face.

— De quoi s'agit-il ? demanda-t-elle doucement.

— Eh bien... Le serpent peut demander à certains anciens trop âgés de quitter la ginte. De partir.

— De partir ? Mais où ça ?!

Les muscles de l'épaule de Vlad se raidirent sous les doigts de Zlata.

— Peu importe. L'essentiel est qu'ils ou elles s'en aillent. Ainsi nous n'aurons plus à les nourrir. Ils finiront par mourir, seuls... Quelque part.

La Matriarche se redressa, choquée.

— Mais... Mais ce serait tout simplement un bannissement ?! Et pour quelle faute ? Parce que les anciens sont trop vieux ? Parce que les femmes ne peuvent plus enfanter ?! Tu réalises ce que tu dis ?!

Vlad se leva à son tour, plantant ses yeux dans ceux de son épouse, d'un air de défi.

— Oui, je le réalise. Crois-moi ! Je sais et je vois bien que nous ne pourrons pas alimenter tous les villageois. Tu n'as pas la solution, et moi j'explore des possibilités. C'est pour cela que nous sommes les chefs. Pour prendre des décisions difficiles et pouvoir ainsi survivre ! Non ?!

— Oui. Mais... pas comme ça ! Il doit bien y avoir un autre moyen ! Nous avons des alliés maintenant. Il faut mettre Zia et Kadmeron à contribution !

— Je suis d'accord, concéda Vlad. Mais il faut pouvoir invoquer cette solution extrême si nous ne pouvons pas faire autrement. Et ce ne sera pas un bannissement. Il faudra que ce soit quelque chose de volontaire. Que l'ancien ou l'ancienne parte du village après l'avoir *décidé*.

Zlata s'assit à nouveau avant de soupirer longuement.

— Et comment voudrais-tu qu'une personne parte de la ginte dans la montagne, de son propre chef, en sachant qu'elle va mourir de faim ou attaquée par les loups, dévorée par un ours ? C'est complètement fou !

Vlad saisit un autre tabouret et prit sa femme par les épaules. Il articulait difficilement, visiblement éprouvé parce qu'il allait prononcer :

— Parce que cette personne-là voudrait se sacrifier. Volontairement. Pour le bien de ses enfants, de la ginte. N'est-ce pas ce que nous faisons toutes et tous, en fait ? Ne sommes-nous pas en train de faire des choix pour notre communauté ? Pour son bien ?

Zlata s'agita, en proie aux doutes.

— Oui... Mais nous luttons pour vivre ! Tous ensemble ! Pas pour... condamner quelqu'un à mourir comme une proie blessée, abandonnée de tous !

Elle posa ses mains sur son abdomen, les serrant rageusement et continua :

— Et même si mon ventre n'a pas pu nous donner des enfants, je ne laisserai pas faire cela dans notre ginte, Vlad, pas quand nous avons de l'or ! Je trouverai un moyen.

Un voile de tristesse passa sur le visage du Patriarche. Malgré tous leurs essais, tous les rituels de fertilité pratiqués par Diegis et d'autres prêtres dans de nombreuses gintes, il n'avait pas pu féconder son épouse. La plaie était encore vive, même si d'autres femmes avaient accueilli avec joie le Patriarche dans leurs couches. Il ajouta à voix basse :

— Tu ne voudrais pas que nous évoquions tout de même cette... possibilité lors du prochain conseil des sages ? Nous pourrions demander à Diegis de témoigner de ce que lui a dit l'esprit du serpent, non ? D'ailleurs, certains animaux n'abandonnent-ils par leurs petits trop faibles ?

— Non ! cria la matriarche. Ce n'est pas la même chose ! Nous parlons d'anciens et d'anciennes qui ont contribué à la vie de la ginte et le font encore. Nous parlons de ce qu'ils savent, de ce qu'elles ont à transmettre aux jeunes. Il ne s'agit pas de bébés ou d'enfants qui meurent sans avoir pu totalement grandir et vieillir. Ne mélange pas les choses ! finit-elle irritée en bondissant vers lui.

Vlad recula.

— Mais... Je pense vraiment qu'il faudrait garder cette option. Réfléchis bien avant de tout rejeter !

Zlata toisa furieusement le Patriarche du regard.

— Et alors Vlad, serais-tu prêt à quitter volontairement le village, toi, lorsque ton temps sera venu ? Pourrais-tu aller dans la montagne, t'asseoir et attendre que la mort vienne te prendre ?! Sérieusement ?

L'homme baissa les yeux.

— Je n'y avais pas pensé... À vrai dire, j'ai songé que j'allais rejoindre la Mère-Terre... autrement.

— Peut-être. Mais nous en parlerons un autre jour, veux-tu ? En attendant, je crois qu'il faudrait explorer autre chose. Il ne faut pas oublier que nous avons désormais des alliés parmi nous. Kadmeron et Zia sont des excellents chasseurs. Meilleurs que les nôtres. Demandons-leur d'organiser une chasse !

— La chasse prendra du temps. Trop de temps.

— Pas forcément. Nous leur dirons de ne pas s'éloigner à plus de trois jours de marche. Et de revenir impérativement avec des proies abattues.

— D'accord, mais ce ne sera pas suffisant.

— Eh bien, nous leur demanderons de partir faire du troc. Nous avons de l'or à échanger et il serait grand temps d'obtenir plus que ce que nous demandions jusqu'à présent !

— Et pourquoi ça ? Les termes des échanges ne sont-ils pas suffisants ? demanda Vlad.

— Non. Nous voudrons plus. Et nous exigerons cela de

nos nouveaux alliés. Qui sont nos obligés, en fait. Ils se sont engagés envers nous ! Il est temps de leur réclamer ce qui nous est dû, pour le bien de la ginte du Rocher Fendu !

Vlad se rapprocha de Zlata, l'enlaça vigoureusement et planta sa langue dans sa bouche.

— Je te reconnais bien là, ma Zlata... chuchota-t-il dans l'oreille de son épouse.

Zlata commença à ronronner sous les caresses de son homme. Soudain il s'écarta et dit :

— En fait, il y aurait un autre moyen de demander encore plus à Kadmeron, en particulier.

— Ah oui ? Lequel ?

— J'ai remarqué, et les gens du village m'en ont informé, qu'il est particulièrement attiré par l'or. Il n'arrête pas de poser des questions à ce sujet. As-tu vu comme ses yeux brillent lorsqu'il pose les yeux sur les objets en métal doré ?

— Oui, en effet, concéda Zlata. Je crois même qu'il est complètement habité par l'esprit de l'or. Nous devrions exploiter son attirance... puisque c'est nous qui avons l'or. Notre ginte. Quant à Zia...

— Quoi, quant à Zia ?!

— J'ai mon idée là-dessus... Je t'en parlerai plus tard. En revanche, il faut nourrir la faim de Kadmeron pour l'or. Et manœuvrer de sorte que ça se transforme en une véritable famine pour lui !

Vlad se rapprocha, intéressé.

— Ah oui, et à quoi penses-tu, mon aimée ?

Zlata le prit par les mains et le dirigea vers le lit où ils s'assirent ensemble. Elle lui dit :

— Tu devrais lui proposer de lui enseigner le martèlement de l'or, tout d'abord. Il est doué de ses mains : il sait fabriquer des arcs, des flèches, des pointes. Il peut peindre et il a cette passion pour les signes-mots. Je pense qu'il serait enchanté de transformer l'or en objets ou en bijoux. N'est-ce pas ?

— Certes. Mais contre quoi ?

— Je ne sais pas encore. Cet apprentissage est véritablement d'une grande valeur, et cela nous permettra d'agrandir sa faim. En échange, nous lui demanderons une contribution à mesure de ce qu'il apprendra !

— Et Zia ? Ne va-t-elle pas nous créer des problèmes à ce sujet ? Elle a une grande influence sur Kadmeron, interrogea Vlad.

— Je pense que Kadmeron est suffisamment attiré par les secrets de l'or pour ne plus écouter sa charmante femme, mariée selon les rites de *notre* ginte.

Vlad réfléchit un instant.

— Nous pourrions lui demander d'extraire une quantité d'or pour la ginte. Il est fort, jeune, vigoureux, et une telle tâche ne l'effraierait pas. Il serait même prêt à le faire assez vite !

— Oui, tu as raison. En plus de la chasse et du troc. Et, pourquoi pas exiger de sa part une quantité d'or par année ? Nous pourrions ainsi augmenter les quantités et proposer plus d'échanges aux gintes et obtenir plus de nourriture. Bien entendu, les objets qu'il réalisera seront à nous et nous pourrons en disposer comme bon nous semble, ajouta-t-elle, un sourire éclatant aux lèvres.

Le Patriarche s'illumina à son tour. L'idée de sa femme était totalement séduisante. Irrésistible.

Zlata se leva du lit et déclara :

— Bien ! Il est temps de rappeler à nos jeunes mariés leurs obligations face à la ginte. Ils ont juré allégeance à nos lois et nos rites.

— C'est vrai !

— Et nous allons désormais obtenir la contrepartie de ce que nous avons placé comme espoirs et comme richesses en eux. Ils *doivent* nous obéir et ne pas oublier de nous demander notre autorisation avant de s'installer définitivement dans un endroit.

— Tu veux dire... qu'ils vont partir d'ici ?

Zlata pivota sur ses talons, scrutant le visage de son mari. Il n'avait toujours pas compris, le pauvre.

— Nécessairement ! Il le faut !

— Mais... pourquoi ça ? N'avons-nous pas discuté du fait qu'ils seraient particulièrement utiles ici ?

— Oui, bien sûr, mais...

Vlad s'agita.

— N'avons-nous pas fait construire une hutte pour eux, en mobilisant la ginte pendant plusieurs jours d'affilée ?

Zlata continuait à le regarder, calmement. Elle soupira longuement. *Ce pauvre bougre a encore besoin d'une explication... Il manque vraiment de subtilité et la stratégie n'est pas son fort !* pensa-t-elle, déjà au-delà de l'exaspération. Des années de vie en couple n'avaient toujours pas encore décrassé l'esprit trop simpliste de son époux.

— Si, bien sûr. Mais rien n'empêche que Kadmeron et Zia *reviennent* ici, chaque année pour remplir leurs obligations, non ?

— Qu'ils... reviennent ?!

— Évidemment ! C'est pourtant simple. Leur hutte ne s'enfuira pas, non ?! Et ils nous seront infiniment plus utiles à augmenter l'influence et la puissance de notre ginte jusqu'à des contrées lointaines, alors que nous resterons ici à profiter de leur travail. Tranquillement.

Un immense sourire apparut sur le visage du Patriarche.

— Oui ! Tu as raison. Nous resterons ici, à attendre leur or et tout ce qu'ils devront nous apporter. Tous les ans.

— Voilà ! asséna Zlata, les yeux brillants. Elle pointa ensuite vers la porte, avant d'ajouter : Bien, maintenant va voir Kadmeron pour lui annoncer la bonne nouvelle ! N'oublie pas : tu vas lui enseigner le martèlement de l'or en échange d'une quantité d'or tous les ans !

— Euh... Et de quelle quantité s'agit-il ?

— Disons... deux poignées.

— Deux poignées ! Mais c'est beaucoup, tout de même. Il lui faudra plusieurs semaines pour les extraire, d'autant qu'il ne sait pas encore exactement comment faire.

— Deux poignées... pour commencer, sourit-elle. Ensuite, nous verrons comment augmenter sa production, au fur et à mesure de ses résultats et des preuves de sa loyauté envers la ginte.

— D'accord ! lança Vlad avant de quitter la cabane.

Zlata sortit sur le seuil et frappa fort des mains à plusieurs reprises. Rapidement, une vieille femme fit son apparition.

— Doga, va me chercher Zia ! J'ai besoin de lui parler. Maintenant.

La vieille femme ne se fit pas prier et fila en courant vers la maison-longue. Zlata referma la porte derrière elle. La Matriarche devait se préparer à la confrontation.

✦

Zia entra dans la hutte des chefs. Son visage affichait une certaine crainte mais aussi la maîtrise de ses émotions. *Elle sait que je vais lui demander quelque chose...* songea Zlata.

— Entre, je t'en prie, et assieds-toi ! l'invita la Matriarche, lui montrant un tabouret près du foyer.

La jeune Haganita s'exécuta sans pour autant afficher sur son visage autre chose qu'un air surpris.

— Tu dois te demander ce que tu fais ici, n'est-ce pas ?

— Oui, c'est vrai. Je m'occupais du fromage et...

— D'accord, l'interrompit Zlata. Je crois que nous avons à discuter de choses bien plus importantes.

La nouvelle venue se força à ne pas répliquer.

Bien, elle semble savoir qui commande, ici... pensa Zlata avant de poursuivre à voix haute :

— Comme tu le sais, votre mariage à la ginte du Rocher Fendu implique un certain nombre d'obligations.

Zia baissa la tête.

— Oui, j'en suis consciente. Et il me semble que je m'acquitte correctement de celles-ci, non ? N'as-tu pas constaté que je contribue efficacement à la collecte des baies et champignons, de la traite des vaches, de la préparation de la nourriture et...

— Certes ! Mais il s'agit de quelque chose de plus important, cette fois-ci. De votre lieu de vie à Kadmeron et à toi.

Zia la regarda, interloquée.

— Mais... Nous avons déjà une maison, ici. Nous en sommes très reconnaissants, d'ailleurs, comme tu le sais sans doute.

Zlata se raidit subtilement.

— Oui, je le sais, parce que nous vous avons construit l'une des plus belles huttes de toute la ginte, et je dirais même... de toute la région. C'est un véritable honneur !

Le rouge monta aux joues de Zia, qui acquiesça sans mot dire. Zlata lui offrit un sourire énigmatique.

— Cependant, vous devrez désormais demander notre autorisation avant de vous établir, même momentanément, dans un autre endroit.

Zia considéra son interlocutrice un long moment, éberluée par son affirmation.

— Comment ça ?! Nous ne sommes pas libres d'aller et venir de la ginte, ni des endroits où nous souhaiterions nous installer ?!

— Non, affirma Zlata le plus calmement du monde.

La Matriarche regardait la jeune femme en face d'elle, devinant les tourments intérieurs qui l'habitaient. Elle comprenait ce qui se passait et en savourait chaque instant.

Au bout d'un long moment, Zia se releva puis franchit en silence le seuil de la cabane. Au bout de quelques pas, elle se retourna et dit :

— C'est une demande complètement démesurée. Nous sommes libres, Kadmeron et moi.

Zlata la toisa.

— Eh bien... C'est ce que nous verrons, affirma la Matriarche, avant de refermer la porte.

4.
Kadmeron

Kadmeron était troublé. Il n'arrivait pas à comprendre pourquoi Zia interprétait les événements si différemment de lui. Lors de la cueillette des champignons quelques jours plus tôt, ils s'étaient disputés au sujet de la direction à donner à leur voyage. Il n'avait pas envie de partir de ce village pour le moment. Il s'y sentait bien, il apprenait tant de choses au Rocher Fendu. Il ne savait pas quoi penser de l'envie de sa femme de s'en aller ainsi vers le Peuple du Poisson.

Certes, il n'avait aucun doute sur ses sentiments pour elle à son égard, ni sur leur intensité. Il était désormais lié à sa compagne encore plus profondément qu'il l'était à Potac, son cheval qu'il commençait à négliger. Mais il avait encore beaucoup de mal à accepter sa vision des choses concernant les décisions de leur couple. *Je devrais consulter l'esprit du Cheval*, pensa-t-il. *Celui de l'épicéa ne m'a pas parlé, même si j'ai tenté plusieurs fois après que Diegis s'est moqué de moi. Ce n'est pas facile de savoir quand écouter et quand s'imposer ! Quelle est la meilleure voie à prendre ?*

Ces pensées le tourmentaient et Kadmeron aspirait à la paix : il ne voulait plus de conflits avec Zia mais peinait vraiment à trouver l'harmonie dans leurs positions respectives qui lui semblaient opposées. Comment lui faire comprendre son point de vue sans pour autant déclencher la colère ? Comment discuter alors qu'ils n'étaient pas d'accord ? Et puis... n'avait-elle pas raison, elle aussi ? En quoi aurait-il plus le droit de voir son envie à lui triompher sur la sienne, à elle ? Il pouvait s'imposer par la force, comme beaucoup d'hommes de sa tribu des Marterons le faisaient parfois. Et comme visiblement cela semblait arriver ici, au Rocher Fendu, en dépit de l'autorité incontestable de Zlata. Néanmoins, ce n'était pas la manière qu'il avait choisie car il ne l'appréciait guère.

Ausgon lui avait montré très tôt l'équilibre entre le féminin et le masculin. Leur complémentarité dans la nature, chez les animaux, les arbres, les plantes, les insectes. En tant que chaman, il avait une conscience aiguë de l'impossibilité pour le mâle d'exister sans la femelle, et réciproquement. Il fallait donc respecter l'équilibre des forces, comme l'alternance entre le jour et la nuit. Si Kadmeron pouvait comprendre que l'égalité n'était pas parfaite – aucun mâle ne pourrait jamais porter ni donner naissance à des petits – il savait que chaque homme avait une responsabilité dans sa famille, dans sa tribu. Il se rappelait très bien que d'autres plus forts que lui l'avaient battu dans son enfance, qu'il en avait souffert, et s'était promis de ne pas reproduire ces coups reçus sur qui que ce fût.

D'ailleurs, il savait parfaitement que sa compagne ne se laisserait pas faire sans réagir vigoureusement. En effet, la guérisseuse savait ne pas être docile et user de ses muscles et de sa ruse, si besoin était. Il la respectait beaucoup pour cela. En y réfléchissant bien, il se rappela Hoela, la fille de Lohan, le chef des Aquastanis. Certes, il avait ressenti du désir pour elle, mais pas ce sentiment profond, ce respect presque irréel qui s'ajoutait à ce qu'il ressentait pour Zia. Il avait aussi été attiré par l'aura d'Astre, la mère de Tigol, dans la tribu des Sequats. Pourtant, chez Astre, il manquait quelque chose d'indéfinissable. Zia en revanche, avait tout pour lui plaire : la beauté, la sagesse, la force, la vigueur, et cette volonté indomptable de ne pas se laisser faire, de ne pas se laisser tromper. Elle était féroce, savait protéger sa propre liberté, quitte à se défendre bec et ongles contre lui. Il aimait ça. Vraiment. Que sa femme puisse lui tenir tête sans trembler, tout en l'aimant aussi profondément.

Il était seul sur sa couche, fixant le plafond pentu de la cabane. C'était le matin, assez tôt. Conformément à son habitude, Zia était déjà partie collecter des plantes et des baies, non sans l'enlacer et le couvrir de baisers au passage. Elle aimait partir dès son réveil et il lui fallait profiter de ces jours précieux avant que les flocons ne commençassent à tomber avec force. La première neige avait déjà fait son apparition, sans pour autant rester.

Soudain, la porte s'ouvrit sans prévenir, faisant rentrer une bouffée d'air froid dans la cabane.

— Kadmeron ! Viens, suis-mois ! J'ai quelque chose à te montrer ! lui cria Vlad.

— Comment ça ? Maintenant ?!

— Allez, viens, tu as assez dormi ! tonna le Patriarche avant de claquer la porte derrière lui.

Comme frappé par la foudre, le jeune Marteron se leva de sa couche de paille. *Mais qu'est-ce qu'il me veut, celui-là ? Il y a un problème, une urgence maintenant ?!* pensa-t-il, choqué et irrité.

Malgré les émotions contradictoires, il ne lui fallut que quelques instants pour enfiler ses braies puis ses chausses en peau de daim. Pas le temps de finir sa toilette ni de mettre de l'ordre dans ses cheveux avec le peigne en os de Zia qui traînait sur la table en bois. Pas le temps non plus de vérifier que tout était bien en place pour le retour à la maison.

Il vérifia toutefois que le feu était bien éteint et ferma la porte de la cabane derrière lui. Il se sentit agressé par l'air frais des montagnes et regretta amèrement la visite impromptue de Vlad. Pourtant, la curiosité le poussait à le suivre. Il sentait que quelque chose d'important allait se passer. *Vais-je apprendre quelque chose sur l'or ?* espéra-t-il tout en commençant à trotter derrière le chef.

Heureusement pour lui, il avait pris le temps de se soulager peu de temps après Zia. Il héla Vlad qui avançait à grands pas, sans regarder en arrière :

— Où va-t-on ?

— Tu verras bien, Kadmeron. Ne pose pas de questions inutiles !

Le chasseur fut surpris par le ton autoritaire du Patriarche. Même si ce n'était pas inhabituel, il s'interrogeait tout en réduisant la distance qui les séparait. Les pensées se bousculaient dans sa tête: la frustration de ne pas avoir pu se réveiller correctement, l'irruption soudaine du chef dans sa hutte, les avertissements de Zia concernant les contraintes, et surtout les contreparties à leur engagement de mariage, que Zlata et Vlad avaient commencé à formuler ses derniers temps.

Je dois faire attention... se dit-il. *Après tout, je suis un homme libre. Je n'accepterai pas quelque chose qui nous ferait du mal, à Zia et à moi.*

Depuis son jugement devant le conseil des sages de la

ginte, il se méfiait de Vlad car celui-ci ne l'avait pas ménagé. En fait il en avait peur, d'une certaine manière. Mais il fallait également qu'il sache s'imposer. Certes, il avait reconnu devant tout le monde qu'il avait eu tort, qu'il avait été arrogant, qu'il voulait aussi s'unir à Zia... *C'était à ce moment-là que le Patriarche et la Matriarche avaient appris que je voulais épouser Zia !* se remémora-t-il.

— Voilà, c'est ici ! prononça Vlad en s'immobilisant devant une porte.

Surpris, Kadmeron se recula. Il tenta de s'extraire de ses pensées avec difficulté. Il considéra rapidement l'endroit où ils se trouvaient. La cabane était isolée du village, un peu plus loin, presque collée à la paroi de la montagne. La zone était dégagée, sans végétation. Une grosse réserve de bûches gisait, à l'abri d'un auvent. Quelques gouttes de pluie commencèrent à tomber. La hutte quant à elle était compacte, faite de murs épais en pierre. Le toit était recouvert de plaques d'ardoises et une épaisse fumée blanche s'élevait de la partie arrière, où un feu devait brûler.

— Où sommes-nous ?

— Devant l'atelier de transformation de l'or ! lui confia Vlad en lui souriant.

Soudain, toutes les appréhensions de Kadmeron semblèrent s'évanouir. Les doutes s'envolèrent comme une nuée d'oies sauvages. Comme lorsqu'il était enfant, il sentit une irrésistible envie le saisir : la curiosité, l'impérieuse nécessité de la possession immédiate. *Ça y est ! J'y suis, je vais enfin connaître le secret !* Il commença à allonger le pied pour avancer, quand Vlad leva le bras, lui bloquant le passage.

— Il y a un prix à payer... pour savoir, annonça-t-il calmement.

Kadmeron recula, étonné.

— Un prix ? Que veux-tu dire ?

— Ce que tu vas apprendre aujourd'hui fait partie des secrets les plus importants de la ginte du Rocher Fendu.

— Mais n'en faisons-nous pas partie désormais ? rétorqua le jeune homme.

Vlad lui adressa un sourire énigmatique.

— Eh bien, c'est le cas, oui. C'est du moins ce que croient les autres chefs, hommes et femmes, des gintes que nous avons invités à vos épousailles. C'est ce que pensent également les habitants de notre village.

— Et alors ? demanda le jeune Marteron, sur ses gardes, sans comprendre où le chef voulait en venir.

— Et alors... ce n'est pas encore ce que nous pensons *nous*, Zlata et moi.

— Ah bon ?! s'étonna le chasseur.

— Non. Vous avez encore des choses à prouver, Zia et toi.

— Vraiment ?!

— Oui. Ce que vous faites actuellement ne suffit pas à prouver votre loyauté. Nous avons besoin de plus.

Kadmeron était stupéfait. L'avertissement de Zia résonnait encore à ses oreilles. *Elle avait raison. Encore une fois. Mais comment savoir ce qu'ils veulent, ces deux-là ?* Il se redressa, reprenant contenance et se forçant à réfléchir rapidement.

— Je regrette que vous pensiez cela, Zlata et toi.

— C'est ainsi et c'est la réalité, dit Vlad fermement, en souriant d'un air difficilement déchiffrable.

Les traits de sa face se détendirent, mais il continuait à maintenir la main sur la porte de l'atelier. Derrière le bois épais, on entendait des coups sourds, comme celui des piverts, mais plus espacés et plus massifs. Il reprit :

— J'ai bien vu que tu es intéressé par tout ce qui touche à l'or, n'est-ce pas ?

— Oh, oui ! répondit le chasseur, regrettant aussitôt sa franchise.

Vlad le dévisagea.

— Donc, nous pouvons nous entendre, toi et moi, affirma-t-il d'un air victorieux, la mine réjouie.

— Euh, oui… Certainement.

Vlad semblait attendre la suite, calmement.

Je dois faire quelque chose, pensa Kadmeron.

— Alors, qu'est-ce que je dois faire ? Quel est le prix à payer pour *savoir* ?

— Deux poignées d'or.

— Deux... poignées ?

— Par an.

— Deux poignées d'or par an ? articula Kadmeron sans trop comprendre.

Vlad lui sourit à nouveau.

Qu'est-ce que ça peut représenter ? se demandait le Marteron. Il retourna ses poings et leva ses paumes vers le ciel. Il regarda la surface de ses mains et songea : *c'est pas tant de surface que ça, finalement... pour connaitre un tel secret !* Il ne lui fallut pas longtemps pour prendre la décision.

— C'est d'accord ! lança-t-il.

— Très bien Kadmeron, je suis content que tu aies pris cet engagement. Tope-là dans ce cas ! lui dit-il en tendant la main droite ouverte vers lui.

Pour sceller leur accord, le chasseur frappa la main tendue du Patriarche puis retourna la sienne vers le haut. À son tour, le chef imita les gestes de Kadmeron : l'échange était conclu. Kadmeron était heureux de pouvoir enfin apprendre ce qui l'intéressait depuis son arrivée à la Montagne d'Or. *Eh bien ! Deux poignées d'or ne seront pas faciles à ramasser, mais c'est pas la fin du monde, non plus ! J'en parlerai à Zia quand je reviendrai à la maison ! Elle sera moins suspicieuse. Cela me semble correct.*

Vlad se retira et poussa enfin la porte.

— Après toi ! invita-t-il.

Kadmeron franchit le seuil. En face de lui, assis à une table baignée par la lumière du soleil qui pénétrait par un orifice pratiqué dans le toit, Ion leva la tête vers le nouveau venu. Devant lui, le chasseur reconnut l'éclat inimitable du métal doré tant convoité. Comme une petite feuille de soleil qui brillait de tous ses feux devant le sculpteur.

— Ion, mais qu'est-ce que tu fais ici ?

— Eh bien, je façonne l'or, comme tu le vois, lui répondit-il de la façon la plus naturelle.

— Mais tu n'étais pas sculpteur ? Je pensais que c'était la pierre ta matière de prédilection.

— Eh bien, j'ai plusieurs spécialités et le travail de l'or me plaît davantage, répliqua l'homme alors qu'un sourire carnassier se dessinait sur son visage.

Vlad se rapprocha.

— Ion, j'aimerais que tu montres à Kadmeron comment tu procèdes pour préparer les feuilles d'or. Depuis le début.

— Et comment nous préparons aussi le métal ? demanda l'homme.

Le Patriarche le regarda intensément.

— Non, pas encore. Nous le lui montrerons plus tard. Pour l'instant, sors quelques petits cailloux et montre-lui comment il faut faire.

— D'accord !

Vlad ramena un tabouret et le plaça devant son invité.

— Assieds-toi et regarde !

L'apprenti ne se fit pas prier. Il s'assit avec enthousiasme, dévorant des yeux la scène. C'est à ce moment-là qu'il sentit cette odeur inconnue et forte : une sorte d'émanation froide, presque minérale. Une fragrance beaucoup plus forte que celle qu'il avait humée près des rivières. Elle venait de derrière une autre porte, d'où provenait un bruit puissant. Comme la respiration d'un géant endormi.

— Qu'est-ce que nous entendons, par-là ? demanda-t-il, curieux, en pointant vers la pièce fermée.

— C'est là que se trouve le four pour transformer l'or, affirma Vlad. Mais pour l'instant, tu ne verras pas ce qu'il s'y passe, continua-t-il sans laisser de place à la contestation. Regarde ici maintenant ! ajouta-t-il en fronçant les sourcils.

Imperturbable, Ion mit sa feuille d'or sur le côté et leva les yeux vers le chasseur.

— Qu'est-ce que c'est ? demanda Kadmeron.

— C'est une feuille d'or, prête à être transformée et modelée. Il faut bien l'aplatir pour ensuite pouvoir y graver des formes, des végétaux ou des animaux. Nous pouvons même la transformer en bijoux.

— Ah oui ? Et comment fais-tu pour l'obtenir ?

Kadmeron se pencha. Il avait oublié la respiration du four derrière lui. Les yeux dardés sur l'or, il lui semblait même que le métal lui parlait, l'attirait dans un monde inconnu.

Ion se pencha sur le côté et prit un bol en bois d'un peu plus bas. Le récipient était à peine plus gros que le poing. À l'intérieur, une multitude de cailloux d'or, de différentes tailles, brillaient. Le chaman n'en avait jamais vu autant ! Il en était bouche bée.

Sans afficher d'émotion particulière, Ion amena le bol au soleil et commença à soupeser différents cailloux dorés, comparant leur forme et leur brillance. Puis il en prit un et le posa sur la table en bois. Ensuite, il approcha une lourde pierre plate de granit dur et bien lisse qui reposait un peu plus loin et y déposa la pépite.

— Nous avons créé des outils spécifiques pour le travail de l'or, commenta Vlad.

Au même moment, Ion saisit d'une étagère une sorte de minuscule herminette. Kadmeron n'avait jamais rien vu de semblable, même au village des signes-mots. *On dirait une hache fabriquée pour un bébé ! Et pourtant, elle a une lame d'obsidienne très petite et inversée, comme une herminette !* pensa-t-il, au comble de l'étonnement.

— Qu'est-ce que c'est, cet outil-là ?! s'intéressa-t-il.

— Un affineur, précisa le Patriarche. Il faut frapper régulièrement le caillou pour commencer à l'écraser, sans pour autant le fendre.

— Ah bon, c'est possible, ça ?

— Bien sûr, confirma Ion. Nos ancêtres nous ont appris comment faire et nous améliorons sans cesse la technique. Le caillou d'or est assez mou, comme de la résine de pin, et il faut le travailler lentement et doucement.

Ion continua à marteler la pièce avec l'affineur. Il la maintenait en place en le pinçant entre ses doigts et en la coinçant de temps en temps à l'aide des fines rainures creusées dans la pierre de granit, et que Kadmeron n'avait pas remarquées jusqu'alors.

— Tiens, regarde, j'ai fini cette phase-là ! annonça-t-il en montrant au chasseur le résultat de son travail.

Ce dernier se pencha et ne put retenir une exclamation d'admiration devant ce qu'il voyait : le caillou avait été transformé en une sorte de feuille d'arbre épaisse, mais striée de rainures minuscules, témoignant des coups portés à l'aide de l'affineur pendant plusieurs minutes.

— Mais, on ne peut pas encore en faire un bijou, n'est-ce pas ? demanda-t-il.

— Non, en effet, répondit Vlad en souriant. Tu commences à comprendre, Kadmeron.

— Alors, comment fait-on pour obtenir la feuille d'or que j'ai vue tout au début en arrivant ? Utilise-t-on autre chose ?

Ion saisit un autre outil de l'étagère. La lame cette fois-ci était totalement plate, perpendiculaire à l'axe de percussion. Elle ressemblait à un cylindre tronqué. Kadmeron comprit immédiatement : en martelant la feuille épaisse striée d'or mou, ce nouvel outil allait l'aplatir encore plus finement.

Sans mot dire, totalement concentré, l'orfèvre saisit la feuille brute et l'immobilisa fermement sur son plan de travail en pierre.

— Oui, tu as raison. Voici une autre sorte d'outil plus spécialisé. Nous l'appelons un aplatisseur, expliqua Vlad.

Immédiatement, Ion se mit à marteler la feuille striée. Il la tournait sur elle-même avec adresse. Kadmeron se pencha et observa, émerveillé, comment les stries semblaient se mélanger les unes aux autres, s'estomper pour totalement disparaître. Parallèlement, la feuille d'or s'amincissait et sa surface s'égalisait. Elle gagnait en brillance.

— Voilà, c'est prêt ! clama Ion, un sourire éclatant aux lèvres.

— Et alors, comment on crée un bijou, maintenant ? s'intéressa Kadmeron.

L'orfèvre lança un regard au Patriarche.

— Pas maintenant, dit Vlad. Plus tard. C'est suffisant pour aujourd'hui !

C'est alors que Kadmeron remarqua l'endroit d'où Ion avait pris le bol rempli de cailloux d'or. Il y en avait plusieurs qui semblaient de la même taille. Beaucoup étaient remplis, d'autres attendaient, vides. L'apprenti demanda :

— Mais, pourquoi avez-vous autant de bols ?

— Eh bien ces bols en bois sont importants pour notre ginte. Ils doivent contenir la même quantité d'eau. Pour vérifier, nous marquons toujours l'intérieur de ces bols avec une rainure.

— Une rainure ?

— Oui, nous gravons le bois ici, juste au-dessus de la surface de l'eau.

— Ah bon ?

Ion continua son explication :

— Nous fabriquons ces récipients spéciaux qui contiennent les cailloux d'or pour pouvoir savoir combien nous en extrayons de la Montagne d'Or ou de la rivière. Et aussi pour le commerce et les échanges.

— Ah ?!

— Oui, d'ailleurs ce bol est utilisé par d'autres gintes pour toutes nos transactions. C'est pour cette raison que nous lui avons même donné un nom.

— Un nom ?

— Oui, nous appelons ce bol une *poignée*.

À ces mots, un frisson glacé parcourut la colonne vertébrale de Kadmeron. Il ne put s'empêcher de voir le sourire narquois de Vlad.

✦

Lorsqu'il poussa la porte de la hutte, une délicieuse odeur chatouilla ses narines. Kadmeron franchit la porte et entra le sourire aux lèvres :

— Mmm, qu'est-ce que tu nous as préparé de bon pour ce soir ? demanda-t-il en sentant son estomac grogner.

— Du lapin aux champignons mon chéri. Mais qu'est-ce qui te met de si bonne humeur, car j'imagine que c'est pas le dîner que je suis en train de préparer, non ? lança-t-elle, contente de le voir si joyeux. Elle n'aimait pas du tout quand l'atmosphère était tendue entre eux, et les discussions plutôt difficiles des derniers jours rendaient compliqué le maintien de cette harmonie au sein de leur couple.

— Mais, si ! Je suis impatient de manger ton lapin aux champignons ma chérie, répliqua-t-il plein de tact. J'ai une faim de loup.

— Lave-toi les mains, et mangeons alors ! proposa Zia, en lui laissant un peu de temps avant de revenir sur le sujet par une autre voie dès qu'ils furent assis. Raconte-moi ce que tu as fait toute la journée car tu as complètement disparu.

— Je n'ai pas disparu, protesta Kadmeron. J'étais avec Vlad qui m'a enseigné comment marteler l'or. C'était fascinant ! avoua-t-il.

— C'est donc ça qui te met de si bonne humeur. Je comprends mieux, ajouta-t-elle avec un air sous-entendu et en levant les yeux au ciel.

— Qu'est-ce que ça signifie encore ? Il y a un problème avec le fait d'apprendre à façonner l'or maintenant ? ironisa-t-il, fatigué d'aborder ce sujet qui le mettait mal à l'aise.

— Non, non. Apprendre est toujours une bonne chose, mais... Zia ne finit pas la phrase car elle ne voulait pas être celle qui déclencherait une nouvelle confrontation. De toute manière, elle était persuadée qu'il allait encore prendre la défense de Vlad, alors inutile de lui en parler.

— Quoi encore ? lança Kadmeron agacé, en arrachant avec ses dents de la viande de la cuisse du lapin.

— Rien, je n'ai rien dit. Mange tranquillement ! continua Zia en essayant de garder son calme, mais sans pouvoir moduler sa voix de la même manière.

— Mais si, je vois bien que tu penses qu'il y a encore un problème. De toute manière, à chaque fois qu'on parle de l'or c'est pareil, fit-il remarquer.

— Là, je ne pensais pas du tout à l'or, finit Zia par craquer.

— À quoi alors ?

— À ce que Vlad te demandera en retour de cet apprentissage, puisque tu veux tout savoir, lâcha-t-elle.

— Mais il est normal que je lui enseigne d'autres techniques en retour. C'est ainsi depuis la nuit des temps Zia ! rétorqua-t-il excédé. Les peuples échangent leurs savoirs, leurs connaissances. Tu le sais pourtant, alors je ne vois vraiment pas quel serait le problème si Vlad s'attend à ce que je lui montre comment fabriquer mes petites pointes de flèches qui arrivent à mieux viser la proie ou un arc plus performant que ceux des Biephis.

— Oh, mais je n'ai jamais dit que cela serait un problème si tu devais lui enseigner l'une de ces choses-là. Mais je doute qu'il se contente de si peu...

— Je ne sais pas ce que tu vas imaginer encore, répliqua Kadmeron sans saisir ce qu'elle voulait insinuer. Il ne m'a rien demandé comme technique en échange de toute façon.

— Pas encore, ne put s'empêcher de dire Zia. Tu l'apprendras bientôt probablement...

— Apprendre quoi ?

— Eh bien, ce qu'il veut en retour. Et crois-moi, ce n'est rien de ce que tu peux imaginer...

— Mais qu'est-ce que tu vas encore croire, il m'a déjà dit ce qu'il voulait d'ailleurs... Franchement Zia, tu exagères à tout voir de façon aussi tordue ! Je commence à être fatigué de ton attitude et tes suspicions.

— Il veut quoi alors ? s'intéressa Zia.

— Oh, c'est mon problème ! éluda-t-il la question. C'est moi qui dois payer ce prix, répliqua-t-il promptement en lui tournant le dos et en faisant semblant d'aller chercher à boire.

— Comment ça, *ton* problème ? Il me semble qu'en tant que couple, cela nous regarde tous les deux. Et puisque tu persistes à ne rien voir ni comprendre, je vais te dire quelque chose que je me suis abstenue de te communiquer jusqu'à maintenant, même si cela te concernait, annonça-t-elle en se levant de table avant de s'éloigner à son tour. Elle inspira plusieurs fois en essayant de calmer son cœur qui battait la chamade. Elle ne voulait pas le provoquer davantage, mais il devait savoir.

— De quoi parles-tu ? demanda Kadmeron en voyant qu'elle ne continuait pas. Qu'est-ce qui se passe ?

En sentant qu'elle pourrait se maîtriser, elle se retourna avant de répondre :

— Hier, Zlata m'a fait venir dans sa hutte, commença-t-elle calmement, même si tout ce qui bouillonnait à l'intérieur ne s'était pas encore apaisé.

— Oui, tu m'avais dit que c'était pour parler de notre contribution à la vie de la ginte du Rocher Fendu.

— Ce n'était pas le seul sujet qu'elle avait abordé, poursuivit Zia en déglutissant difficilement. Elle a... sa voix vacilla et elle sentit ses mains trembler alors que son visage s'assombrit. Elle sentait une pression forte au fond de la gorge, les larmes remontant rapidement vers les yeux et craignait laisser tout se déverser si elle continuait.

— Zia, tu m'inquiètes. Dis-moi quel était cet autre sujet ! ordonna-t-il tout en essayant d'adoucir le ton de sa voix.

Kadmeron savait qu'elle était au bord des larmes. La commissure de sa lèvre inférieure se mettait toujours à trembler légèrement lorsqu'elle était submergée par les émotions. Il se leva, fit le tour de la table et s'assit près d'elle en l'entourant de son bras. *Peut-être que finalement ce que j'ai eu à affronter aujourd'hui, ce n'est pas aussi grave que ce qu'elle a dû subir…* pensa-t-il soulagé mais inquiet en même temps.

Zia pencha sa tête et l'appuya sur son épaule en évitant de le regarder en face.

— Allez, dis-moi ! insista-t-il. Qu'est-ce qu'elle t'a fait pour te mettre dans cet état ma chérie ?

Zia inspira profondément pour tenter de contenir son émotion, mais quelques larmes coulèrent de ses yeux sans qu'elle pût les en empêcher.

— Elle a dit... s'interrompit Zia en hoquetant, que nous devons demander leur autorisation avant de partir ou de nous établir dans un autre endroit.

Kadmeron resta sans voix.

— Comment ça, l'autorisation ? Tu es sûre que tu as bien compris ? finit-il par demander.

— Tu vois, c'était ma réaction aussi, répliqua-t-elle un peu soulagée. J'ai trouvé sa demande démesurée et je ne me suis pas privée de le lui dire. Tu comprends ce que cela signifie, non ?

— À vrai dire, non, pas vraiment. Peut-être qu'ils veulent qu'on leur dise où on va ou si nous décidons de quitter leur village. Cela leur permettrait de savoir sur quels bras ils peuvent compter pour la vie de la ginte, le travail avec les bêtes, la chasse, les cueillettes, la culture. Je crois que c'est pour ça, dit-il en réfléchissant au fur et à mesure, même s'il n'était pas vraiment sûr de ce qu'il avançait.

— Pas du tout. Elle a été très claire à ce propos et elle m'a affirmé que nous n'étions pas libres d'aller et venir de la ginte en toute liberté.

— Mais c'est insensé, n'importe quel être humain est libre de ses déplacements ! Vlad ne m'a jamais dit une chose pareille ! s'insurgea-t-il.

— Je pense que malheureusement tu vas l'apprendre bientôt par tes propres oreilles, chuchota-t-elle comme si elle parlait pour elle-même.

— Je ne crois pas qu'il va oser m'imposer une chose pareille ! répliqua-t-il fermement.

— Et s'il ose, tu arrêteras de me dire que j'exagère et que je vois le mal partout ? profita Zia pour insister sur son point de vue et essayer d'ouvrir les yeux de son homme.

— On verra, mais jusque-là, je te rassure tout de suite : nous sommes libres d'aller où nous voulons. Toujours ! D'ailleurs, est-ce que quelqu'un t'a demandé où tu allais quand tu es partie cueillir des plantes ? Je ne crois pas, poursuivit-il sans attendre la réponse de sa femme.

— Mais elle a insisté sur le fait que nous leur *devons* ça, tenta-t-elle de le raisonner.

— Il se trouve que pour le moment nous voulons rester ici pour passer la saison des neiges et pour apprendre les secrets de l'or. Donc nous resterons car c'est notre choix, conclut-il confiant.

— C'est peut-être le tien, mais pas le mien, répliqua Zia d'une voix faible. Je suis fatiguée, je vais aller me coucher.

— Vas-y ! Je m'occupe de laver les choses et de ranger la table, proposa Kadmeron, content de finir cette discussion en sachant qu'elle pouvait encore dégénérer, mais encore troublé par ce qu'il venait d'apprendre.

✦

Kadmeron sentit une douce caresse sur ses cheveux. Encore ensommeillé, il entrouvrit les yeux et les rayons du soleil chatouillèrent ses paupières. Le visage de sa jolie femme affichant un sourire plein d'amour et de tendresse l'aida à émerger. Il s'approcha et Zia ouvrit largement ses bras. Il vint s'y blottir comme il aimait le faire chaque matin. Zia déposa un doux baiser sur son front. Il leva la tête et l'embrassa avidement sur ses lèvres. Elle y répondit avec enthousiasme et ils finirent par faire l'amour avec passion et fougue.

Pendant qu'ils prenaient leur repas matinal, Kadmeron profita pour soulager sa conscience qui n'avait cessé de le troubler pendant toute la nuit :

— Ma chérie, je suis désolé si je t'ai accusée d'exagérer ou de voir le mal partout. J'aimerais vraiment que tu me fasses confiance. Nous n'allons pas permettre à Zlata de nous commander quoi faire. Elle est la Matriarche de cette ginte, mais si ce qu'elle nous impose ne nous plaît pas, nous partirons, annonça-t-il calmement.

— C'est vrai ? Nous pourrons partir visiter le Peuple du Poisson ? demanda avec espoir Zia, toute enthousiaste que son mari semblait enfin avoir ouvert les yeux.

— Oui, un jour, pourquoi pas, concéda-t-il. Mais pour cette saison des neiges, je pense vraiment qu'il serait plus raisonnable de rester ici. Cela nous permettra d'apprendre plus de choses sur leurs techniques et par la même occasion, nous pourrons nous faire des provisions de choses à échanger comme des fibules en or, ou des bijoux, mais aussi des fromages puisque tu étais si enthousiaste d'avoir appris à en faire, des vêtements. En plus, tu t'es liée d'amitié avec Zora d'après ce que j'ai vu, non ?

— Oui, c'est vrai.

— Nous devons garder un œil sur elle et Diegis. Nous ne pouvons pas l'abandonner à son sort et la laisser sous l'emprise de son homme s'il agit comme nous le pensons. Sans parler de tous les gens que tu soulages avec tes connaissances sur les plantes et les remèdes de guérisseuse. Ils n'ont plus de guérisseur ici et tu sais bien que personne ne pourra apprendre aussi vite pour être prêt pour la saison des neiges, alors que c'est justement là qu'il y aura le plus de malades.

— Ce n'est pas faux, dit pensivement Zia.

— Et moi, je dois organiser cette chasse et la réussir pour contribuer ainsi aux provisions pour les lunes à venir. Quand la neige arrive, le gibier se fait rare, comme tu le sais, et nous n'aurons plus que les animaux qu'ils élèvent. Ils nous ont accueillis, ont organisé notre mariage, construit notre hutte et nous ont nourris. Nous leur devons au moins ça, ma chérie. Mais je te promets que nous resterons vigilants quant aux manigances de Zlata.

— Et de Vlad, ajouta Zia. D'accord, je vais y réfléchir, même si j'ai toujours autant envie d'aller voir le Peuple du Poisson, avoua-t-elle en souriant avec un clin d'œil.

— Bon, allez ! L'année prochaine, nous irons leur rendre visite, annonça-t-il sans pouvoir résister au charme de sa femme et à la moue qu'elle affichait pour le convaincre.

5.
Zia

Zia restait tapie derrière le buisson, fixant des yeux les cervidés qui paissaient tranquillement sans se douter encore de la présence des chasseurs. Elle attendait le signal du reste du groupe. Sa mission était de rabattre le troupeau vers les archers au cas où les animaux essayeraient de prendre la fuite dans sa direction. Ce n'était pas qu'elle n'était pas bonne tireuse, mais cette fois-ci elle avait préféré rester dans l'ombre et ne pas lutter pour gagner une place parmi les hommes Biephis, qui considéraient qu'ils étaient meilleurs dans cet art que les femmes. Kadmeron avait essayé de protester mais Zia avait cédé et lui avait fait signe discrètement de laisser tomber cette bataille. Elle avait envie d'être seule pour pouvoir réfléchir à ce qu'elle allait faire dans les jours à venir. Le temps de la décision pressait car l'hiver approchait très vite désormais. Des flocons étaient tombés le soir précédent, mais ils avaient fondu aussitôt. En plus, le soleil réchauffait depuis ce matin-là les montagnes environnantes et des vapeurs s'élevaient doucement du sol en créant un voile brumeux et diaphane. Il faisait même trop chaud pour cette période de l'année, mais ce n'était pas désagréable. C'était comme si la saison de la renaissance allait venir, alors que celle des neiges n'était même pas arrivée.

Tout à coup, un grognement étouffé attira son attention. Il semblait provenir de quelque part derrière elle. Zia tourna la tête en aiguisant son ouïe pour détecter l'origine de ce son qui paraissait plutôt humain. Se trouvant dans une position adaptée qui ne risquait pas de compromettre la chasse, Zia profita pour reculer doucement en faisant attention à chacun de ses mouvements. Si le vent lui était favorable pour ne pas être détectée par les cervidés, le craquement d'une simple brandille pouvait changer la donne, et elle en était consciente. Elle n'avait pas du tout envie de ruiner cette partie de chasse, et encore moins de fournir une raison supplémentaire à Vlad pour la rabaisser devant le reste de la ginte. La période des faveurs et des formalités protocolaires était passée depuis le jour de leur mariage et désormais Zlata et Vlad semblaient être à l'affût de toute occasion de les rendre redevables, elle et Kadmeron. Cela la renforçait davantage dans son envie de quitter la ginte du Rocher Fendu où elle commençait à manquer d'air et d'espace.

Un nouveau gémissement la sortit de ses pensées. Cette fois-ci, elle en était sûre, c'était un humain. Mais où exactement ? Et cela n'allait-il pas compromettre définitivement la chasse qui se déroulait, si vitale pour la suite des événements ? Elle rampa avec adresse dans la direction d'où provenait le geignement. Un tronc d'arbre renversé l'obligea à se redresser. Comme elle était déjà assez loin sans risquer d'attirer l'attention du gibier, elle se leva doucement et l'enjamba. Une vision d'horreur la figea pendant une seconde : un homme gravement blessé gisait dans une fosse, légèrement en contrebas de là où elle se trouvait. La quantité de sang qui maculait les feuilles et le sol, et sa couleur assez sombre, lui firent vite comprendre qu'il était en grand danger. Zia se précipita vers la victime et s'agenouilla près de sa tête. À voix basse, elle demanda :

— Vous m'entendez ?

Le blessé avait ses yeux fermés, mais Zia perçut un léger tremblement de ses paupières. Se penchant près de son visage, elle lui toucha le front. Elle sortit vite sa gourde et mouilla les lèvres de l'homme qui semblait reprendre connaissance au contact du liquide.

— Vous m'entendez ? répéta-t-elle en chuchotant, tout en lançant en même temps un coup d'œil rapide au reste de son corps pour évaluer les blessures. Elle posa son équipement et commença rapidement à le palper, sans appuyer trop fort.

Ses jambes étaient déchiquetées, comme s'il avait été attaqué par un loup. Ou même plusieurs.

— Oui, murmura-t-il. Aidez-moi ! supplia-t-il en essayant de se lever mais sans y parvenir.

— Ne bougez pas ! Vous êtes gravement blessé, expliqua-t-elle. Buvez un peu d'eau, dit-elle en l'aidant à soulever sa tête et en approchant sa gourde de ses lèvres.

L'homme arriva difficilement à avaler quelques gouttes. Puis, il sembla prendre des forces et en but goulûment.

— Doucement ! Vous devez avoir soif, mais il ne faut pas en boire trop d'un coup, le conseilla Zia en soulevant délicatement un peu plus sa tête. Qu'est-ce qui vous est arrivé ?

— Je suis tombé et j'ai cassé ma jambe... arriva-t-il à répondre lorsqu'il reprit son souffle.

Zia enleva la fourrure qui lui couvrait les épaules, la roula en boule et la positionna sous la tête du blessé.

— Je m'appelle Zia. Quel est votre nom ? poursuivit-elle avec une voix calme en pensant rapidement aux actions à faire pour aider cet homme qui avait besoin urgemment de soins.

Elle avait remarqué la couleur bleuâtre de ses jambes et même la noirceur inquiétante qui avait gagné ses blessures béantes. L'odeur âcre de la putréfaction émanait des plaies. Il n'y avait pas de temps à perdre, mais elle ne voulait pas l'affoler. Le plus important était de le tenir conscient et calme afin qu'elle pût avoir le temps de lui prodiguer quelques soins et penser à la suite.

— Jo... van... murmura d'une voix éteinte l'homme en fermant les yeux.

— Reste avec moi Jovan ! Il ne faut pas t'endormir. Je vais m'occuper de toi, annonça-t-elle en commençant rapidement à exécuter les gestes qu'elle avait déjà l'habitude de faire dans ce genre de situation. Il était important de parer au plus pressé en mettant le patient en sécurité et surtout de le rassurer, de le faire parler pour le maintenir conscient et obtenir le plus d'informations possibles sur les circonstances et les causes des blessures.

Elle continua à converser :

— D'où viens-tu, Jovan ? demanda-t-elle tout en déchirant les morceaux des tissus couvrant les jambes de l'homme afin de dégager les plaies béantes et d'arrêter l'hémorragie. Des morceaux de chair pendaient et l'os était visible par endroits. Elle agissait avec rapidité et précision, tentant de faire le moins de bruit possible.

— D'assez loin. Du peuple du... sa voix se brisa lorsque Zia versa de l'eau sur ses blessures pour y voir plus clair et chasser les nuées de mouches qui tournaient tout autour. *Certaines ont dû déjà pondre ici, sous sa peau ! Ce pauvre homme va mourir si je ne fais rien !* pensa-t-elle, horrifiée.

— Je suis désolée mais je dois nettoyer tes plaies, expliqua-t-elle en s'arrêtant et en décrochant rapidement sa petite trousse à plantes qu'elle emportait partout avec elle.

C'était Kadmeron qui lui avait confectionnée et lui en avait fait cadeau récemment en lui disant que c'était plus pratique d'en avoir une à taille réduite plutôt que de porter toujours la grande trousse de Lidova lors de petits déplacements. Même si elle avait eu du mal à l'admettre, c'était pourtant bien pratique, surtout à la chasse ou pendant les cueillettes. Cette nouvelle trousse plus compacte lui permettait d'avoir davantage de liberté dans ses mouvements. Et à ce moment-là en particulier, elle l'apprécia pleinement.

Zia trouva rapidement quelques graines de *papa* rouge qu'elle approcha des lèvres de Jovan.

— Croque ça ! lui dit-elle. Elles vont soulager tes douleurs, expliqua-t-elle en se remettant à nettoyer les plaies. De quel peuple tu disais que tu viens, alors ?

— Du... poisson, répondit l'homme après avoir réussi à avaler les graines. Puis-je avoir encore un peu d'eau ? supplia-t-il.

— Oui, bien sûr ! répliqua Zia sans pouvoir cacher sa surprise à l'entente de ses origines. Du Peuple du Poisson au bord de la Grande Rivière Mère ? s'intéressa-t-elle en approchant la gourde de ses lèvres.

— O... oui, confirma-t-il après avoir avalé une gorgée d'eau.

— Oh ! C'est là-bas que j'envisage d'aller prochainement, continua Zia avec enthousiasme. J'ai entendu que c'est un peuple extraordinaire, ajouta-t-elle en revenant à ses soins qu'elle prodiguait avec rapidité.

Elle était consciente qu'elle ne pouvait pas faire grand-chose sur place et qu'il devait être transporté au village très rapidement. Il risquait d'ailleurs de perdre ses deux jambes compte tenu de la gravité des blessures, mais elle n'en pipa mot. Il devait rester éveillé et ne pas être alarmé davantage sur son état.

— À ta place, je changerais mes plans... réussit à articuler Jovan d'une voix presque éteinte.

— Pourquoi dis-tu ça ? s'étonna Zia en levant brièvement

son regard sans pour autant s'interrompre de ce qu'elle faisait. Elle était en train de le préparer pour la suite en pansant ses plaies avec un large et long tissu qu'elle conservait dans sa besace et qui lui servait dans plein de situations.

— Ils sont devenus fous. Kirilo les as rendus tous fous ! répondit-il.

— Kirilo ? répéta Zia.

— C'est le chef de notre peuple. Enfin, de mon ancien peuple... se corrigea-t-il après une courte pause.

— Pourquoi ton ancien peuple ? l'interrogea Zia, s'approchant de sa tête à nouveau et tendant l'oreille.

— Ils m'ont banni, comme tous les autres, les Enfants du Soleil, expliqua-t-il avec difficulté. Après un gémissement supplémentaire, il réussit à continuer : Nous ne croyions plus que le poisson était celui qui a donné naissance à toutes les choses... finit-il d'une voix brisée et une grimace atroce lui déforma le visage.

— Mais ce n'est pas une raison pour bannir quelqu'un ! s'insurgea Zia en se levant pour regarder tout autour, angoissée. Il lui fallait de l'aide désormais. Immédiatement.

Soudain, des cris de joie retentirent dans la forêt et elle sut que la chasse venait d'être victorieuse. Elle ne voyait pas ce qui se passait mais entendit l'agitation et les chasseurs parler fort entre eux. Les éclats de voix et les cris se multipliaient au loin. Elle en profita pour siffler, crier et appeler nommément Kadmeron qui ne tarda pas à faire son apparition parmi les arbres.

— Zia, tu vas bien ? demanda-t-il.

— Non, viens m'aider ! Maintenant ! hurla-t-elle.

Inquiet, il bondit comme une flèche dans sa direction sans se soucier de ses compagnons qui s'affairaient autour du gibier abattu.

— Es-tu blessée ?! cria-t-il en courant.

— Pas moi ! répondit-elle alors qu'il arriva à ses côtés. C'est Jovan, expliqua-t-elle en pointant vers la fosse. C'est très grave, lui chuchota-t-elle près de l'oreille. Nous devons le transporter au village. Peux-tu emporter un des travois prévus pour la chasse ? Nous pourrions le porter plus facilement tous les deux. En un éclair, le chasseur avait embrassé du regard la scène d'horreur et compris la gravité de la situation.

— J'arrive tout de suite, répliqua Kadmeron, alors qu'il

était déjà en train de courir vers les chasseurs.

Zia s'accroupit à nouveau près de Jovan.

— Dis-moi ce qui s'est passé ! l'encouragea-t-elle en lui caressant le front et la tête.

— Je... je suis parti pour conclure des alliances, envoyé par les Enfants du Soleil, sur l'autre rive... Il déglutit difficilement et une grimace déforma horriblement ses traits, l'obligeant à s'arrêter. Il eut du mal à contenir un gémissement de souffrance.

— Tu as mal ?

— Je ne sens presque plus mes jambes mais... lorsque je les sens, des centaines de couteaux semblent me déchiqueter... Comme la nuit où les loups m'ont attaqué.

— Les loups ? répéta Zia pour être sûre qu'il ne délirait pas. Il frissonnait fortement. Il sembla sombrer dans l'inconscience et des propos incohérents sortaient de sa bouche. Elle tenta de le secouer. Puis elle porta son oreille à la poitrine de l'agonisant, écoutant avec toute son attention. *Son cœur ne bat presque plus !* songea-t-elle, alarmée.

Au bout d'un moment, Kadmeron arriva sur place avec le travois et encore deux chasseurs. Ils hissèrent Jovan, le sanglèrent rapidement en tentant de ne pas aggraver ses blessures. Puis ils le transportèrent au village pendant que les autres se chargeaient du butin de la chasse qui avait été fructueuse. Jovan fut placé sur une couche de la cabane des soins. Depuis l'arrivée de Zia au village du Rocher Fendu, elle y avait soigné pas mal de monde et les habitants s'étaient habitués à venir la consulter. Lorsque cela n'était pas possible, elle venait elle-même sur place, dans les huttes. Néanmoins, elle avait constaté qu'il serait bien plus pratique pour elle d'avoir accès à différentes plantes, des objets, un lit frais, des tissus propres. Après avoir parlé de ses soucis à la Matriarche, Zlata avait décidé de lui aménager une hutte spécialement pour son activité touchant la santé des habitants de la ginte. Zia voyait clair dans son jeu toutefois : cette hutte pour les soins constituait une raison supplémentaire de montrer que la Matriarche se souciait d'elle et de son bien-être alors qu'en réalité elle pensait utiliser cet argument par la suite pour lui réclamer autre chose en échange. Tout semblait devenir un échange, une série de transactions perpétuelles qui n'étaient pas sans irriter la jeune Haganita. Elle n'aimait pas du tout ce genre de relations.

Mais la réalité était plus urgente. En pleine agitation, elle devait prendre des mesures pour tenter de sauver le banni blessé. Pour faire face aux besoins immédiats, Zia demanda à Kadmeron de lui envoyer Mara, une jeune fille qui avait quelques inclinaisons pour la nature et qui s'était montrée très intéressée par les connaissances de la guérisseuse étrangère. Elle l'assistait souvent en apprenant son art par la même occasion. Zia était sûre que c'était Zlata qui l'avait poussée à faire cela, mais comme Mara était gentille, cela lui faisait plaisir de transmettre son savoir. De plus, depuis qu'elle était convaincue que Zlata complotait pour la retenir au village et sous son influence d'une manière ou d'une autre, elle avait pensé que le fait d'enseigner à Mara lui permettrait peut-être plus tard de rendre inexploitable le motif de l'absence de guérisseuse au Rocher Fendu. Après tout, Mara pourrait soigner les habitants elle aussi !

Dès que la jeune fille fit son apparition dans la cabane, Zia lui ordonna :

— Mara, fais vite chauffer beaucoup l'eau pendant que je rassemble ce qu'il nous faut pour opérer cet homme ! Je pense qu'il faudrait couper au moins une jambe... celle qui est la plus endommagée, annonça Zia.

Un foyer était en permanence entretenu dans cette hutte pour permettre justement de répondre vite à des urgences comme celle-ci. Mara se dirigea rapidement vers le grand réservoir d'eau qui se trouvait à moitié enterré dans le sol, près de l'entrée. Elle attrapa sur une étagère un grand pot en terre cuite de couleur grise et le remplit aussitôt d'eau qu'elle fit couler d'une outre suspendue à une poutre. Puis elle se dirigea vers le foyer et le plaça sur une grande ardoise plate sous laquelle les charbons ardents couvaient.

— Deux pots suffiront-ils ? demanda Mara.

— Pour commencer oui, mais peut-être que nous en aurons besoin de plusieurs.

Zia s'approcha du blessé et se pencha près de son visage qui avait perdu toute couleur. Il n'avait plus donné signe de vie pendant toute la durée de son transport du lieu de la chasse jusqu'au village et n'avait pas repris connaissance. En se penchant pour écouter attentivement, elle réussit cependant à détecter une faible respiration.

— Il respire encore, mais nous devons faire vite ! L'état de ses jambes est très grave, ajouta-t-elle en commençant à ôter le tissu dont elle avait enveloppé les deux jambes de Jovan.

Mara s'approcha timidement et regarda. Au fur et à mesure que les jambes se dévoilaient, son doux visage semblait perdre toute couleur. Elle eut un haut-le-cœur lorsqu'elle aperçut les chairs déchiquetées et sortit en vitesse de la cabane pour vomir. Lorsqu'elle rentra de nouveau, Zia lui dit :

— Bois de l'eau et mange une des pommes vertes que tu trouveras dans le coffre en bois là-bas !

— Je n'ai pas faim, répondit faiblement Mara.

— Ce n'est pas pour ça. L'eau t'aidera à calmer ta gorge et la pomme te permettra de ne plus vomir, précisa-t-elle. J'ai découvert par hasard que tout ce qui est aigre et acide marche pour ça. J'utilise d'habitude les mirabelles vertes mais là, ce n'est pas la bonne saison et je ne crois pas en avoir vues parmi les provisions du village.

Zia continuait de s'affairer autour du blessé. Mara s'exécuta tout en parlant pour évacuer sa nervosité.

— Non, c'est vrai que ces fruits ne poussent pas par ici. Mon père m'en a amenés une fois de son voyage vers les plaines. Elles étaient jaunes et sucrées, pas acides, s'étonna la fille.

— Elles étaient mûres, c'est normal, affirma la guérisseuse en continuant de nettoyer les plaies au vinaigre et en décrochant les lambeaux noircis avec sa pince en os. Le sang ne semble plus circuler dans la jambe droite en dessous du genou. Ella précisa : si on veut avoir une chance de lui sauver la vie il faut la couper tout de suite !

— Tu vas lui couper la jambe ?! s'écria Mara en ouvrant la bouche d'horreur.

— Nous n'avons pas le choix. Sinon cette pourriture que tu vois là va se répandre dans tout son corps et il va mourir sûrement avant la tombée de la nuit ! expliqua Zia en préparant les outils qu'elle avait petit à petit obtenus des différents membres de la ginte du Rocher Fendu.

Mara croqua dans sa pomme verte avec un rictus de dégoût et se hissa sur la pointe des pieds sans pour autant oser s'approcher du blessé.

— Mais, viens, approche-toi ! l'encouragea gentiment Zia. Il faut t'habituer à voir ce genre de blessures-là si tu veux devenir guérisseuse un jour, dit-elle. Au début, c'est pas facile, mais on s'y fait vite, précisa Zia en lui souriant avec bienveillance. T'inquiète pas, j'ai vomi aussi la première fois que j'ai vu une grande plaie ouverte !

La jeune fille fit timidement quelques pas en avant et regarda la scène de plus près.

— Mais c'est atroce ! Je n'i jamais vu une blessure aussi horrible... Et puis, il est si blanc, on dirait un mort, remarqua-t-elle.

— Il est encore vivant. Tu peux le vérifier toi-même si tu t'approches assez près de son visage, près de son nez.

— Non, merci, répliqua tout de suite Mara.

— Pourtant, c'est une des premières choses que tu dois vérifier quand quelqu'un est dans ce genre d'état : sans bouger et sans aucun signe de vie.

— Ben, les morts sont froids, non ? S'il est froid, il est mort, conclut-elle.

— Ah, parce que lorsque tu restes dehors pendant la saison froide, tu n'es pas gelée toi aussi ? Pourtant tu es bien vivante, là devant moi... à te plaindre. Non ?

— Oui, mais je bouge et je m'agite, ne se laissa pas démonter la jeune fille.

— C'est vrai, admit Zia en appréciant l'esprit vif de Mara. Pourtant, une personne peut dormir et être froide sans pour autant être morte, crois-moi !

— D'accord.

Zia se détourna, faisant signe à son assistante de s'approcher.

— Bon, il y a une autre manière de savoir si une personne est encore en vie. Grand-ma me l'a apprise : donne-moi ta main ! lui demanda Zia.

Mara tendit la main libre en profitant pour croquer encore une fois dans sa pomme. L'acidité inondait sa gorge et les nausées s'étaient calmées. Zia prit sa main et la posa doucement en l'entourant de sa propre main.

— Tu sens le sang qui bat sous tes doigts ?

— Ah ! Je crois que oui ! s'exclama la fille en écarquillant les yeux.

— Maintenant essaye de voir si tu sens la même chose sur le poignet de Jovan ! lui intima-t-elle.

— Il s'appelle Jovan ? demanda Mara en jetant un coup d'œil au visage de l'homme et en remarquant qu'il était beau malgré les salissures et les marques de souffrance. Comment le sais-tu ? l'interrogea-t-elle. Je ne l'ai jamais vu par ici...

— Il me l'a dit lorsqu'il était encore conscient, dans la forêt. Il n'est pas d'ici, mais vient du Peuple du Poisson, continua Zia en disposant sur la table qui se trouvait près de la couche plusieurs petits pots et écuelles ainsi que des bouts de tissu.

— Je ne sens rien battre sous son poignet, annonça Mara inquiète.

— Il faut faire plus attention car comme il est affaibli, cela doit pulser moins fort, expliqua Zia en continuant à nettoyer la solide lame acérée en obsidienne qu'elle allait utiliser pour couper les chairs et les tendons.

— Je t'assure qu'il n'y a rien ! répéta Mara en s'approchant du visage du blessé. Elle plaça sa main devant ses narines. Pas de souffle sous le nez non plus ! dit-elle en se retournant vers Zia, alarmée. Viens vérifier toi-même !

Zia fronça les sourcils puis déposa précautionneusement la lame sur un tissu propre avant de s'approcher de Jovan. Mara s'écarta, lui laissant la place. La guérisseuse pencha sa joue tout près des narines du blessé et attendit sans respirer. Elle ne sentait plus le léger souffle qu'elle avait détecté auparavant. Inquiète, elle commença à toucher à nouveau ses poignets, puis la grosse rivière de sang au long du cou dont Lidova lui avait parlé. Rien. Pas le moindre signe de vie. Elle commença à lui donner des petites claques et à l'asperger d'eau froide en espérant pouvoir le sortir de son sommeil, mais n'y arriva pas.

Après plusieurs essais infructueux, Zia s'écroula par terre, près de la couche. Elle était totalement abattue par la vérité. Mara vint tout près et chuchota :

— Il n'est plus là ?

— Je ne pense pas... Je crois qu'il est en train de partir dans l'autre monde, dit-elle tristement.

La porte de la cabane s'ouvrit et Kadmeron y entra.

— Alors, tu as besoin d'aide Zia pour couper la jambe ? De ce que je sais il faut pas mal de force pour y arriver...

— Malheureusement, cela ne sera plus nécessaire car il vient de nous quitter pour l'autre monde, lui répondit-elle d'une voix éteinte.

Kadmeron s'accroupit et la prit dans ses bras. Il la serra fort en l'embrassa sur la tête.

— Oh, ne sois pas triste ma chérie ! Il était dans un sale état et avait trop peu de chances pour s'en sortir. C'est pas ta faute, la consola-t-il en continuant de l'enlacer avec tendresse. Il releva la tête et dit : Mara, peux-tu aller informer le village de sa mort s'il te plaît ?

— Oui, bien sûr, répondit-elle en sortant de la hutte sans attendre.

✦

Zia cria et se réveilla en sueurs alors que Kadmeron essayait avec difficulté de la rassurer :

— Ma chérie, tu as fait un cauchemar, calme-toi !

Haletante, elle tournait la tête de tous les côtés en essayant de distinguer dans l'obscurité ambiante où elle se trouvait. Elle était confuse et apeurée.

— Non, je ne peux pas, je ne veux pas, se lamenta-t-elle en proie à une agitation qui commença à inquiéter sérieusement Kadmeron.

— Zia, réveille-toi ! Qu'est-ce qui se passe, là ?! demanda-t-il fermement en tentant de réaliser si elle était encore sous l'emprise du sommeil ou pas.

Soudain, quelque chose de subtil sembla se débloquer en elle. Les traits de son visage se détendirent et ses yeux ouverts épiaient en tous les sens, semblant décrypter les informations visuelles à proximité.

— Où suis-je ? articula difficilement la jeune femme, d'une voix horrifiée.

— Tu es à la maison ma chérie, avec moi, Kadmeron, la rassura-t-il doucement en lui caressant les cheveux.

Néanmoins, sa femme ne semblait pas se calmer et continuait à être extrêmement agitée.

— Où ça ? À la Gorge des Ancêtres ? posa-t-elle la question avec une lueur d'espoir dans la voix.

— Non, au Rocher Fendu, ma chérie, répondit-il sans comprendre les raisons de son état.

— Oh, non ! gémit Zia.

Kadmeron se leva de la couche, s'approcha des braises du foyer et revint avec une brindille enflammée.

— Tu as fait un mauvais rêve, dit-il en allumant la lampe à graisse qui se trouvait à son chevet. Il la regarda longuement et fut troublé par l'expression de désespoir qui s'était inscrite sur son visage. Il ne comprenait pas ce qui arrivait à sa femme et pourquoi, une fois réveillée, l'angoisse ne semblait pas la quitter.

— Je ne pense pas que ce soit un simple rêve. C'est ce qu'il va m'arriver à moi aussi, je vais être bannie ! lança-t-elle en frissonnant.

— Mais de quoi parles-tu ma chérie ? Personne ne va te bannir. C'était juste un cauchemar, c'est tout, essaya-t-il de la calmer.

— Non, tu ne comprends pas ! cria-t-elle, en posant ses deux mains sur sa gorge comme si elle semblait manquer d'air.

Il la saisit par les bras, la forçant gentiment mais fermement à s'immobiliser.

— Explique-moi alors !

— Dans mon rêve tout semblait si réel... Menodora me bannissait et je n'avais plus le droit de voir ma famille, ni mes amis, gémit-elle. Plus jamais !

— Mais c'était un rêve Zia, pas la réalité. Réfléchis un peu : pourquoi ta mère te bannirait-elle, hein ?

— Parce que je ne peux pas devenir prêtresse.

— Et qu'est-ce qui t'en empêcherait ? Tu l'es déjà, ma chérie.

— Je n'ai pas trouvé la source de la Grande Rivière Mère, je n'ai pas finalisé ma quête... se plaignit-elle. Donc je ne le suis pas selon la tradition de chez moi. Je dois continuer mon voyage initiatique. Je ne peux pas rester ici !

— Mais Zia, tu m'as raconté toi-même que Lidova non plus n'était pas allée jusqu'à la source de la rivière qu'elle devait découvrir, n'est-ce pas ?

— Oui, mais c'est pas pareil... protesta-t-elle se refusant de comprendre l'explication de Kadmeron.

— Pourquoi ne serait-ce pas pareil ? tenta-t-il de la raisonner.

— Parce qu'elle a apporté avec elle les secrets des cultures et des saisons, répondit-elle en serrant dans sa main l'amulette qui pendait à son cou. Elle avait donc fini sa quête en rendant service à notre ginte et en étant digne d'être prêtresse. Je voudrais tant qu'elle soit encore là pour me conseiller et me dire quoi faire ! ajouta-t-elle et des larmes se mirent à couler de ses yeux.

Kadmeron se pencha vers elle et passa son bras autour de ses épaules.

— Ma chérie, tu pourrais amener le secret de l'or à ta ginte ! eut tout à coup l'idée Kadmeron. Je sais déjà comment faire des feuilles d'or et Vlad a dit qu'il m'apprendra comment fabriquer des bijoux et même extraire ce métal jaune comme le soleil. Je suis sûr que ta mère appréciera ces savoirs ! clama-t-il avec enthousiasme. Et tous les autres habitants de la Gorge des Ancêtres seront contents, eux aussi, tu verras !

— Vlad te l'enseignera à toi, pas à moi, répliqua-t-elle à contrecœur.

— Oui, mais je vais tout partager avec toi, ma chérie, l'assura-t-il en embrassant tendrement son front.

Zia sembla se détendre légèrement et un sourire triste se dessina sur son visage.

— Merci, c'est gentil. Mais tu ne m'as toujours pas dit le prix que Vlad t'a demandé pour ses enseignements... se rappela-t-elle.

Le visage de Kadmeron s'assombrit et il baissa les yeux.

— Tu ne veux pas me le dire ? insista doucement Zia.

— Si, bien sûr, c'est pas ça. C'est juste que je me suis fait avoir, admit-il. Je me suis précipité à être d'accord avec le prix qu'il a demandé sans réaliser ce que cela signifiait.

— Qu'est-ce que tu veux dire ? C'est quoi ce prix au juste ? Je ne comprends pas bien...

— En fait, il a dit que le prix serait de deux poignées d'or par an, finit-il par avouer à son épouse.

— Par an ? Comment ça ? s'étonna Zia. Il ne va pas t'enseigner pendant des années quand même... non ?

— Non. Faire des feuilles d'or ce n'est pas si compliqué que cela. J'ai appris assez vite. Le problème c'est que moi je croyais qu'une poignée c'est ça, dit-il en montrant sa main vers elle. Alors qu'en fait Ion m'a dit qu'une poignée c'est la quantité d'or qui entre dans un de leurs bols qu'ils avaient dans l'atelier. Ils utilisent des récipients d'une certaine taille pour mesurer la quantité de divers choses, apparemment... Je pense donc que j'ai été bête, qu'on m'a trompé, car c'est plus que ce qu'on peut prendre dans une main. Je ne sais même pas comment extraire autant d'or pour payer ce prix tous les ans !

Kadmeron était agité à son tour. Ses joues rouges, il transpirait à grosses gouttes et avait du mal à respirer. Elle le voyait presque bouillir sous ses yeux, comme l'eau dans laquelle on jette les pierres chaudes pour la faire chauffer.

— Mais tu peux toujours refuser ! protesta Zia.

— Non, j'ai donné mon accord et nous avons topé nos mains. C'est ma faute, je n'aurais pas dû me précipiter à dire oui.

— Mais tu as été d'accord sans savoir sur quoi exactement tu t'engageais, s'indigna Zia. En plus, tu as dit "par an"... c'est quoi cette embrouille encore ?

Le chasseur plissa le front et pensa un moment.

— Eh bien... J'imagine que pendant le temps qu'on reste ici toi et moi, je dois donner deux poignées d'or par an, répondit Kadmeron après une courte période de réflexion en réalisant qu'il avait complètement manqué cet aspect. Il ne me l'a pas précisé, réalisa-t-il, tout penaud.

Zia fit un sourire ironique.

— Évidemment, puisqu'il veut profiter de toi ! lança Zia. Tu n'es pas obligé par ton accord car tu ne savais pas à quoi tu t'engageais, conclut Zia confiante en reprenant du poil de la bête. Je t'avais dit que Zlata et Vlad sont en train de nous tendre un piège. Mais nous ne devons pas nous laisser faire, affirma-t-elle fermement. Nous sommes libres et nous devons protéger nos intérêts aussi.

Son mari la regarda avec tendresse et admiration.

— Content de voir que tu te sens mieux maintenant, remarqua Kadmeron. Tu retrouves ta combativité ma chérie, alors excuse-moi, mais j'ai dû mal à croire que tu te laisserais bannir par ta mère sans protester ! lança-t-il avec un large sourire. Bon, allez, recouchons-nous car demain nous devons nous occuper des funérailles de ce pauvre homme !

Réconciliés, les deux amoureux se glissèrent dans leurs fourrures, sur la couche. Zia était rassurée. Kadmeron l'enlaça de ses bras protecteurs en se collant à son dos.

— Fais de beaux rêves maintenant et ne cauchemarde plus de bannissement ma chérie ! murmura-t-il à son oreille.

— J'essayerai, merci, répondit-elle en se retournant et en l'embrassant tendrement. Mais tu sais, j'ai encore plus envie d'aller visiter le Peuple du Poisson maintenant. Depuis qu'il m'a dit ce qu'il lui est arrivé et surtout la raison de son bannissement, je ne cesse d'y penser.

— Tu ne m'as pas dit quelle était cette raison... s'étonna Kadmeron.

— C'est parce qu'il ne croyait plus que le poisson était celui qui a donné naissance à toutes les choses. Il avait osé croire au soleil... comme les gens de la ginte du Silure que j'ai rencontrés avec Grand-ma au bord de la Grande Rivière Mère.

Kadmeron se souleva légèrement.

— Ah bon ? Tu ne m'as jamais parlé de cette ginte-là, fit remarquer Kadmeron.

— En fait, ils étaient partis du Peuple du Poisson, qui s'appellent aussi les Lepenvis. C'est chez eux que j'ai entendu parler de leur culte du poisson, du grand sanctuaire sacré de leur capitale, construite près de l'endroit où un poisson aurait donné naissance à leur peuple en sortant de l'eau un beau jour, pour marcher sur la terre ferme.

— Ah, je me rappelle bien cette légende que tu m'avais racontée et qui te fascine depuis.

— Je crois que si tu avais vu la statuette à corps humain et tête de poisson, tu aurais trouvé ça tout aussi fascinant et mystérieux !

— Probablement, confirma Kadmeron. Je n'ai jamais vu de telles statuettes, avoua-t-il. Mais je ne comprends pas ce que le soleil vient faire là-dedans, revint-il au sujet initial.

— Jovan a été banni par Kirilo, leur chef, parce qu'il ne voulait plus croire et rendre hommage seulement au poisson, mais aussi au soleil. Il semble même que ce Patriarche a rendu fous les siens ou quelque chose comme ça, mais il n'a pas eu le temps de m'en raconter davantage.

Zia fronça les sourcils, soucieuse.

— Ce n'est pas une raison valable pour bannir quelqu'un, répliqua Kadmeron, étonné.

— C'est exactement ce que je lui ai dit ! confirma Zia.

Voilà une raison de plus qui me pousse à vouloir aller là-bas ! C'est pas normal, ça. Je veux comprendre pourquoi un homme n'aurait pas le droit de croire dans le soleil et qu'il en soit banni. Ce n'est pas juste. Qu'il doive quitter son village et qu'on le force à le faire. Nous sommes libres de croire en quoi nous voulons. Pour toi, c'est l'esprit du Cheval, pour moi c'est la Mère-Nature, pour ceux d'ici c'est le Grand Épicéa...

— Le Serpent, tu veux dire, l'interrompit Kadmeron.

— Le Serpent ? répéta-t-elle sans bien comprendre.

— Oui, je t'avais raconté ce que Diegis m'a dit. Il croit au Serpent car il sait où se trouve l'or en fouillant les entrailles de la terre et qu'il leur indique où chercher !

— J'ai dû oublier, conclut-elle d'une voix pensive. Mais, voilà, c'est bien ce que je dis : personne n'a banni Diegis parce qu'il croit dans le serpent. N'est-ce pas ?

Kadmeron expira longuement.

— Diegis est un prêtre. Difficile de le bannir... C'est plutôt lui qui fait bannir les autres, répliqua-t-il.

— Enfin, en tant que chaman, cela ne t'interpelle pas le fait de pouvoir bannir quelqu'un pour ses croyances ? Tu as affirmé toi-même que ce n'était pas une raison justifiée.

— C'est vrai, mais de là à tenir à aller tout de suite visiter ce Peuple du Poisson... lança-t-il en hésitant car il ne voulait pas déclencher une nouvelle discussion en contradictoire avec elle.

Zia se redressa dans leur lit.

— Mais tu ne te rends pas compte ! Tu m'avais raconté toi-même comme cela t'avait marqué et troublé de rencontrer sur ton chemin jusqu'ici la violence qui augmentait partout... Les attaques dans la région des Grands Lacs, les dangers dans les grandes plaines. Non ? Même si je sais que tu ne m'as pas tout dit, j'ai senti comme cela te faisait mal. Nous pourrions trouver quelques explications à tout ça, tu ne crois pas ?

Kadmeron ne répondit pas immédiatement et réfléchit quelques instants à ce qu'elle venait de demander.

— Mais je viens du couchant alors que le Peuple du Poisson se trouve plus au sud d'ici. Quelle serait la liaison entre tout ça ? interrogea-t-il. Et d'ailleurs, pourquoi crois-tu qu'il y en aurait une ? essaya-t-il de mieux saisir ce que Zia avait en tête. Il avait remarqué que leurs raisonnements étaient bien différents et que parfois elle arrivait à voir et à comprendre des choses auxquelles il ne faisait pas attention.

— Connais-tu, toi, la raison pour laquelle les villages se faisaient attaquer près des Grands Lacs ? poursuivit Zia.

Les souvenirs de la conversation sur les attaques dont avaient été victimes les peuples des lacs lui revinrent en mémoire.

— Pas vraiment, même Lohan, le chef des Aquastanis n'en était pas sûr. Pour voler la nourriture, les femmes lorsqu'ils n'en avaient pas assez, peut-être...

— C'est possible. Dans tous les cas, il me semble que le bannissement est une forme de violence. Et comprendre la source de cela nous permettrait peut-être de prévenir le mal avant qu'il se propage. En plus, il est facile de tomber dans le piège et d'en devenir une victime. Regarde-nous ! J'ai l'impression que c'est ce qui nous arrive ici : Zlata et Vlad sont en train d'exercer une autre forme de violence sur nous. Encore plus sournoise, puisque les autres ont l'impression que nous sommes des privilégiés.

— Pourquoi des privilégiés ? s'étonna Kadmeron sans saisir, à nouveau, son raisonnement. Je suis d'accord avec toi qu'ils sont des sacrés manipulateurs car je me suis obligé à leur donner deux poignées d'or par an et d'après ce que tu m'as dit, nous n'aurions pas le droit de nous installer ailleurs sans leur permission... Quoi que, je ne suis pas prêt à accepter cette dernière chose et ils n'ont pas osé me la dire en face pour le moment. Je ne vois donc que des obligations, pas de privilèges.

— Et notre maison ? Tu n'as pas remarqué qu'elle est presque aussi belle que la leur ? Qu'ils ont demandé à tous d'y participer ? Quel autre jeune couple de la ginte du Rocher Fendu jouit d'une telle cabane ?

— C'est pas faux... songea-t-il.

— As-tu déjà vu des habits et des bijoux comme ceux qu'ils nous ont offerts pour nos épousailles ? Une telle fête fastueuse ?

— Oui, j'ai déjà vu des fêtes comme ça. Mais pas des bijoux d'or en guise de cadeau de mariage, c'est vrai.

— Eh bien, j'ai déjà fait ma petite enquête en entendant parler les uns et les autres au village. Un mariage pareil n'est que le privilège des chefs...

Kadmeron resta songeur. Il y avait beaucoup d'éléments

qui méritaient qu'il y réfléchît longuement.

— Enfin, allez, nous devons dormir ma chérie car le soleil ne va pas tarder à se réveiller. Ferme les yeux et repose-toi car demain, nous avons une longue journée qui nous attend !

6.
Kadmeron

Le lendemain matin, une fois n'était pas coutume, Kadmeron se réveilla plus tôt que sa femme. Il avait été touché par la crise de somnambulisme de sa jeune épouse et surtout par l'intensité de sa peur du bannissement. Mais s'il ne comprenait pas totalement cette crainte, la trouvant assez disproportionnée, il voyait désormais clairement que Zlata et Vlad essayaient de les manipuler par tous les moyens. Avec le recul, il commençait même à ressentir ce que Zia avait dû éprouver lorsqu'elle tentait vainement de l'avertir du danger et qu'il n'avait pas voulu l'écouter. Et le moins qu'il pût dire, c'était que cette sensation d'impuissance et d'urgence était difficile à supporter.

Ce fut absorbé par ses pensées qu'il prépara un petit-déjeuner froid pour le réveil de Zia, sans oublier la tisane qu'elle aimait boire le matin. La jeune femme était encore endormie, épuisée par les émotions de la nuit. Finalement, Mara et elle avaient nettoyé le corps atrocement mutilé du pauvre fuyard, avec l'aide de Kadmeron. Ils avaient agi vite pour éviter l'installation de la rigidité cadavérique, et pris soin de le recouvrir d'un tissu. Le chaman avait ensuite prononcé quelques prières pour confier son âme aux esprits du Cheval et de la forêt. Enfin, ils avaient laissé Cani sur place à monter la garde pour qu'aucune bête sauvage ne vînt durant la nuit, attirée par l'odeur caractéristique de la mort.

Toutefois, tous se devaient d'offrir une cérémonie funéraire au voyageur. Mais laquelle, et comment, selon quel rite ou coutume ?!

Je vais l'aider et aller consulter les chefs de la ginte pour savoir quoi faire du corps de Jovan, pensa-t-il en sortant de la hutte sans faire de bruit. *Zia a besoin de repos maintenant.*

Il était heureux d'éviter à sa femme une rencontre pénible avec Zlata. Tout au maugréant sur le sentier qui le menait vers la cabane centrale, il se sentait encore honteux de s'être fait abuser par le Patriarche. Mais il aurait sa revanche, tôt ou tard.

Je ne suis pas d'accord avec ce qu'a fait Vlad, ce n'est pas juste de me demander de respecter ma parole après m'avoir trompé pendant que je m'engageais. Zia a raison... songea-t-il. *Cela dit, peut-être qu'il ne faut pas encore revenir sur ma promesse des deux poignées par an.*

Sans le réaliser, il se retrouva déjà à destination. La hutte massive était silencieuse, mais le chasseur tendit l'oreille et réalisa rapidement qu'à l'intérieur, les occupants étaient déjà en train de se restaurer après le sommeil réparateur de la nuit. Il frappa à la porte, sans doute un peu trop fort :

— Qui est-ce ? entendit-il prononcer la voix grave du Patriarche.

— Kadmeron ! Puis-je entrer ?

— Attends un instant !

D'autres bruits se firent entendre pendant un court moment, puis le calme s'installa dans la cabane.

— Entre, Kadmeron ! appela Zlata.

Le chasseur s'exécuta, salua et s'installa près du feu. *Je dois rester calme,* se dit-il. *Pas question de me faire tromper une nouvelle fois. Je préfère parler de tout ça avec Zia et analyser avec elle avant d'agir.*

Vlad l'apostropha sans attendre :

— Alors, Kadmeron, quelle excellente chasse, n'est-ce pas? Notre ginte a réussi à abattre autant de biches que tous les doigts de la main, quelques petits, et même le grand mâle ! Merci à toi !

Kadmeron était choqué. *Il me remercie, maintenant ?!* Zlata le regarda avec reconnaissance. Et, peut-être, avec sincérité. Mais il n'arrivait pas à décrire clairement son expression. Le visage de Vlad quant à lui affichait également ce qui lui semblait être les traits caractéristiques de la gratitude. Kadmeron ne savait plus quoi croire désormais. Le visiteur était décontenancé, ce qui ne manqua pas d'échapper aux deux Biephis en face de lui.

— Alors, jeune Marteron, tu ne veux pas parler des résultats de la chasse ? lança Vlad, narquois.

— Eh bien, si... ou pas exactement.

Zlata se leva et plaça sa main sur l'épaule de Kadmeron. Elle serra ses doigts, envoyant des frissons de sensations qui troublèrent le chasseur. Elle continua d'une voix suave :

— Merci, au nom de toute la ginte du Rocher Fendu. Grâce à ta force, ton courage et à ton arc, tu as su guider nos chasseurs et chasseuses pour mener cette campagne à bien et à en faire un vrai succès ! Nous sommes désormais à l'abri de la famine pour la saison des neiges ! J'ai demandé à plusieurs de nos hommes de dépecer le gibier et le stockage dans la maison froide commencera dès que les fumaisons et les salaisons seront terminées, d'ici quelques jours. C'est une excellente nouvelle, encore merci Kadmeron !

Elle lui fit un sourire charmeur, et le rouge monta aux joues du jeune homme, sans qu'il pût réprimer ce qu'il ressentit comme une marque de faiblesse. Vlad regardait la scène, légèrement amusé par l'attitude gênée de leur visiteur matinal. *Il y a encore quelque chose qui se passe ici et qui m'échappe !* pensa Kadmeron, fâché contre lui-même de ne pas être plus perspicace. *Si seulement Zia était là pour m'expliquer ce qu'ils ont encore en tête, ces deux-là !* songea-t-il, nerveux.

Il se força à inspirer longuement. Peut-être avait-il un avantage à exploiter dans tout cela ?! Il n'était pas du tout venu leur parler de la chasse, mais il fallait peut-être en profiter. Ainsi, il rétorqua à Zlata :

— Eh bien, Zlata, merci pour tes compliments. Effectivement il m'a fallu de longues années pour acquérir tous les enseignements et les techniques de mon peuple. Ce n'est pas en quelques jours que l'on peut tout savoir de la chasse... ou d'une autre technique quelle qu'elle soit, même si on nous dit qu'elle est très complexe, comme marteler l'or ! lança Kadmeron tout en regardant Vlad du coin de l'œil.

Le Patriarche ne bougea pas. Il ne broncha pas. Il semblait analyser attentivement le jeune homme en face de lui. Un sourire neutre et impassible zébrait son visage. Zlata se rassit. Les épaisses fourrures dans lesquelles son grand corps était emmitouflé lui conféraient une certaine majesté qui ne laissa pas Kadmeron indifférent. Il se rappela en frissonnant la vive émotion qu'il avait ressentie un instant auparavant, lorsqu'elle avait pressé son épaule avec fermeté.

— Alors, si ce n'est pas la chasse d'hier qui t'amène nous consulter de bon matin, qu'est-ce qui nous vaut ta visite ? demanda-t-elle, presque sensuellement.

— Zia... Euh non, le blessé ! se corrigea-t-il.

— Ah bon ?! Pourtant il n'est plus de notre monde, d'après ce que Mara m'a dit. Il est passé dans le territoire des esprits maintenant. N'est-ce pas ? l'interrogea-t-elle.

Vlad demeura muet tout en dévisageant Kadmeron avec insistance. Ce dernier commençait à se sentir mal à l'aise. Il était urgent de faire aller la conversation dans un autre sens. Il se redressa et planta ses yeux dans ceux de la femme assise en face de lui.

— Oui, en effet. Malgré tous les efforts de Zia et Mara, elles n'ont pas pu le sauver. Et il est mort des suites de ses blessures qui étaient très graves.

— Qu'est-ce qui lui est arrivé, en fait ? Nous n'avons pas eu l'occasion de l'apprendre avec tous les préparatifs de la chasse et surtout du gibier abattu, confia la Matriarche.

Kadmeron reprit un peu de son assurance. Il se cala dans les fourrures et s'assit un peu plus confortablement.

— Eh bien, Zia m'a dit qu'elle l'a découvert près d'un arbre. Il a été attaqué par une meute de loups et n'a pas pu se défendre car il était déjà blessé et fatigué par la marche, visiblement.

— Est-ce que l'on sait d'où il venait ?

— Du Peuple du Poisson. Mais Zia en sait plus que moi.

— Que faisait-il là ? Était-ce un chasseur, un messager ? Il était quand même loin du grand fleuve, non ?

Kadmeron plissa le front. Quelque chose en lui-même lui dit de taire le détail concernant le bannissement du blessé. L'image de Zia tourmentée par son cauchemar lui revint à l'esprit et il se persuada que, pour une fois, il lui valait mieux s'abstenir de parler trop vite. Parler sans réfléchir était la dernière chose à faire, désormais.

— Nous ne le savons pas. Mais le problème, c'est que nous devons l'enterrer convenablement.

— Pourquoi ça ? intervint soudain Vlad.

— Comment ça... pourquoi ?! s'étonna Kadmeron. Il écarquilla les yeux, sondant du regard ses interlocuteurs. Les traits du Patriarche étaient agressifs. Le visage de Zlata quant à lui affichait une certaine indifférence. *Mais que pensent vraiment ces deux-là ?!* se demanda le chasseur, décontenancé par cette question à la réponse si évidente.

— Oui, pourquoi ça ? Que devons-nous à cet étranger venu mourir sur nos territoires de chasse ? poursuivit Vlad sarcastiquement. N'avons-nous pas d'autres problèmes à régler pour affronter la saison des neiges qui arrive ?

Zlata gardait le silence.

Le chasseur se tourna vers son mari, se maîtrisant :

— Eh bien, Jovan, c'était son nom, était visiblement en train de vouloir rejoindre la ginte du Rocher Fendu. Nous ne savons pas exactement pourquoi. Mais est-ce important ? Il était seul, avait besoin d'aide, et nous l'avons accueilli, soigné pour tenter de sauver sa vie...

— *Zia* l'a accueilli ! Pas nous, pas moi en tout cas ! tonna Vlad. C'est elle qui a fait emmener ce blessé, cet inconnu, sur notre travois alors que nous avions du gibier à transporter et à dépecer, non ?

Zlata plaça la main sur le bras de son homme, qui se raidit un peu à son contact. Kadmeron n'en croyait pas ses oreilles. Il rétorqua :

— Mais enfin Vlad, Zia a agi en tant que guérisseuse ! Fallait-il le laisser mourir sur place ?! Pourquoi t'énerves-tu comme ça ?

— Personne ne m'a demandé mon avis ! Je suis le Patriarche ici et je dois savoir qui entre dans ma ginte et donner mon accord avant quoi que ce soit ! hurla-t-il, se levant d'un bond.

Surpris, Kadmeron se recroquevilla légèrement. Son interlocuteur haletait presque sous la tension, tremblant de rage. Zlata se leva lentement et chuchota quelques mots à son oreille. Au fur et à mesure que ses paroles sortirent de sa bouche, le visage du Patriarche sembla s'apaiser. Il finit par s'asseoir lourdement, son épouse auprès de lui. Kadmeron enregistrait chaque mouvement, éberlué parce qu'il voyait et entendait. *Ils ne sont pas d'accord entre eux... eux aussi !* ressentit-il avec un certain soulagement. Mais il se méfiait de ce qui allait suivre.

Cette fois, ce fut Zlata qui reprit la conversation :

— Il est vrai que Vlad n'avait pas été prévenu de l'arrivée

de cet étranger. Même blessé. Il est vrai également qu'en tant que guérisseuse, Zia a pris la bonne décision de le soigner et de l'amener dans notre ginte. Il avait besoin de soins, c'est évident.

Kadmeron expira discrètement, soulagé.

— Oui, et je pense que nous lui devions l'hospitalité, tout comme dans tous les peuples que j'ai pu rencontrer depuis le couchant et comme j'ai compris que cela se passe, ici aussi, dans ces contrées et ces gintes des montagnes. Me trompé-je ?

Vlad se raidit à ces mots, mais répondit :

— Effectivement. Nous devons l'hospitalité à celles et ceux qui viennent en paix. C'est la coutume...

— Cet homme, cet étranger, ce voyageur, ne pouvait aucunement nous nuire dans son état. Et donc, comme nous ne pouvons pas offrir l'hospitalité à Jovan puisqu'il est mort ici, malgré les efforts que la ginte a déployés, y compris Mara, je pense qu'il nous faut l'enterrer dignement. Donner à son corps l'hospitalité que nous lui aurions offerte s'il était encore en vie, pour permettre à son esprit de retrouver sa route. Surtout que sa mort a été violente, loin de chez lui. N'est-ce pas ?

Zlata et Vlad se regardèrent un long moment. Puis la Matriarche s'adressa au chasseur :

— Tu parles sagement, Kadmeron. Notre ginte doit effectivement enterrer Jovan et honorer ainsi notre coutume d'hospitalité car j'imagine qu'il était venu en paix. En tout cas, il n'aurait pas pu nuire à notre ginte, seul comme il l'était. Nous présumerons donc qu'il était en voyage et aurait passé quelques jours auprès de nous, tout simplement. Mais nous ne savons pas quels rites il faudrait lui offrir. En as-tu une idée ? As-tu discuté de cela avec Zia ?

Le Marteron soupira de soulagement. Il préférait le ton conciliant de Zlata, surtout après la scène tendue qui avait précédé. Cela dit, les tensions existaient bel et bien dans les couples visiblement, y compris celui-ci.

— Non, nous n'avons pas eu l'occasion d'en parler. J'ai prononcé des prières pour guider son esprit lorsque nous avons recouvert le corps d'un tissu, mais il faudrait organiser un rite funéraire. C'est pour cela que je suis venu. Pour demander votre avis, justement.

Zlata regarda Vlad d'un air entendu.

— Eh bien, Kadmeron, nous aimerions, le Patriarche et moi-même, que tu t'en occupes. Pourrais-tu le faire pour notre village, Kadmeron ?

Pourquoi moi ?! Ce sont eux, les chefs de la ginte ! s'étonna-t-il. Il décida de répondre :

— Chez les Marterons, il revient aux chefs de décider du rite et de l'organiser, mais compte-tenu des difficultés rencontrées avec Jovan, je suis prêt à vous y aider. Exceptionnellement. J'y vais maintenant.

Avant de laisser aux chefs le temps de lui répondre, le chasseur avait déjà disparu derrière la porte, sans autre forme de cérémonie.

Kadmeron revint de la hutte des chefs, plutôt nerveux. Il ne savait pas que penser de cette situation étonnante où le Patriarche et la Matriarche ne voulaient pas s'occuper d'un rite funéraire, dans leur propre ginte. Que se passait-il ? Était-ce ainsi que se définissait la coutume chez les Biephis ? Il pensa qu'il ferait mieux d'en parler à Zia pour savoir comment s'y prendre. Il savait qu'elle saurait être de bon conseil. Une fois encore, il perdit ses repères mais fut surpris de constater qu'il était à nouveau devant leur cabane. Silencieusement, il ouvrit la porte et la tira derrière lui.

Il la retrouva en train de ranger méticuleusement ses plantes séchées. Elle était tellement absorbée par sa tâche qu'elle ne remarqua pas sa présence. Amusé, il continua de l'observer en silence, juste sur le seuil, dans la pénombre.

Elle avait posé de nombreuses feuilles et fleurs sur la table, et vérifiait leur état à la lumière de la lucarne. Elle se penchait, examinait avec soin les tiges, les feuilles, les fleurs, les sentait parfois. Il se laissa aller, à regarder ses mouvements lents et mesurés, la considérant avec tant de concentration qu'il en oublia l'espace, le temps. À chaque fois qu'elle levait le bras, saisissait une plante pour l'étudier, la sentir avec ses narines délicates, la palper avec ses longs doigts fins, il ne pouvait pas s'empêcher de ressentir de doux picotements dans sa nuque, qui rayonnaient ensuite dans son dos, pulsant délicieusement dans toutes les fibres de son corps.

Comment puis-je ressentir ainsi des frissons de plaisir alors qu'elle ne me touche même pas ?! s'étonna-t-il, alors que leur communion silencieuse se déroulait depuis plusieurs minutes. Il y avait quelque chose de curieux, de terriblement sensuel, à se projeter ainsi par la seule force de l'imagination entre les mains expertes de son épouse qui d'ailleurs ne se sentait pas observée. Cet abandon, cette attention extrême qu'elle dévouait à son art la plongeait dans une véritable extase. *Elle arrive à s'oublier elle-même ! Je ne sais pas faire ça...* réalisa-t-il. Et subrepticement, une petite voix se glissa en lui-même. La voix de l'esprit du Cheval, qui disait la vérité à travers lui.

Et pourtant, j'arrive quand même à m'oublier comme elle... Lorsque j'attends une proie aussi longtemps que le soleil parcourt le ciel dans une seule journée. Ou lorsque je me mets à peindre une paroi, qu'il faut préparer les couleurs et les appliquer sur la roche. Ou lorsqu'il faut préparer...

— Un rite funéraire ! cria-t-il à haute voix comme s'il venait d'avoir une idée.

Zia sursauta et se retourna d'un coup.

— Ah ! C'est toi ! Je ne t'avais pas entendu entrer !

Kadmeron s'approcha, le sourire aux lèvres. Son épouse reconnut le pétillement coquin dans ses yeux, mais ne sut pas comment l'interpréter. Elle le regarda venir vers elle, pas à pas, et finit par comprendre.

— Tu es là depuis plus longtemps, c'est ça ?

Comment fait-elle ? se demanda-t-il. *Quel est ce prodige ?*

Il écarquilla les yeux mais ne souffla mot. Elle continua toute seule ses spéculations, devinant sur ses traits la réponse à ses questions.

— Et tu m'observes depuis tout ce temps-là, n'est-ce pas ?

Inutile de nier. Il était démasqué et comprenait qu'avec elle, il n'y avait définitivement aucun sens à tenter de lui mentir ou de cacher la vérité.

— Mmm... murmura Kadmeron.

— Et tu crois que tu vas t'en sortir comme ça, espèce de sanglier rusé ? lui lança-t-elle en riant.

Le chasseur continuait d'avancer et finit par poser son bras sur le sien. Il ouvrit la bouche :

— Un rite funéraire.

— Un rite funéraire ?

— Oui, pour Jovan. C'est ce que Zlata et Vlad m'ont demandé d'organiser pour la ginte du Rocher Fendu. Comment faire ?

Zia colla sa bouche sur la sienne, sa langue s'invitant délicieusement entre ses dents. Elle le serra passionnément dans ses bras, un peu trop fort cependant.

— Aïe ! protesta-t-il.

— Ça, c'est pour t'avoir approché sans me prévenir, comme une biche sans défense !

— Une biche sans défense, vraiment ? plaisanta-t-il. Tu me fais rire, là. Mais il faut que nous revenions à ma question.

Il s'assit, préoccupé.

— Eh bien, ne t'inquiète pas, je vais t'aider, déclara-t-elle.

— Ah bon ? Je saurais quoi faire si j'étais encore chez les Marterons. Ausgon m'avait demandé de l'assister lors d'enterrements. Mais j'avoue que je suis surpris par la requête des chefs. Chez nous, ce sont eux qui doivent s'en occuper avec le chaman.

— Ben, tu es chaman, non ?

— Oui, mais pas celui de cette ginte ! s'insurgea Kadmeron.

Zia se blottit contre lui, se juchant amoureusement sur ses cuisses repliées.

— J'en connais un qui ne va pas être content… lança Zia avec un sourire espiègle. Donc, finalement, tu n'es pas à plaindre, ajouta-t-elle avec un clin d'œil. Ne t'inquiète pas ! Nous allons nous débrouiller, toi et moi. Je me souviens très bien comme tu t'es occupé de la cérémonie pour guider l'esprit de Grand-ma. Je me rappelle la racine des esprits que nous avons mâchée ensemble, lorsque nous sommes allés déposer la tortue de Lidova dans la Grotte Sacrée de la Terre-Mère. C'était très beau. Donc à quoi bon de se faire des soucis ?

Kadmeron sourit à son épouse avec reconnaissance.

— Oui, c'est vrai. Je crois que j'avais fait un beau rituel, là-bas.

— Certainement. Et tu sais pourquoi ?

— Euh… Parce que je voulais rendre hommage à ta grand-mère. Même si nous n'avions pas pu discuter beaucoup de ta vie avec elle à l'époque, je me rappelle très bien comme elle était, et est toujours, si importante pour toi !

Zia l'enlaça et l'embrassa tendrement.

— C'est surtout parce que tu as écouté ton cœur, mon beau chasseur.

Elle se leva, se plantant devant lui. Des larmes lui vinrent aux yeux subitement. Mais elle les essuya, alors qu'un sourire de gratitude s'affichait sur ses traits.

— Moi aussi j'ai participé au rituel du dernier passage, il y a bien longtemps de cela. C'était à la Gorge des Ancêtres. Pour Danil, mon Grand-pa.

— Il te manque, lui aussi, n'est-ce pas ? demanda-t-il, plein de compassion.

Elle le regarda avec amour, puis affirma :

— Oui, mais c'est autre chose. En fait, je sens que je peux le faire. Que je *dois* le faire. Je pense que c'est le bon moment maintenant. Après tout ce qui s'est passé.

Kadmeron la regarda, perplexe.

— Le bon moment pour faire quoi ? Enterrer Jovan ?

— Pour agir en tant que prêtresse.

✦

Il fallut plusieurs heures à Kadmeron et Zia pour préparer le rituel funéraire de Jovan. Le chasseur s'était occupé de creuser une tombe à l'écart de la ginte avec l'aide de quelques hommes, puis y avaient déposé le corps sans vie, recouvert d'un tissu propre, sans inscriptions ni décorations. La terre retirée avait été assemblée dans un tas à proximité immédiate du trou.

Ils avaient ensuite érigé, juste au-dessus de la tombe, un abri sommaire pour le protéger de la pluie qui menaçait de tomber. Tout en prononçant des prières pour apaiser l'esprit tourmenté de Jovan qui devait errer à proximité de son corps, Kadmeron avait pris le temps de peindre une peau, la décorant avec un poisson et un soleil. Il remarqua l'absence de Diegis qui ne voulut pas se joindre à eux pour les aider. Il n'était probablement pas content que Zlata et Vlad ne lui avaient pas confié à lui cette mission, en tant que prêtre du serpent. Zia avait raison : il devait être furieux. Mais que pouvait-il y faire ?! Il aurait préféré ne pas avoir à s'en charger.

Pendant ce temps-là, Zia s'était minutieusement préparée. Elle s'était purifiée au ruisseau et, conformément à ce qu'elle se rappelait du rituel du dernier passage pour Danil, avait réussi à fabriquer de la crème bénite avec de l'ocre rouge et de la graisse animale prélevée sur le gibier abattu. Elle avait revêtu ses plus beaux vêtements et peint sur son visage les marques Haganita, dont Menodora se parait en tant que prêtresse pour ce genre de cérémonie.

Zlata, Vlad et les autres habitants s'étaient ensuite rassemblés à son appel. L'étonnement et l'admiration se lisait sur tous les visages. Personne ne s'attendait à voir la jeune étrangère, devenue récemment membre à part entière de la ginte du Rocher Fendu, diriger une cérémonie funéraire.

La belle Haganita était pourtant parfaitement dans son élément. Elle avait tout établi avec Kadmeron qui l'assisterait. Le rituel serait le plus simple possible, afin de respecter la croyance encore inconnue de cet étranger qui avait fui son peuple. Certes, Jovan croyait au soleil, mais Zia n'avait pas pu en apprendre davantage.

— Jovan, nous confions ton âme au territoire des esprits ! Que tu puisses retrouver la paix malgré les souffrances de tes dernières heures !

À ces mots, Kadmeron lança une grande poignée de terre noire sur le linceul en contrebas. Puis il tapa du pied, tout en pivotant sur lui-même par trois fois.

— Que l'esprit du Cheval t'accueille sur les plaines infinies!

Zia reprit :

— Jovan, nous confions ton corps meurtri à la Mère-Terre, au sol de la ginte du Rocher Fendu qui t'accueille et t'offre ainsi son hospitalité !

Le chaman lança une autre poignée de terre, tournant sur lui-même :

— Que l'esprit du Poisson te permette de trouver les eaux de ta naissance et y nager à nouveau, que les rayons du soleil baignent à nouveau tes membres, ta poitrine et ta tête, lorsque tu seras en pleine santé dans les hautes herbes de l'au-delà !

Zia baissa les bras, puis s'adressant à la foule massée devant elle, elle déclara avec une voix ferme et assurée :

— Jovan était un étranger qui cherchait la paix ailleurs que chez lui. Nous lui devions l'hospitalité. Malgré tous les efforts de notre ginte, il est mort parmi nous et fera désormais partie de cette terre que nous foulons de nos pieds. Ses os, ses chairs reviendront à la Mère-Terre. Il renaîtra plus fort et poussera sous une autre forme, comme la graine enterrée qui germe et nous nourrit.

Honorons maintenant son corps et son esprit en couvrant sa tombe !

La jeune prêtresse s'approcha avec grâce, saisit à son tour une poignée de terre, avant de la jeter sur Jovan. Puis elle fit signe à l'assemblée d'en faire de même, alors que Kadmeron sortit une flûte en os et se mit à chantonner une mélodie mélancolique. Un autre musicien l'accompagna au tambour. Chaque villageois ajouta alors, avec recueillement, son hommage au défunt qui, petit à petit, disparut sous la terre noire du Rocher Fendu.

✦

Zia et Kadmeron furent étonnés d'apprendre que Zlata les avaient convoqués chez elle. Sans avoir le temps de parler au préalable et de s'entendre, ils purent néanmoins établir entre eux de rester sur leurs gardes et d'écouter davantage ce qui allait se dire, plutôt que de s'exprimer directement. Ainsi, ils auraient moins de chances de tomber dans d'éventuels pièges en s'engageant à des choses qu'ils ne voulaient pas. Lorsqu'ils frappèrent à la porte, Zlata les invita aussitôt à y entrer.

— Entrez, je vous attendais ! les accueillit-elle avec le sourire.

— De quoi voulais-tu nous parler ? demanda Kadmeron fermement. Nous sommes assez fatigués après toute la cérémonie d'aujourd'hui et Zia a besoin de repos après tout ce qu'elle vient de traverser, annonça-t-il avec aplomb, pas prêt à se laisser encore marcher sur les pieds.

— Je comprends, nous sommes tous éprouvés après ce rituel même si ce n'était qu'un étranger. Votre cérémonie a été d'ailleurs très impressionnante et je voulais vous en féliciter.

Zia et Kadmeron échangèrent un regard surpris.

— Nous te remercions pour ton compliment, mais il nous semblait normal de permettre à Jovan de rejoindre le monde des esprits, répliqua Zia à voix basse.

— Oui, bien sûr. J'ai remarqué comme sa mort t'a éprouvée Zia et je pensais qu'un voyage, loin du village du Rocher Fendu, pourrait te changer les idées. Qu'est-ce que tu en dis ?

— Un voyage ? répéta la jeune femme sur ses gardes. Quel

genre de voyage ?

— J'ai cru entendre que tu avais envie de connaître d'autres peuples, insinua-t-elle. Et puis Kadmeron apprécie de plus en plus l'or que nous travaillons, il me semble.

— Pourrais-tu être plus claire Zlata, car ni Zia, ni moi ne comprenons pour le moment de quel voyage tu parles, déclara ce dernier en consultant du regard sa femme qui acquiesça.

Zlata se cala un peu mieux dans ses fourrures et sourit aimablement à ses hôtes avant d'expliquer :

— Nous devions envoyer une petite délégation pour faire du troc dans un village qui se trouve à une journée de marche d'ici. Les habitants là-bas connaissent un gisement de silex et nous faisons des échanges avec eux régulièrement : un peu d'or contre beaucoup de noyaux de silex que nous utilisons pour fabriquer nos outils et nos pointes de flèches, expliqua-t-elle patiemment.

Un mouvement inattendu se manifesta derrière Zlata.

— Justement des pointes comme tu pourrais nous enseigner à sculpter ! intervint Vlad alors qu'il fit son apparition de derrière une peau de chevreuil qui l'avait camouflé jusqu'alors dans un coin de la grande hutte.

— Ah ! Nous ne savions pas que tu étais là, répliqua Kadmeron décontenancé. Il mordit sa lèvre pour ne pas continuer et offrir ses services trop spontanément, en se rappelant ce qu'ils avaient établi avec Zia avant leur arrivée ici.

— C'est donc entendu ? Vous voulez y aller ? revint Zlata à la charge. Nous pensions que cela pourrait vous faire du bien, à tous les deux, de vous retrouver ensemble et de vous changer les idées, ajouta-t-elle avec une voix aguichante.

Les deux amoureux se regardèrent en silence, leurs yeux se lançant plein de questions. Ils finirent par se mettre d'accord avec un léger signe de tête.

— D'accord. Nous nous rendrons là-bas et ferons du troc pour vous. Cela me permettra de refaire ma réserve de silex, car cela faisait longtemps que je n'en avais plus trouvé de bonne qualité, conclut Kadmeron. Vous nous parlerez de tous les détails demain car maintenant nous allons rentrer chez nous pour nous coucher. Nous avons besoin de repos, et encore plus si nous devons partir pour cette mission. Nous vous souhaitons une bonne nuit ! conclut-il en se levant avant d'ouvrir la porte.

— Bonne nuit ! dit également Zia en le suivant sans regarder en arrière, soulagée de pouvoir quitter les lieux.

— Venez nous rendre visite demain matin après votre réveil ! lança Vlad derrière eux. Vous partirez après le déjeuner.

— Nous préparerons ce qu'il vous faut jusqu'alors, finit Zlata en fermant la porte.

7.
Zia

Tout était prêt pour leur départ. Tache blanche était chargée avec un sac contenant des marchandises à échanger : de l'or, mais également du sel, des peaux et quelques objets en bois utiles pour la vie quotidienne. Ceux-ci étaient aussi très joliment décorés avec des gravures aux motifs caractéristiques de la ginte du Rocher Fendu. Tout comme les tissages, ces ornements étaient non seulement un signe de reconnaissance de leur provenance, mais leur style et leurs formes étaient très appréciés pour leur beauté par d'autres peuples.

Zia fixa le collier au cou de Cani, une récente amélioration qu'elle avait décidé d'apporter à son ami à quatre pattes. En effet, elle avait pris l'habitude d'y accrocher une laisse tressée en cuir lorsqu'elle entrait dans un village. Cela évitait ainsi des agressions ou des tensions inutiles, que ce soit de la part des humains qui ne savaient pas comment réagir, mais aussi des autres chiens qui défendaient leurs territoires. Pour ce qui étaient des loups, Cani savait très bien se tenir et agir quand il le fallait, mais se trouvait un peu désorienté dans les agglomérations humaines, ne sachant pas toujours la bonne attitude à adopter. Le tenir ainsi en sécurité près d'elle était une solution convenable et simple.

— Bon, voilà, nous sommes prêts ! annonça-t-elle en regardant Kadmeron qui préparait Potac. Il ne nous reste plus qu'à dire au revoir à Zlata et Vlad.

Au même moment, une voix qu'elle reconnut et lui provoqua un frisson incontrôlé résonna derrière elle :

— Cela ne sera pas nécessaire puisque nous sommes là.

Se retournant aussitôt, Zia déglutit avec difficulté :

— Ah, je ne vous avais pas entendu venir, bégaya-t-elle. Au revoir alors ! Nous partons de ce pas, conclut-elle en se dirigeant vers Potac.

— Oui, à très vite ! Car vous serez de retour dans quatre jours, ajouta fermement Vlad.

— Si rien n'intervient entre temps, ajouta Kadmeron sur ses gardes en défiant le Patriarche du regard.

Suite aux nombreuses discussions qu'ils avaient portées avec Zia, il avait pris la décision de ne plus se laisser intimider par Vlad et de faire attention en permanence lorsqu'ils étaient en présence du couple des chefs du Rocher Fendu.

— Oh, rien d'imprévu n'interviendra, lança Zlata. Et puis... nous sommes sûrs que vous tiendrez vos engagements, ajouta-t-elle avec confiance. Nous veillons toujours sur les gens que nous accueillons dans notre ginte, finit-elle avec une légère nuance dans la voix qui hérissa les poils sur les bras de Kadmeron.

— Le négoce n'est pas une chose qui se fait à la va-vite comme tu le sais très bien Zlata, lança le Marteron sans se démonter. Nous ne savons donc pas dans combien de jours nous serons de retour. J'imagine que vous ne voudriez pas qu'on échange les biens de la ginte à perte, n'est-ce pas ? poursuivit-il rhétoriquement.

— Oh, le village du Silex a l'habitude de faire du troc avec nous. Si vous leur dites que vous venez de la part de Zlata et Vlad, ils ne vont pas oser vous tromper. Ils connaissent les conséquences... ajouta-t-elle en laissant le silence leur faire comprendre la suite.

Zia lança un regard plein de sens à Kadmeron qui comprit que ce n'était pas la peine de continuer cette discussion. Le chasseur sauta sur son cheval et tendit la main à sa femme qui le suivit avec grâce en tenant le licol de Tache blanche dans la main.

— Allez Cani, ouvre-nous la voie ! lui lança-t-elle en sachant que son chien n'attendait que son signal pour partir. Au revoir ! dit-elle en retournant sa tête alors que Potac s'était mis en marche sous l'impulsion de Kadmeron.

✦

Le voyage se passa sans encombre car Kadmeron avait déjà parcouru une partie du trajet avec Vlad lors de leurs recherches de gibier durant les jours précédents. La dernière partie se faisait au long d'une petite rivière, sur un sentier assez étroit, les obligeant à se déplacer l'un derrière l'autre. Cani ouvrait toujours la marche, suivi de Potac chevauché par les deux amoureux et Tache blanche dont Zia avait finalement renoncé à tenir le licol qu'elle avait noué et fixé sur l'encolure de l'hydrontine qui les suivait à petite distance.

Soudain, Cani bondit comme une flèche en aboyant vers l'avant de la petite troupe. Zia l'appela mais sans succès et voulut descendre de cheval mais Kadmeron la rassura :

— Il a peut-être flairé un lapin ou un renard, tout simplement, expliqua-t-il.

— Non, ce n'est pas comme ça que Cani aboie lorsqu'il a détecté une proie. C'est un humain. Et pas un gentil, ajouta Zia, inquiète.

— Tu reconnais ses aboiements à ce point ? s'étonna Kadmeron en souriant, tentant de dissiper l'inquiétude de sa femme.

— Oui, et je pense que tu en fais de même avec les signes que Potac t'envoie d'après ce que j'ai pu remarquer, répliqua-t-elle. Je te dis qu'on ferait mieux de se dépêcher car il y a un problème dans ce village. Nous en étions proches, non ?

— Oui, on devait arriver avant que le soleil se couche. Probablement en haut de cette pente-là, nous arriverons au plateau où se trouve le village, dans cette grande clairière que nous ont décrite Zlata et Vlad, répondit Kadmeron en se remémorant les indications des chefs des Biephis.

Pour ne pas ignorer la demande de Zia, il serra avec ses jambes Potac qui s'empressa d'accélérer son rythme, malgré la montée qui l'éprouvait avec deux personnes sur son dos. Cani ne s'entendait plus et devait être déjà loin, ce qui causait du souci à la jeune femme.

— Nous devrions peut-être descendre et continuer à pied, proposa Zia. Inutile de fatiguer Potac. Surtout que nous avons pu conserver nos forces jusqu'ici grâce à lui, conclut-elle en sautant à terre.

Kadmeron suivit son exemple. Les aboiements se

manifestèrent soudain, à nouveau, très intenses.

— Tu as raison, dit-il en prenant Potac par les rênes. Peut-être que Cani a senti quelque chose car il continue de s'agiter, et cette fois, on dirait qu'il a encore changé de ton, remarqua-t-il alors que le canidé émit un hurlement ressemblant à une plainte.

— Oh, non ! cria Zia en pressant le pas.

— Qu'est-ce qu'il y a ? Des loups ? demanda Kadmeron.

— Non, plutôt des esprits, répondit Zia sans se retourner et en continuant presque à courir. Cani hurle comme ça lorsqu'il y a des morts ! expliqua-t-elle alors que Cani ne cessait pas de geindre comme s'il appelait sa meute.

Lorsqu'ils arrivèrent en haut de la colline, une vision d'horreur les terrassa : du sang partout, des corps déchiquetés gisaient parmi les huttes en bois. L'odeur des cadavres en putréfaction percuta Zia violemment, mais elle se força à ne plus respirer par le nez et à avancer, malgré sa terreur. Elle se précipita auprès de chaque villageois pour vérifier s'il restait des personnes en vie, mais à son grand désespoir, elle n'en trouva aucune. Cani l'accompagnait en continuant à hurler sa peine.

Kadmeron était choqué lui aussi. Le récit du massacre des Lacustres lui revint en mémoire. Mais la réalité était au-delà de tout ce qu'il aurait pu imaginer. Il faillit vomir en considérant les corps démembrés, éventrés qui jonchaient à travers le village. Il n'arrivait plus à distinguer que des silhouettes grotesques, désarticulées. Des enfants avaient été frappés par derrière, cherchant visiblement à fuir un ennemi terrible, le crâne défoncé ou le dos meurtri. Un peu partout, la chair avait été mordue, déchirée par les mâchoires des loups. Une meute s'était trouvée là mais était partie, sans doute repue par ce repas macabre.

Totalement désemparé mais faisant appel à ses instincts de chasseur pour se maîtriser, il entreprit de faire systématiquement le tour du village, en entrant dans chaque cabane. Il constata que les réserves de nourriture avaient été pillées et cela raviva une nouvelle fois des souvenirs douloureux du village près des lacs. Affolé, il courut retrouver Zia. Il la trouva près d'un corps, prostrée, les yeux dans le vide. Cani continuait de hurler à la mort.

— Zia, as-tu trouvé quelqu'un en vie ? demanda-t-il même s'il connaissait la réponse. Il fallait la sortir de cet état. Et vite ! Car le danger pouvait encore être tout près.

— Non, répondit-elle d'une voix brisée.

En regardant autour un peu plus attentivement maintenant que la première onde de choc l'avait traversé, Kadmeron remarqua qu'il n'y avait que des corps d'hommes et des vieillards. Un frisson d'horreur hérissa ses poils.

— Est-ce que tu as trouvé des femmes ? poursuivit-il, épouvanté, déglutissant avec une extrême difficulté.

Zia ne répondit pas tout de suite car elle ne comprenait pas le sens de sa question. Après quelques instants de réflexion, elle leva la tête et regarda Kadmeron.

— Deux femmes très âgées. Pourquoi ? s'intéressa-t-elle.

— Ils les ont prises ! cria Kadmeron. Comme dans les villages du couchant. Et la nourriture aussi !

Zia se mit à pleurer, de tristesse. Mais aussi de colère. Des larmes coulaient sur ses joues sans qu'elle pût les arrêter.

— Ces gens ont été attaqués par une meute de loups, mais ce n'est pas seulement cela, annonça Zia désemparée. Leurs blessures précédentes leur ont été fatales !

— Oui. Ce sont d'abord leurs semblables qui les ont massacrés comme tu as pu t'en rendre compte. Des flèches, des massues, des pierres... Ces coups-là n'ont pu être portés que par des humains ! Les loups ne sont venus qu'après que le mal avait été déjà fait. Nous devons prévenir la ginte du Rocher Fendu tout de suite ! lança Kadmeron. Sinon, ils risquent d'être les suivants !

— Mais nous ne pouvons pas laisser tous ces gens comme ça, en proie aux bêtes sauvages ! s'indigna Zia. Nous devons les enterrer d'abord.

Elle s'était levée d'un bond, révoltée.

— Zia, écoute-moi ! Nous n'avons pas le temps de les enterrer. Ces ordures humaines qui ont attaqué ce village ne vont pas s'arrêter là ! Regarde : c'était un hameau ! Ils ont dû voler leurs provisions pour la saison des neiges et capturer quelques jeunes femmes, mais ça ne leur suffira pas.

Il commençait à tenter de raisonner, de réfléchir tant bien que mal en tentant de donner un sens à toute cette folie. Zia fronça les sourcils.

— Mais de qui parles-tu ?! Sais-tu qui a pu faire ça ?

— Non, pas précisément. Mais crois-moi, j'ai déjà eu à faire à ce genre de personnes et j'ai entendu ce dont ils sont

102

capables. Lorsque l'être humain devient mauvais, rien ne peut l'empêcher de devenir toujours pire. Et lorsqu'ils agissent à plusieurs, j'ai vu que plus personne n'arrive à réfléchir !

La jeune femme inspira longuement. Elle baissa la tête puis se redressa, les poings sur les hanches. Les larmes avaient cessé de couler sur ses joues rougies.

— Nous pouvons au moins les glisser dans une tombe commune et les couvrir de pierres, suggéra Zia. Sinon, les bêtes ne vont plus rien laisser pour leur voyage vers l'autre monde, gémit-elle.

— D'accord, j'ai une idée. Juste là-bas derrière la dernière maison, j'ai aperçu une faille dans la roche, dit-il en pointant du doigt vers une paroi qui se dressait verticalement, aussi haut que les grands sapins qui entouraient le village. Nous pouvons les glisser dedans et bloquer l'entrée avec quelques rochers.

Zia se mit tout de suite au travail en commençant à traîner le corps qui était juste à côté. Kadmeron en fit de même, avec un autre qui gisait quelques mètres plus loin.

— Penses-tu que nous devrions utiliser Potac pour aller plus vite ? demanda Kadmeron.

— Non, ce n'est pas nécessaire et, comme tu l'as dit, il faut faire ça rapidement pour pouvoir repartir prévenir notre ginte !

Lorsqu'ils finirent de porter la dizaine de corps et d'y introduire avec difficulté les cadavres un par un, qu'ils bloquèrent la fissure de la paroi rocheuse avec des pierres, il faisait presque nuit. Tremblants et ayant du mal à tenir sur leurs pieds, les mains meurtries, les deux voyageurs étaient épuisés par leur effort prolongé. Ils s'assirent lourdement sur le sol, et furent surpris par leur propre faim et par la soif qui semblaient s'être éteintes pendant qu'ils effectuaient leur triste besogne. Terrassés mais tenaillés par la peur, ils décidèrent de manger et de se reposer un peu avant de reprendre le chemin de retour au plus vite.

Potac et Tache blanche paissaient tranquillement un peu plus loin, presque indifférents au drame qui venait de se dérouler. La nature avait repris ses droits, maintenant que le village massacré était totalement silencieux.

Kadmeron préféra ne pas allumer de feu pour ne pas attirer l'attention des pilleurs, surtout s'ils étaient encore à proximité. Voulant s'assurer de leur sécurité, il décida de laisser Zia se reposer encore un peu pendant qu'il faisait un tour de reconnaissance des alentours. Ce serait l'occasion de trouver éventuellement quelques indices sur l'identité des attaquants, de mieux comprendre les raisons de leur brutalité. En haut d'une colline, il vit quelques lueurs danser au loin, parmi les arbres. Le vent qui soufflait de travers ne lui permit pas d'entendre quoi que ce fût, ni même de sentir des odeurs particulières. Néanmoins, le danger était tout proche, il le sentait dans ses tripes.

Le chasseur revint assez rapidement pour annoncer à sa compagne qu'il avait aperçu des feux et qu'il allait s'approcher pour en apprendre davantage. Zia protesta en disant que c'était trop dangereux, mais Kadmeron promit de revenir vite et de ne pas prendre des risques inutiles. Elle finit par se laisser convaincre car en effet, il valait mieux savoir à qui ils avaient à faire plutôt que de rester dans l'ignorance. Cela leur permettrait, à eux-mêmes dans l'immédiat, mais aussi à ceux de la ginte du Rocher Fendu de savoir de qui se méfier. Et éventuellement comment s'en protéger.

Préoccupé, Kadmeron lui demanda de rester dans une des cabanes qu'il avait identifiée comme ayant une bonne visibilité sur toute la zone. Ils prirent soin d'attacher Tache blanche et Potac derrière une hutte, à l'abri du vent, pour qu'ils restassent calmes.

— Cani me préviendra si quelqu'un s'approche, le rassura Zia en comprenant qu'il se faisait du souci pour elle. Va, et reviens aussi vite que tu peux ! dit-elle en se levant et en se dirigeant vers la hutte qu'il lui avait conseillée. Tu me trouveras là-dedans, précisa-t-elle en pointant du doigt la cabane et en l'embrassant. Fais attention à toi !

Kadmeron lui rendit rapidement son baiser et partit aussitôt en courant, apportant uniquement son arc et ses flèches, son couteau et sa gourde d'eau. La direction du vent était encore stable et la lumière de la lune était suffisante pour y voir dans la pénombre. Lorsqu'il s'approcha du camp établi entre les arbres, il ralentit le rythme et calma sa respiration. Il se baissa et continua à avancer prudemment, sans faire de bruit. Trois feux étaient en train de lancer leurs flammes vers le ciel et les hommes qui festoyaient ne se gênaient pas pour faire du vacarme et hurler de joie. La plupart semblait même bien éméchés et Kadmeron comprit qu'ils avaient sans doute bu une de ces boissons qui pouvaient rendre fous les gens. Soudain, il fut attiré par une sensation de déjà-vu.

Des images se manifestèrent dans sa tête, comme dans un rêve. Les plaines. Les bisons. Les eaux fumantes.

C'était ça. Et, au fur et à mesure qu'il observait silencieusement les formes qui évoluaient loin devant parmi la végétation, il crut reconnaître quelques signes caractéristiques des Budas. Tous ces hommes-là étaient de haute stature et portaient des tatouages avec des marques complexes qu'il avait déjà vues sur Isto, leur chef.

En étudiant attentivement le camp improvisé des pilleurs, Kadmeron aperçut de l'autre côté, par rapport à l'endroit où il se trouvait, trois jeunes filles attachées autour d'un imposant arbre. Elles étaient gardées par deux hommes qui ne semblaient pas se mêler à la fête. Il aurait bien aimé faire le tour du camp et essayer de les délivrer, mais il réalisa qu'il avait peu de chances de réussite par rapport à la dizaine de Budas qu'il devrait affronter. Les risques étaient très élevés. Et les choses avaient bien changé pour lui depuis ses aventures dans les grandes plaines. Il avait promis à Zia d'être prudent et de revenir vite et il ne voulait surtout pas la mettre en danger. S'il avait été tout seul, il aurait peut-être tenté le coup. Mais maintenant, il se sentait responsable de sa femme. Lorsqu'il revint dans le village ravagé, Kadmeron se dirigea directement vers la hutte où Cani sortit pour l'accueillir, mais cette fois-ci, sans aboyer. Zia lui avait bien expliqué qu'il devait se faire discret et la prévenir seulement en cas de danger.

— C'est bon, nous pouvons partir vers le Rocher Fendu. Allez, viens ! Avec un peu de chance, nous arriverons avant la levée du jour, dit-il en ressortant aussitôt, suivi par Zia.

Il était tendu. La colère et l'impuissance se lisaient sur son visage préoccupé.

— Tu les as vus ?! C'est qui ? demanda Zia.

Il expira longuement, relâchant une partie de la tension accumulée depuis des heures.

— Oui, je pense qu'ils font partie de la tribu des Budas. Ce sont eux que j'avais rencontrés sur mon chemin vers la Grotte Sacrée de la Terre-Mère. Dans les grandes plaines.

— Les Budas ? Je n'en ai jamais entendu parler, s'étonna Zia.

— Ils m'ont fait subir une sorte d'épreuve, près de leurs eaux fumantes, il y a bien longtemps maintenant... Je te raconterai en chemin, lança Kadmeron avec aigreur en se dirigeant vers Potac. Je pense que c'est bien qu'on remonte sur Potac tous les deux. Il voit mieux que nous dans la nuit et nous risquerons moins comme ça. Il saura retrouver le chemin de retour et il a pu se reposer et se nourrir jusqu'à maintenant. Pas comme nous.

— Oui, je les amenés à la rivière pour les abreuver aussi pendant que tu étais parti, précisa-t-elle.

Kadmeron se retourna, esquissant un faible sourire.

— Tant mieux, allons-y alors ! Nous devons faire vite pour avoir une chance de sauver les jeunes filles qu'ils ont capturées ! conclut-il en chevauchant Potac, alors que Zia arrivait avec Tache blanche, la tenant par le licol.

— Cani, ouvre la voie mais sans aboyer, mon chien ! l'encouragea-t-elle en s'abaissant à sa hauteur et en le grattant derrière les oreilles. Les yeux malicieux du canidé lui confirmèrent qu'il avait compris, et il se mit à trotter vers l'est. La lune éclairait faiblement les alentours, mais suffisamment pour entrevoir le sentier.

Ensuite, Zia grimpa à son tour sur le cheval, derrière son homme. C'était enfin l'occasion de lui demander des détails sur ce qu'il avait trouvé.

8.
Kadmeron

Le chemin de retour se fit de nuit et en grande partie en silence. La lumière pâle diffusée par la lune était suffisante pour distinguer les silhouettes des arbres. Cani, Potac et Tache blanche connaissaient la route. Comme investis d'une mission, les animaux aidèrent leurs maîtres à regagner la ginte du Rocher Fendu.

Pendant tout le trajet, Kadmeron et Zia restèrent tendus comme la corde d'un arc. Le va et vient de Potac, les obstacles qui secouaient la croupe du cheval ne facilitaient pas leur repos. Nul besoin de parler entre eux pour échanger sur les heures d'horreur qu'ils venaient de partager. Le village du silex était non seulement totalement ravagé, ses habitants massacrés ou capturés, mais aucun échange n'avait pu avoir lieu. De plus, la menace d'une attaque imminente des Budas planait au-dessus de la forêt.

Le hululement des chouettes se faisait entendre, ainsi que les hurlements des loups. Cani voulut y aller, mais Zia réussit à l'en dissuader.

— Ils ont dû revenir pour manger à nouveau ! se plaignit Zia.

— Oui, c'est sûr. Mais ils doivent être déçus de ne rien trouver à se mettre sous les crocs, affirma Kadmeron avec amertume.

— Il faudra revenir sur place et offrir un vrai rituel à tous ces malheureux habitants !

— Oui, bien sûr ma chérie. Mais en attendant, il faut absolument prévenir Zlata et Vlad. Je suis convaincu que les Budas vont nous attaquer, nous aussi !

Assise derrière lui, Zia le serra un peu plus.

— Tu crois ça ?

— Comment peux-tu en douter un seul instant ?! lança-t-il, irrité. La ginte du Rocher Fendu est pleine de femmes ! Toi, par exemple !

Zia relâcha légèrement son étreinte.

— Je ne me laisserai jamais capturer vivante ! hurla-t-elle à son tour. Plutôt me trancher la gorge que de finir comme ça !

Potac hennit légèrement alors que ses cavaliers se disputaient.

— Oui, tu as raison mon ami, murmura Kadmeron. Calmons-nous ma chérie ! Pardonne-moi, je suis un idiot.

— Je ne peux pas te contredire !

Ils gardèrent le silence un long moment.

— En plus, les Budas savent.

— Ils savent quoi ?

— Pour l'or. C'est eux d'ailleurs qui m'en avaient parlé en premier. Ils vont venir pour ça car ils connaissent très bien sa grande valeur.

— Mais pourquoi cette violence, pourquoi ces captures, pourquoi tous ces morts ?! C'est si affreux ! gémit Zia, au bord des larmes.

— Parce que c'est plus facile.

— Comment ça, plus facile ?!

Kadmeron expira longuement, réalisant avec horreur ce qu'il s'apprêtait à dire.

— Eh bien, c'est plus facile de voler les choses, quitte à tuer des gens que de se procurer soi-même la nourriture, chasser, cultiver les céréales. Plus facile que de se fatiguer à extraire l'or de la rivière ou de la montagne. Plus facile que d'apprendre à tisser et de passer une lune à fabriquer des vêtements.

— C'est plus *facile*... répéta Zia avec horreur. Une violente nausée la prit. Elle sauta de sa monture, et vomit violemment dans les fourrés.

✦

— Quoi ?! demandèrent Zlata et Vlad en chœur.

— Ce n'est pas possible ! s'écria la Matriarche, les traits

déformés par le choc. Elle n'avait pas eu le temps de se recouvrir de la moindre fourrure, tirée du sommeil par le couple de voyageurs.

— Si, je l'ai vu de mes yeux, moi aussi ! confirma Zia.

Les quatre protagonistes se faisaient face dans la hutte des chefs. Ils n'étaient réunis que depuis quelques instants, et la mine déconfite de Zlata et Vlad témoignait de leur réveil impromptu, en pleine nuit.

La Matriarche s'assit, alors que le Patriarche était allé saisir une hache d'obsidienne à l'arrière de la pièce. Elle jeta un œil atterré à Kadmeron.

— Tous ?!

— Tous sont morts, oui, sauf trois jeunes filles que j'ai vues, dans le camp des Budas, affirma le chasseur.

— Les Budas ? Tu en es sûr ?

— Oui. Pratiquement sûr. J'ai reconnu leurs tatouages, mais je n'ai pas aperçu leur chef, Isto. C'est probable qu'il était là-bas, mais pas certain. Compte tenu de ce qui s'est passé, il est certainement au courant de leurs agissements. Il en est le donneur d'ordres.

— Les Budas... C'est incroyable ! continua-t-elle, abasourdie. Nous avons fait des échanges avec eux depuis des lunes et des lunes ! Ils nous ont donné des chevaux et d'autres choses. Bien sûr, il y a eu quelques fois des problèmes pendant les négociations. Mais ça ?! Qu'est-ce qu'il leur prend tout à coup ? Pourquoi ne pas faire du négoce comme nous le faisons depuis si longtemps ?! Tu as raison, Isto doit forcément être au courant !

— Oui, je le crois aussi, confirma Vlad. Son visage exprimait la détermination. Le ton de sa voix devint subitement grave : Je crois que c'est la *guerre*, maintenant.

— La guerre ? demanda Kadmeron. Qu'est-ce que c'est ? s'étonna-t-il devant ce mot qu'il ne connaissait pas.

Zia regarda son homme, surprise, mais compatissante.

Vlad continua son explication :

— La guerre, c'est quand des humains utilisent leurs armes de chasse contre leurs semblables. C'est comme lorsque des fourmis rouges attaquent une fourmilière noire. Ce n'est pas pour manger. C'est pour détruire. C'est ça, la guerre.

Kadmeron demeura silencieux un moment.

— La guerre... Ce ne sont plus des chasseurs alors. Puisqu'ils tuent et massacrent leurs semblables. Nous, les chasseurs, ne prenons la vie des animaux que lorsque c'est nécessaire. Et nous remercions toujours la Mère-Terre pour sa générosité. Sa voix continua, déformée par l'émotion : nous demandons pardon ! Il songea aux peintures des grottes sacrées. Est-ce que tout cela a un sens ?!

Vlad et Zlata le regardèrent avec tristesse. Zia s'approcha de lui, posant la main sur son épaule, alors que la Matriarche parla :

— Ce sont des *guerriers*, affirma-t-elle. C'est quelque chose qui arrive, maintenant que la pluie tombe beaucoup plus et que les eaux montent. C'est plus difficile de se nourrir, de se vêtir, de cultiver, d'élever des animaux. Plus difficile pour tout le monde. Et certains ont décidé que c'était plus facile de prendre par la force. De voler. De tuer.

Zlata reprit un air d'autorité et demanda à Kadmeron, toujours agité :

— Combien de guerriers as-tu vu dans leur camp, alors ? demanda-t-elle en se levant.

Il réfléchit un moment.

— Deux fois les doigts des deux mains, je pense !

Les trois autres le regardèrent avec horreur, atterrés par la nouvelle.

— Alors, nous devons nous défendre contre ces *guerriers* ! affirma Kadmeron. Nous ne pouvons pas permettre qu'ils viennent ici, nous épient comme on observe les bisons dans la plaine, qu'ils volent notre nourriture, tuent et prennent nos femmes ! hurla-t-il en lançant un regard désespéré vers son épouse.

— Tu as raison, Kadmeron ! tonna Vlad, brandissant sa hache.

Zlata était lugubre :

— Mais comment résister à autant de guerriers ? Ils sont trop nombreux ! Nous allons tous mourir ! lança-t-elle subitement, le visage paniqué.

Vlad la regarda, dédaigneux. Avec un méchant rictus, il éructa :

— Pauvre de toi, tu réagis comme une faible femme ! Tu as le don pour pleurnicher comme une petite vieille qui tremble sous les coups !

La Matriarche se cabra sous les mots durs et lui lança un regard noir, où Kadmeron crut reconnaître de la haine.

— Vlad, ce n'est pas le moment de me tenir ce genre de discours ! J'ai peur de mourir, mais ce n'est pas pour autant que je ne vais pas agir ! Même en tant que femme. Nous n'allons pas laisser quiconque venir nous arracher ce que nous avons bâti si durement à la ginte du Rocher Fendu !

Zia s'approcha, les mains vers l'avant en signe d'apaisement, avant de prononcer d'un ton conciliant :

— Écoutez ! Nous devons nous préparer rapidement pour contrer l'attaque possible des Budas. Et nous devons agir ensemble. Décider qui fait quoi. Nous devons réveiller les villageois et les prévenir immédiatement. Si nous perdons du temps à nous disputer entre nous, bientôt nous serons nous aussi massacrés par les guerriers puis dévorés par les loups, non ?

— Tu as raison, Zia, confirma Zlata. Tous ces mots sont futiles, lança-t-elle en plantant ses yeux dans ceux de Vlad. Mais nous devons établir comment organiser les gens. Il ne suffira pas de les prévenir : la panique les gagnerait, comme pour moi, et nous n'aurions rien à gagner !

— Il faut leur donner des haches et qu'ils se battent ! Jusqu'à la mort ! hurla Vlad. Zlata le regarda avec lassitude, mais s'abstint de commenter.

— Il faut utiliser les outils de chasse pour se défendre et même tuer les Budas qui viendraient par ici. Il faut compter et préparer les arcs, les flèches et les sagaies. Les haches, les gourdins. Nous savons déjà qui sait chasser dans le village. Je m'en occupe ! affirma Kadmeron.

— Sera-ce suffisant ? demanda Zia. Moi je peux m'occuper de mettre les malades en sécurité. Je pourrai aussi préparer des onguents pour les blessés et aussi... une boisson pour donner du courage à ceux et celles qui auraient trop peur.

— Bien, il faudrait aussi trouver un endroit sûr pour abriter ceux et celles qui ne pourraient pas se défendre, comme les enfants... proposa Zlata.

— Ou les malades et les anciens ! continua Zia.

— Très bien, occupez-vous-en ! lança Kadmeron, sûr de lui. En plus de cela, j'aimerais aussi préparer des obstacles pour empêcher les Budas de rentrer facilement dans notre village.

111

— Comment ça ? demanda Vlad. Les deux femmes se penchèrent vers lui, intéressées également.

— J'ai vu cette méthode chez les Lacustres, affirma le Marteron. Ce sont des palissades de bois. Nous pourrions utiliser les troncs d'arbres que la ginte a préparés pour la construction de nouvelles cabanes et les réparations pendant la saison des neiges.

— Très bien. Discutons de tout cela ensemble avant d'aller réveiller les habitants ! conclut la Matriarche. Sa voix avait perdu toute trace de panique.

✦

La nuit avait été particulièrement courte. Les quatre chefs de guerre s'étaient réparti les tâches pour organiser la défense du village. Progressivement, la panique avait diminué dans les esprits, et le souci d'organiser le mieux possible les femmes et les hommes valides avait dominé les débats entre les deux couples. Et il y avait peu de temps à perdre, compte tenu de la quantité de tâches à effectuer et du péril immense qui menaçait la survie même de la ginte.

Avant que le soleil ne se levât, le Patriarche était allé réveiller quatre des plus jeunes hommes, qui étaient aussi de bons chasseurs. Il leur avait parlé du danger que représentaient les Budas et les avait envoyés en reconnaissance jusqu'au village du silex. Leur mission était d'observer les mouvements des guerriers hostiles, leur équipement et leur nombre. Si l'ennemi amorçait son déplacement vers le Rocher Fendu, l'un des éclaireurs devrait revenir le plus vite possible pendant que les autres continuerait de surveiller les agresseurs. En fonction de l'évolution des événements et de l'importance des nouvelles informations à transmettre, un éclaireur pourrait quitter le groupe et revenir en vitesse pour les tenir informés. Enfin, il avait été donné instruction aux éclaireurs de préserver le plus possible leur vie, pour pouvoir combattre au village et ne pas mourir inutilement loin dans les montagnes. Ceci fait, et les quatre chasseurs étant partis en courant, Vlad était revenu à la hutte des chefs.

Là, les autres meneurs avaient déjà pris le relais : la Matriarche, Zia et Kadmeron étaient allés réveiller le reste des villageois, passant de hutte en hutte pour les convoquer de toute urgence sur la place centrale. Légèrement apeurés et inquiets, femmes, hommes et enfants s'étaient rassemblés dans le froid. Les quelques personnes âgées encore alitées étaient restées dans leurs maisons. Pour que les messages à délivrer passent efficacement, il avait été convenu que la Matriarche s'adresserait à tout le monde. Dans un sursaut de réalisme, Vlad avait convenu qu'il en serait mieux ainsi. De toute façon, il savait que le combat se déroulerait sous ses ordres, et cela était suffisant. La Matriarche s'avança donc sur le porche de la hutte des chefs. L'aurore naissante éclairait son visage grave, et la résolution se lisait sur ses traits fatigués.

— Nous avons une annonce extrêmement importante à vous faire, dit Zlata avec solennité.

Un brouhaha se fit entendre immédiatement. Des personnes commençaient à gémir. La Matriarche leva les mains lentement vers le ciel avec autorité, et obtint provisoirement le silence.

— Avant de vous expliquer le danger très proche qui menace notre ginte, nous voulons que vous sachiez que nous avons décidé des mesures à prendre, et que chacun d'entre vous aura une mission à accomplir aujourd'hui, aussi vite et aussi bien que possible.

L'agitation gagna les rangs des villageois. Des éclats de voix se firent entendre. Vlad s'avança résolument.

— Taisez-vous ! tonna-t-il, bombant le torse et brandissant sa hache d'obsidienne. La pierre noire acérée scintilla en l'air, menaçante. Taisez-vous maintenant ! ses yeux lançaient des éclairs et le résultat ne se fit pas attendre : les gens se turent immédiatement.

Zlata le regarda avec reconnaissance. Il lui sourit en coin discrètement : chacun avait un rôle précis à jouer ce jour-là. Elle reprit :

— Si vous agissez avec calme, que vous participez tous et toutes à l'effort que nous devons déployer aujourd'hui, nous réussirons à survivre à l'attaque imminente de nos anciens partenaires de commerce, les Budas ! Ils viennent de massacrer tous les habitants du village du silex et se dirigent probablement vers le Rocher Fendu en ce moment-même !

Des rugissements de colère, des cris de frayeur éclatèrent dans la clairière.

— Mais c'est affreux !

— Nous allons mourir !

— Il faut fuir !! Maintenant !!

Cette fois-ci, il fallut le concours de Kadmeron et Zia pour apaiser la foule. Le couple se joignit aux personnes les plus proches, leur demandant de se calmer. Malgré leurs efforts les gens s'agitaient, se plaignaient, criaient même, affolés. Certains tombèrent à la renverse, se pressant à regagner leur cabane. Une femme s'évanouit et ses proches l'entourèrent pour tenter de la ranimer.

Zlata saisit à pleines mains une petite table qui était sous le porche. Zia comprit son intention et vint l'aider rapidement. Les deux femmes la calèrent sur la terre devant la hutte et la jeune Haganita aida la Matriarche à y monter. Une fois installée, elle mit ses mains en porte-voix autour de sa bouche. Surplombant la foule de sa stature imposante, ajoutée à la hauteur de la table, Zlata dominait tout le monde. Soudain, la voix de la cheffe se fit entendre comme un coup de tonnerre en pleine journée ensoleillée:

— Assez ! Calmez-vous ! Écoutez tous attentivement ! intima-t-elle confiante.

L'agitation diminua. Les gens s'immobilisèrent, choqués par l'impact du charisme de Zlata. Comme hypnotisés, ils se relevèrent, se tournèrent vers elle, fixant attentivement ses lèvres qui annonçaient l'arrivée imminente de la destruction, des ravages de la guerre.

Tout fut rapidement décrit à l'audience tétanisée : le départ de Kadmeron et Zia pour le village du silex, leur découverte macabre après un jour de marche, le rassemblement des cadavres dans l'anfractuosité de la roche. Zlata omit sciemment de parler de la capture des jeunes femmes pour ne pas ajouter à la tension qui avait gagné les cœurs et les esprits.

— Nous allons nous battre ! Nous allons défendre notre village ! Nous n'allons pas les laisser prendre notre vie sans rien faire ! Nous allons repousser cette attaque infâme ! Les hommes et les femmes du Rocher Fendu montreront à ces loups de Budas qu'ils savent répondre à la guerre par la guerre !!! Vous êtes avec nous, maintenant ? Vous comprenez qu'il faut tous nous préparer à résister et que si nous restons unis, tous ensemble, nous pourrons les vaincre ?!

Des hurlements d'assentiment éclatèrent dans la vallée. Des bras se levèrent, en signe de soutien.

— Oui !! Oui !! Massacrons-les !

— Tuons-les !

— Défendons-nous !

Toutefois, quelques personnes étaient encore apeurées et cherchaient visiblement à fuir, prises de panique. Voyant cela, Kadmeron monta à son tour sur la table. Il était totalement équipé comme s'il partait à la chasse, de pied en cap. Zlata le regarda, étonnée, mais ne l'empêcha pas de prendre la parole à son tour :

— Mes amis ! Certains me considèrent encore comme un étranger, un chasseur venu du couchant, et que je ne fais pas véritablement partie de votre ginte ! Pourtant, je suis revenu avec Zia alors que nous pouvions fuir et abandonner la ginte à son sort ! Et je vous le dis aujourd'hui en face de vous mes frères, mes sœurs: je suis prêt à me battre contre ces guerriers qui veulent massacrer notre village et voler les fruits de notre travail ! Je suis prêt à mourir aujourd'hui pour vous défendre !

Il brandit son arc et poursuivit devant la foule qui retenait sa respiration :

— Aujourd'hui, certains d'entre nous seront blessés, d'autres vont mourir ! Mais je veux que vous sachiez, toutes et tous, que c'est mieux de rester ici et de résister de toutes nos forces plutôt que de fuir comme des chèvres apeurées ! Qui pourrait résister, seul ou isolé, à la saison des neiges ? Agissons ensemble désormais : tous les chasseurs, avec moi ! Nous avons à construire des palissades entre les huttes avec les troncs d'arbre déjà abattus là-bas ! Je vous indiquerai les postes d'observation d'où vous pourrez tirer vos flèches contre les attaquants. Cani, le chien de Zia, nous préviendra sûrement de leur arrivée ou alors les espions que nous avons déjà dépêchés à leurs trousses ! Les autres hommes et femmes qui savent manier la hache, l'herminette et les fourches, suivez Vlad ! Notre Patriarche vous mènera vers la victoire ! Les femmes, enfants et malades, allez avec Zlata et Zia ! Mara et Zia s'occuperont de soigner les éventuels blessés ! Nous vaincrons tous ensemble !!!

Zlata et Vlad le regardaient en souriant, galvanisés par son discours inattendu.

La foule hésita quelques instants avant de se manifester. Et cette fois-ci, ce furent des hurlements différents qui répondirent à la harangue du Marteron, dont le visage affichait la détermination.

Des cris de guerre.

— Nous avons réussi à tout préparer et le soleil vient à peine de se lever, annonça Zlata soulagée en entrant dans la hutte des chefs.

— Nous aussi, répliqua Vlad en soulevant son bras en signe de victoire. Ce n'est pas une bande de chiens galeux qui va nous faire peur ! tonna-t-il alors qu'il avalait une gorgée de *țuica*, une boisson alcoolisée à base de prunes que les Biephis avaient coutume de préparer à la saison des feuilles qui tombent.

— Zia m'a beaucoup aidée et elle a aménagé la cabane à soins de telle manière à pouvoir soigner tout en se défendant. Les femmes connaissent déjà leurs postes et quels outils emporter pour les transformer en armes.

— Nous avons pensé que le signal de rassemblement pourrait être trois coups de cornes de cerf, suggéra Zia.

— C'est une bonne idée, remarqua Kadmeron.

— Ha ! Comme si les bonnes femmes pouvaient faire face à une attaque des Budas ! ricana Vlad en grimaçant de mépris.

— Nous nous battrons comme tout le monde, protesta Zia avec véhémence. Et je crois avoir vu de mes yeux que plusieurs femmes savent chasser tout aussi bien que n'importe quel homme de ta ginte ! lui lança-t-elle en le perçant d'un regard acéré.

Zlata se figea, restant bouche bée en attendant la réaction de son mari. Elle savait qu'il n'appréciait guère se faire remballer de la sorte. Surtout devant témoins.

Vlad ouvrit la bouche, fit un pas menaçant vers Zia qui ne bougea pas d'un cil. Fulminant, il lui tourna le dos et vida d'un trait son pot de *țuica*. Il le posa bruyamment sur la table en bois puis sortit de la hutte sans prononcer un seul mot ni jeter un regard vers qui que ce soit.

— Il faut pas tenir compte de son attitude, il doit être tendu à cause de l'attaque qui va suivre, finit par rompre le silence Zlata, conciliante pour une fois. Nous sommes tous reconnaissants de votre présence et de votre aide pour affronter cette épreuve, ajouta-t-elle.

— Je profite de cette occasion pour t'annoncer que j'ai

longtemps réfléchi et que je vais partir pour continuer ma quête de grande prêtresse vers la Rivière-Mère, lâcha Zia.

— Quoi ?! l'interrompit Zlata, choquée. C'est quoi cette plaisanterie macabre ? Maintenant ?!

— Bien sûr que pas maintenant, intervint Kadmeron sans se laisser impressionner cette fois-ci par Zlata qui avait repris son attitude hautaine.

— Dès que la menace de l'attaque sera écartée, précisa Zia. Mais comme tu ne m'as pas laissée finir ce que j'avais à dire... Enfin, ce n'est pas le moment de parler de ce genre de détails maintenant. Nous ferions mieux de manger et de nous reposer tout en restant sur nos gardes, conclut-elle en se dirigeant vers la porte.

— J'ai déjà organisé le guet, annonça Kadmeron en la suivant. Ion y est maintenant et j'irai le remplacer dès que j'aurais mangé.

La tension extrême était palpable. Mais tous étaient d'accord sur une chose : il fallait prendre des forces avant le combat.

9.
Zia

Un des vieillards, trop malade pour être déplacé dans la cabane aux soins que Zlata était en train de fortifier, avait été transporté dans la hutte des chefs. Zia l'installait le plus commodément possible lorsque soudain la porte s'ouvrir. L'un des quatre jeunes chasseurs envoyés en reconnaissance fit irruption dans la cabane.

— Vlad est-il ici ? prononça-t-il avec difficulté, haletant après avoir couru une longue distance.

— Non, mais je vais le faire venir, attends ! La jeune femme sortit sur le porche, pinça le pouce et l'index de la main droite et les mit dans sa bouche. Puis elle bomba son torse, emplissant ses poumons d'air avant de les libérer d'un coup sec, envoyant un sifflement puissant. C'était le signal convenu pour que le Patriarche arrivât rapidement.

Celui-ci fit son apparition au bout de quelques instants.

— Que se passe-t-il ?

L'éclaireur sortit à son tour. Vlad enchaîna immédiatement:

— Alors ?

— Les Budas ont levé le camp ! lâcha le jeune.

— Vers où vont-ils ?! demanda le Patriarche, pressé.

— Vers notre village, annonça tristement le jeune homme.

Le Patriarche déglutit difficilement. Mais il reprit contenance. Il lui fallait afficher la confiance et évacuer la peur. Rapidement, la rage reprit le dessus dans son expression :

— Combien sont-ils ?

— Cinq fois les doigts d'une main.

— Autant que ça ?! Plus que ce qu'avait compté Kadmeron, fit-il remarquer en regardant Zia avec un air de reproche dans la voix. Et les femmes ?

— Ils... Ils les ont égorgées avant de partir, articula-t-il avant d'éclater en sanglots. Devant nos yeux ! Nous n'avons rien pu faire avec mes frères !

La mâchoire de Zia se serra. Le Patriarche lui lança durement :

— C'est pas facile, mais faut se préparer au pire. Tu as rempli ta mission mais nous n'avons pas de temps à perdre. Viens avec moi ! Je te dirai quoi faire et nous vaincrons cette meute de loups enragés, tu verras ! Lorsque les autres éclaireurs reviendront, nous serons prêts !

À ces mots, les deux hommes s'en allèrent. Zia rentra dans la cabane.

Il faut vraiment que nous survivions aujourd'hui ! pensa Zia avant de regagner le chevet du vieux malade. *Sinon, toute ma quête, tout notre amour avec Kadmeron, et tout l'or de ces montagnes n'auront vraiment plus aucune importance !*

✦

Vers la mi-journée, Cani commença à s'agiter en grognant et en faisant des allers et retours dans la cabane à soins.

— Tu sens des étrangers s'approcher, c'est ça, Cani ? demanda Zia en remarquant aussitôt les regards surpris et apeurés des autres femmes qui se tenaient à ses côtés.

Mara s'affairait auprès des malades, tentant de rassurer celles et ceux qui tremblaient d'angoisse. Mais les sens de Zia étaient en éveil. Elle sentait que l'attaque était imminente.

Ce soir, je serais peut-être en train de marcher dans le territoire des esprits, songea-t-elle avec un calme qui la surprit elle-même. Néanmoins, elle sortit rapidement de sa torpeur, se convaincant du contraire.

Le chien aboya plusieurs fois en bondissant à l'extérieur de la hutte. Zia décida de le suivre, convaincue que Cani avait senti une menace. Elle alla directement vers le grand sapin où elle savait que Kadmeron faisait le guet. Elle l'aperçut descendre en vitesse du majestueux conifère. Entendant le chien grogner, il lança un coup d'œil et fit signe à Zia vers le sentier puis avec l'autre bras il balaya le village. Zia comprit que Cani avait raison et que son homme lui demandait d'aller prévenir tout le monde que les pilleurs arrivaient.

La guerre était aux portes de la ginte du Rocher Fendu.

✦

À l'insistance de Zlata, Zia s'était postée plus haut que la cabane à soins, sur la pente de la montagne. *"Tu nous seras plus utile à nous défendre avec ton arc et tes flèches, plutôt qu'ici au milieu des malades"*, lui avait dit la Matriarche dès que l'alerte avait été donnée. La jeune Haganita ne s'était pas faite prier plusieurs fois, bien décidée à agir plutôt qu'à subir. En plus, elle voulait être là si Kadmeron était en danger et pouvoir intervenir, quitte à être blessée.

Après s'être équipée rapidement, elle était revenue et s'était mise à couvert, dissimulée dans un buisson. De son poste d'observation élevé, elle pouvait contempler à loisir tout le village.

Soudain, Cani se mit à aboyer avec furie et détala vers les collines à l'ouest des habitations. Un hurlement d'agonie déchira le silence. En se levant, Zia put voir déferler une troupe de guerriers. Ils venaient tous de la petite colline par où passait le sentier qu'ils avaient emprunté un jour auparavant.

Leurs cris de guerre étaient terrifiants. Ils étaient couverts de peinture grise. *Sans doute de la cendre de leur foyer mélangée à de l'eau,* se dit la jeune femme. Les Budas se précipitaient, en une seule ligne, comme à la chasse au gros gibier, vers le village. Certains ne virent pas les palissades hissées à la va-vite entre les huttes.

Ils ont confiance en eux. Ils ne savent pas que nous nous sommes préparés, pensa la guérisseuse.

Mais déjà, les flèches de Kadmeron et des autres chasseurs déchiraient l'air, se plantant dans les poitrines et les cuisses des envahisseurs, ricochant sur des crânes. Cinq guerriers étaient déjà à terre, blessés ou morts.

Un cri rauque, guttural, se fit entendre. Immédiatement, les survivants du premier assaut se retirèrent, courant en zigzag vers le haut de la colline pour éviter les flèches qui pleuvaient autour d'eux ou se jetant derrière les arbres pour se mettre à l'abri. Des râles montaient des herbes et des feuilles mortes.

— Arrêtez ! entendit-elle Kadmeron hurler à ses archers.

L'action s'interrompit pendant un moment qui lui sembla durer une éternité. Les deux camps s'observaient. Des cris de panique se firent entendre de la cabane aux soins, rapidement étouffés. *C'est Zlata qui les fait taire*, pensa Zia avec reconnaissance. *Elle nous manipule, mais il faut bien admettre qu'elle sait se faire respecter. Elle est douée pour commander. Peut-être mieux que ma mère...*

Soudain, des flèches enflammées s'élevèrent dans les airs, avant de s'abattre au-delà des troncs d'arbres de la palissade improvisée. Beaucoup atterrirent sur le sol. L'une d'elle toucha un tas de foin, qui s'embrasa rapidement. Une nouvelle salve apparut, et cette fois la précision augmenta : des murs en bois furent touchés.

Un autre cri retentit, et une dizaine de guerriers courut en trombe vers la palissade. Kadmeron décocha à son tour plusieurs flèches, mais peu atteignirent leur cible. Certains assaillants se mirent à grimper sur les troncs, d'autres à les pousser frénétiquement. Ils étaient comme des animaux enragés.

Zia se leva, tendue comme un arc. *Que puis-je faire ?!* pensa-t-elle, déchirée entre la volonté de se joindre aux défenseurs dont certains gémissaient, touchés par des flèches en feu, et l'injonction de respecter la position assignée par la Matriarche.

Enfin, trois guerriers réussirent à pénétrer dans l'enceinte protectrice. D'autres, ayant compris que la palissade était incomplète, avaient tout bonnement choisi de la contourner pour pénétrer dans le village. Ils couraient avec la rage que leur donnait l'envie de massacrer ses occupants.

Les assaillants dégainèrent leurs haches et firent face aux villageois qui sortaient de leur position, dans une confusion généralisée. Les coups pleuvaient, le sang giclait et les cris couvrirent les hurlements de peur.

Sans réfléchir, Zia bondit à son tour en descendant en vitesse la pente. Cani était à ses côtés aboyant furieusement. Potac et les autres chevaux apeurés prirent la fuite, arrachant leur licol et bousculant les frêles barrières des enclos.

Un assaillant réussit à s'approcher de la chambre froide. C'est alors que Zia s'arrêta, tétanisée : Vlad se précipita sur le Buda, et asséna en hurlant sa hache d'obsidienne dans le dos du pillard. Le Patriarche était méconnaissable, comme devenu fou. Il agitait son arme, cherchant du regard sa prochaine victime. Les duels se multipliaient alors que le reste des Budas était parvenu à entrer dans le village. Les flammes s'élevaient d'un peu partout, ravageant certaines huttes, se propageant facilement. Des Biephis blessés se traînaient en gémissant par terre. D'autres ne se relevaient plus. Des cris de femme retentirent.

Zia crut voir un instant Kadmeron au loin. Était-ce lui ?! Elle ne s'en rendait pas compte. Lentement, elle se rapprocha du centre du village, le dos au mur d'une cabane. Une flèche vint soudain se ficher dans le bois, à quelques centimètres de son visage. Surprise, elle manqua de crier d'effroi. Mais elle se retint et reprit sa progression, alors que Cani avait déjà bondi au milieu des assaillants, mordant comme enragé les uns et les autres.

Zia s'arrêta un instant pour mieux observer ce qui se passait : la situation de la bataille était incertaine, désormais. Vlad était aux prises avec deux guerriers. Il était blessé et son sang coulait abondamment de son abdomen. Mais le Patriarche continuait à tourner sur lui-même, cherchant à frapper de toutes ses forces.

Il s'épuise comme ça ! Il faudrait que quelqu'un lui vienne en aide !

Soudain, un autre guerrier, après avoir planté son couteau de silex dans la poitrine d'un pauvre chasseur Biephi, se rapprocha du chef. Avec un cri sauvage, il se jeta sur lui, le martelant de coups de poings. Comme fou, il l'enlaça, le mordant avec acharnement en plusieurs endroits. Hurlant de douleur, Vlad résistait avec difficulté. Il s'écroula, tombant sur un genou. Sentant la fin s'approcher, les deux autres frappèrent le chef à la tête, à l'épaule, à la hanche avec des bois qu'ils avaient ramassés par terre. Les blessures s'ouvrirent, béantes, et le sang du Patriarche coula à flots sur la terre du Rocher Fendu.

✦

Plusieurs dizaines de corps ensanglantés jonchaient le sol de la clairière lorsque l'attaque s'arrêta enfin. Des pleurs, des cris, des râles d'agonie se faisaient entendre, alors que Zia allait et venait, tentant de secourir les blessés et d'évaluer les pertes humaines. Elle avait rencontré Kadmeron au détour d'une hutte, et il lui avait dit qu'il n'avait pas été blessé. Rassurée, elle continua d'aider les villageois survivants et valides à éteindre les incendies. Des cris retentissaient, intolérables. Soudain, elle s'immobilisa.

Zlata était là, au milieu du village, comme si le temps s'était arrêté. Comme si plus rien n'avait d'importance. Accroupie, elle tenait le corps lourd de son époux, mutilé, meurtri, couvert de blessures et de poussière. Elle ne pleurait pas.

Zia s'approcha d'elle. C'est là qu'elle entendit la Matriarche fredonner. Le son était à peine audible, mais la jeune guérisseuse reconnut parfaitement l'une des mélodies que les femmes Biephis chantaient pour endormir leur bébé.

Elle sait qu'il est mort. Qu'il ne reviendra plus. Elle veut aider son esprit à se calmer... pensa-t-elle en versant une larme.

— Ahhh !! hurla un Buda blessé un peu plus loin. Son ventre avait été ouvert d'un coup de hache, et ses intestins en sortaient, s'étalant sur l'herbe rouge. Il éructa des mots dans une langue inconnue.

Zia se retourna et s'approcha instinctivement pour lui porter secours.

— Tue-le ! cria Zlata derrière elle.

— Mais...

— Fais-le ! Maintenant ! Nous ne ferons pas de prisonniers.

La Matriarche se leva et hurla, déchirant le silence :

— Tuez-les tous, ces loups enragés !

Zia continua à marcher parmi les cendres et la terre rougie, tiraillée entre son impulsion de soigner et l'ordre qu'on venait de lui donner. Elle se baissa, saisissant un lourd gourdin. Puis elle s'approcha du moribond qui arrivait à peine à la regarder, les yeux révulsés par la souffrance extrême. Elle leva sa masse et hésita. Elle finit par l'abattre d'un seul coup. Le crâne se pulvérisa sous le choc, faisant gicler la cervelle. *J'ai tué des animaux qui souffraient par pitié, comme pour toi...* pensa-t-elle. Pourtant, elle fut secouée par un puissant haut-le-cœur et se mit à vider ses intestins. C'était la première fois qu'elle tuait une personne. Un être humain. Engourdie, elle balaya son regard tout autour, incapable de bouger. Des cadavres attendaient leur sépulture. *Des esprits tourmentés auront du mal à trouver leur route vers le territoire des morts, pendant les prochains quarante jours*, songea-t-elle.

Pas le temps de réfléchir davantage. La tâche qui attendait les survivants était immense. Il fallait reconstruire ce qui pourrait l'être, jeter les cadavres des ennemis dans une fosse, et honorer celles et ceux qui avaient perdu leur vie pour défendre la ginte du Rocher Fendu. Au premier rang desquels le premier d'entre eux. Le Patriarche.

◆

Deux jours s'étaient écoulés, dans la douleur et le deuil. Les funérailles s'étaient déroulées dans des conditions difficiles pour tous les villageois du Rocher Fendu.

— Nous pourrions rendre hommage aux ancêtres pour nous avoir protégés et surtout aidés contre cette attaque, proposa Zia à Zlata. La jeune femme prit un air compatissant. J'imagine que tu dois être très secouée par la perte de ton mari, compatit-elle sincèrement. Si tu veux, je peux célébrer l'hommage toute seule. Cela protégera la ginte à l'avenir.

Zlata ne bougeait pratiquement plus, sonnée. Elle restait assise, prostrée. Au bout d'un long moment, elle réussit à articuler :

— C'est une bonne idée, nous pourrons faire aussi quelques offrandes comme il est de coutume chez nous, répondit la Matriarche, hagarde. Cela me permettra de penser à autre chose, ajouta-t-elle, après un long silence, respecté par Zia qui ne voulait pas la bousculer.

— Qu'est-ce que vous offrez aux ancêtres ? s'intéressa Zia.

— Oh, des branches de sapin, des glands de chêne. Nous allumons aussi une bougie de résine de pin qu'on laisse brûler pendant trois jours.

— Ah bon ?! Et pourquoi pendant trois jours ?

— Pour éclairer la route de celles et ceux qui sont partis et pour les aider à retrouver leur chemin dans l'autre monde, répondit Zlata, presque sans y réfléchir, en lâchant un long soupir.

Zia s'accroupit devant la veuve et lui saisit les mains.

— Puis-je encore te poser quelques questions concernant le rituel mortuaire que Diegis a fait pour Vlad ? osa-t-elle demander avec une petite voix en craignant de remuer des souvenirs douloureux.

— Oui, de toute manière je suis trop fatiguée pour l'instant pour aller à la maison-longue ou faire quoi que ce soit. Reposons-nous un peu ! proposa-t-elle en s'asseyant sur une chaise couverte de fourrures moelleuses avec un grand dossier incliné.

Zia se leva et la suivit en prenant place sur une chaise près de la table.

— Pourquoi Diegis a-t-il coupé les ongles de Vlad pendant le rituel ? commença Zia.

— Parce qu'ainsi, les mauvais esprits ne le détourneront pas de son chemin. En étant lavé et avec les ongles propres et coupés, ils le laisseront tranquille.

— C'est pour ça qu'il l'a rasé aussi ? demanda Zia.

— Non. Chez nous, on rase les hommes qui sont partis afin de pouvoir leur permettre de rester toujours jeunes dans l'autre monde, expliqua Zlata. N'est-ce pas pareil chez les Haganitas ? s'étonna Zlata.

— Non, je ne crois pas. En tout cas, c'est la première fois que je vois ça. Il m'a semblé également le voir couper une grande mèche de cheveux aussi, n'est-ce pas ?

— Oui, elle est là-bas, répondit Zlata en pointant du doigt une étagère. Tant qu'elle restera dans cette maison, la chance habitera ici avec moi, aussi.

— Ah ! s'illumina le visage de Zia. Et le sapin que les femmes ont décoré avec des fleurs et des tissus colorés ?

— C'est notre coutume aussi, dit-elle en souriant faiblement. Lors de chaque enterrement nous embellissons un sapin qui représente celui qui nous a quittés.

— Je te remercie pour toutes ces enseignements sur vos rites. J'ai beaucoup appris avec toi et j'essayerai de m'en souvenir. J'espère que Vlad trouvera la paix dans l'autre monde et que tu arriveras à surmonter la grande souffrance de sa perte.

Zlata leva la tête et la regarda droit dans les yeux avec une expression intense, que Zia fut incapable de déchiffrer. Après un long silence, la Matriarche finit par prononcer :

— Merci pour ta compassion Zia. Un sourire se dessina sur son visage et Zia crut même en déceler une certaine chaleur dans sa voix, à laquelle elle n'était pas habituée.

— J'aurais encore une question plus personnelle, décida-t-elle de lui demander la chose qui la brûlait depuis si longtemps.

Zlata la regarda avec curiosité en attendant qu'elle

poursuivît. En constatant que la jeune femme gardait le silence, mais que son regard guettait son accord, la Matriarche finit par le lui donner.

— Vas-y, demande-moi ce que tu souhaites ! Puisqu'on en est à la journée des questions, il me semble, ajouta-t-elle en se moquant gentiment.

Zia prit son courage à deux mains et articula lentement :

— Pourquoi as-tu tant tenu à ce mariage entre moi et Kadmeron ? lança-t-elle en ne la quittant pas des yeux et avec un ton aussi neutre qu'elle le pouvait.

Zlata bougea légèrement sur sa chaise et fit semblant de lisser les plis d'une fourrure afin de détourner le regard un instant. Elle finit par répondre :

— Il était évident que vous vous aimiez et que vous ferez un couple parfait, dit-elle sans regarder pourtant droit dans les yeux la jeune guérisseuse.

Zia revint à la charge, un peu plus pressante.

— Mais tu ne nous connaissais presque pas... Comment pouvais-tu savoir que nous ferions un couple parfait ? Même moi, je n'en étais pas consciente... Quant à Kadmeron...

La Matriarche expira longuement.

— Parfois les autres peuvent voir mieux en nous que nous-mêmes, l'interrompit Zlata avec fermeté avant de se lever d'un coup. Maintenant, nous devrions aller rendre l'hommage que tu as proposé, puis aller vérifier si la *coliba* que Zora préparait est prête. Nous devons la distribuer pour rendre hommage à nos morts.

— C'est quoi la *coliba* ? s'intéressa aussitôt Zia, toujours intéressée par les coutumes et les croyances des autres peuples.

— Eh bien, c'est une bouillie que nous préparons avec du blé et que nous partageons à ceux qui étaient présents à un enterrement afin de permettre le pardon des erreurs de celui qui est parti dans l'autre monde, précisa Zlata.

— Ah, c'est comme le *colac* que Grand-ma m'a appris à préparer.

— C'est quoi un *colac* ? lui retourna la question Zlata, tout aussi étonnée.

— C'est un gâteau tressé que nous préparons pour aider le défunt à rejoindre les esprits des ancêtres. Pour un rituel funéraire, nous cuisons trois grands *colaci*. L'un représente le défunt, le second symbolise son âme et le troisième est l'offrande aux Ancêtres. Ils sont partagés entre tous les convives qui participent au festin funéraire afin de pouvoir accompagner celui qui est parti sur son chemin pour rejoindre les Anciens.

— Oh, je comprends. C'est un peu le même rôle pour notre *coliba* même si le partage signifie aussi que chacun qui reçoit une portion pardonne ce que le défunt a pu lui causer comme tort de son vivant.

— En effet, cette différence n'existe pas chez nous. Mais comment se prépare la *coliba* ? demanda Zia curieuse.

— C'est assez facile. Je me rappelle bien comment faire, même si je ne me charge plus tellement de sa préparation. Le blé est débarrassé des écorces, et les graines réduites en poudre que nous faisons bouillir dans de l'eau, commença Zlata, disposée à partager son savoir avec Zia, étonnée par tant de bienveillance de sa part. On y ajoute du miel pour un meilleur goût et des noix ou des noisettes. Enfin, allons-y à présent ! Tu vas voir ce que cela donne chez Zora et nous irons la distribuer aux villageois. C'est aussi une sorte d'hommage que nous pouvons rendre à ceux qui sont partis pour nous défendre contre les guerriers, conclut-elle en se levant avant de se diriger vers la porte.

10.
Zlata

La Matriarche avait versé toutes les larmes dont elle était capable. Quelques jours après l'attaque infâme des Budas, elle n'était plus affectée par rien. Presque insensible à la souffrance, à la solitude. Il faut dire que les tâches n'avaient pas manqué : creuser les tombes, rassembler les corps, célébrer les rites. Mais aussi soigner les blessés, consoler ceux ou celles qui avaient perdu quelqu'un de cher, commencer la réparation des huttes. Du moins, celles qui le pouvaient. En effet, trois d'entre elles avaient totalement brûlé et les familles restées sans toit avaient été réparties dans les cabanes épargnées par l'attaque.

Zlata marchait presque sans y penser, revenant du ruisseau où elle était allée se laver. Il était très tôt, et le village du Rocher Fendu n'était pas encore réveillé. Le moment privilégié où elle pouvait se retrouver avec elle-même, évaluer sa situation. Car même si son couple avait été brisé violemment ce jour-là, la vie continuait, et avec elle les responsabilités écrasantes qui lui incombaient. Beaucoup d'hommes étaient morts. Certaines femmes aussi. Des blessés allaient survivre, d'autres pas. Tous les enfants avaient survécu, mais des orphelins auraient besoin de la tendresse et de l'expérience de celles et ceux qui étaient encore là. Quelques réserves de nourriture était parties en fumée, mais la chambre froide avait été épargnée. L'organisation de la défense du village, principalement l'œuvre de Kadmeron, avait très certainement permis de considérablement réduire les pertes humaines ainsi que celles des stocks d'aliments. La palissade improvisée avait repoussé efficacement le premier assaut, le placement stratégique des archers

128

dans des points d'observation hors de portée, l'organisation en petits groupes, tout cela était la marque d'un talent pour la chasse. Mais, aussi, pour la guerre. Zlata lui en était profondément reconnaissante mais ne devait pas montrer ostensiblement sa gratitude pour ne pas se heurter à Zia, ni craindre des prétentions de la part de Kadmeron.

Cette Haganita ! pensa-t-elle un peu irritée. *Pourquoi ne fait-elle pas ce que je lui dis ? Pourquoi est-elle si têtue ? Ne comprend-elle pas comment les choses doivent marcher ?!*

La hutte des chefs n'était plus très loin. Elle leva la tête et s'arrêta un instant pour réfléchir à son propre sort. À son état de veuve. Elle pensa un moment à Vlad, son époux. Son amour pour lui était-il mort désormais ? L'avait-elle vraiment aimé ? Il était si prévisible, si rustre, si facile à diriger qu'il en était parfois désolant. Mais elle n'oubliait pas les coups, les réprimandes, les violences que parfois elle avait subies de sa part, dans l'intimité dangereuse de leur cabane. Oui, il fallait bien l'admettre : elle se sentait délivrée de lui. De son influence, de ses sautes d'humeur, de sa jalousie maladive.

Pour ce qui était de l'attaque des Budas, les partenaires commerciaux des grandes plaines devenus des ennemis opportunistes et sans pitié, le Patriarche avait agi comme un enfant qui jouait à la chasse. Elle savait pertinemment que sa témérité, son inconscience et son égo l'avaient amené à périr violemment. Il n'aurait pas dû combattre de la sorte. Il aurait dû tirer des flèches à couvert. *Mais est-ce que c'est ce que je voulais vraiment ?! Qu'il survive ?* Elle contempla son propre questionnement avec un mélange d'effroi et de satisfaction.

De toute manière, cela ne change plus rien à ce qui est maintenant et pour toujours. Je dois me servir de sa mort à mon avantage. Je le dois, pour moi-même et pour ma mission à la tête du Rocher Fendu ! se dit-elle, rassurée et en paix avec sa résolution.

Les choses pouvaient se présenter sous un autre jour, désormais. Elle se projeta dans l'avenir, comme elle aimait le faire, tout en se rappelant ce qui s'était passé pendant l'attaque. Alarmée par les cris et les hurlements, elle était sortie sur le pas de la porte de la cabane à soins. Et, de là, elle l'avait vu se battre. Elle avait aperçu le Buda se jeter sur Vlad par derrière. Elle l'avait regardé sursauter, mettre un genou au sol, rugir comme une bête sauvage à l'agonie. Et puis, elle avait contemplé sa chute, sa mort glorieuse, mais qui aurait pu être évitée. Vlad avait expiré son dernier souffle sur la terre de leurs ancêtres. Elle n'avait pas pleuré à ce moment-là. Elle avait probablement réalisé que quelque chose se brisait en elle-même, mais dans le même temps, quelque chose d'autre se libérait.

Zlata se ressaisit, s'interdisant de laisser ses pensées dériver. Il fallait construire un narratif sur ce combat. En créer un instrument d'influence pour augmenter l'aura de son village. Elle était fière, en quelque sorte, qu'il eût fallu trois guerriers pour mettre à terre son homme : son prestige à elle allait s'accroître certainement. D'autres gintes entendraient son sacrifice, la portée de leur exploit. Des histoires seraient contées durant les veillées dans toute la région sur le courage du village du Rocher Fendu et la victoire écrasante sur les Budas. Elles deviendraient, peut-être, des légendes.

Je suis seule, désormais... C'est curieux, je savais que ce jour arriverait. Et je ne me sens pas si triste. Ni abattue. Est-ce normal ?!

La coutume du Rocher Fendu exigeait qu'un couple dirigeât le village. Qu'un homme et une femme soient constamment là à prendre les décisions importantes pour guider le reste des villageois. Certes, il y avait encore le Conseil des Sages qui s'était réuni et avait déjà pris des mesures. On lui avait fait bien comprendre qu'il fallait qu'elle se trouvât rapidement un autre homme pour pouvoir continuer à diriger la destinée du Rocher Fendu. Sinon, un autre couple pourrait être choisi et devenir Patriarche et, surtout, Matriarche à sa place. Elle serra les poings de rage.

Pourquoi aurais-je besoin d'un homme à mes côtés ? Ne suis-je pas assez compétente pour diriger ? N'ai-je pas suffisamment démontré que je peux mener les gens, développer le commerce et l'influence de notre ginte ?! Que faisait Vlad à part montrer ses muscles et crier plus fort que tout le monde ?

Pourtant, elle savait qu'elle n'était pas en position d'imposer sa volonté, de faire comprendre aux villageois tout cela. Et en plus, elle se devait de prendre en compte la nouvelle réalité : la guerre allait s'étendre. Si Isto, le chef des Budas, n'avait pas été identifié parmi les morts et les blessés qui avaient été achevés sans pitié sur le champ de bataille – sur son ordre à elle – rien ne laissait penser que les attaques cesseraient. Au contraire, de sombres idées vinrent envahirent son esprit alors qu'elle gravissait les marches qui l'amenaient sur le porche de la hutte de la chefferie. Néanmoins, une lueur d'espoir pour son veuvage forcé scintilla parmi ses eaux troubles.

Kadmeron ferait un excellent époux pour moi. Peut-être que ce voyage sera l'occasion qu'il devienne veuf, lui aussi ? Après tout, ces hommes, ces bêtes, ces loups... Ils déferlent sur nous et nous attaquent sans prévenir ! Ces hommes sont trop dangereux. Ils reviendront, plus nombreux, plus préparés. Le serons-nous ? Pourrons-nous survivre à un autre assaut ?

Elle se retourna, contemplant les ruines des huttes brûlées et les villageois qui commençaient à sortir de leur cabane, allant vaquer à leurs occupations malgré la peine et les souffrances. Puis elle entra et s'assit devant la table. Zlata se coiffa lentement, à l'aide de son peigne d'os de renne. Elle sourit, avec tristesse. C'était un cadeau que Vlad lui avait fait, il y a tant d'années désormais. Un héritage transmis de mère en fille dans sa famille à lui.

Quel sera mon héritage ? se demanda-t-elle. *Un vulgaire peigne en os, d'un animal que l'on ne trouve plus dans nos contrées et qui a migré vers le nord ?!*

C'est alors qu'un sourire énigmatique se dessina sur son visage. Elle pivota sur elle-même, cherchant dans un recoin de la pièce, bien caché, l'objet qui allait lui assurer un héritage bien plus prestigieux. Et plus beau. Ce n'était pas elle qui allait tout mettre en œuvre. *Ce sera à une autre femme d'assurer mon héritage...* pensa-t-elle avec une joie indicible.

✦

Zlata se recula, baissant les bras. Ses yeux brillaient d'admiration sincère, de même que ceux de tous les gens rassemblés autour des deux femmes, baignées par le soleil du matin.

— Elle te va merveilleusement bien ! déclara la Matriarche. Je veux que tu la portes, désormais. Tu en es digne !

— Mais... tenta de protester Zia.

Zlata mit son doigt sur la bouche, lui faisant signe de se taire. Elle se retourna victorieusement vers les villageois et déclara solennellement :

— Femmes et hommes du Rocher Fendu, je déclare que

Zia sera notre nouvelle grande prêtresse ! Cette coiffe sacrée, que je viens de lui poser sur la tête, en témoignera !

La Matriarche prit la main inerte de Zia et leva en même temps leurs deux bras. Aussitôt les acclamations fusèrent de tous côtés. Zia faisait la moue, pas très enchantée d'être mise devant un fait accompli de plus. Zlata réussit pourtant à lui murmurer avec fermeté tout en souriant, parmi les cris de joie :

— Ils ont besoin de bonnes nouvelles maintenant, alors arrête un peu tes grimaces, veux-tu ?! Accepte mon présent et ne fais pas de commentaires !

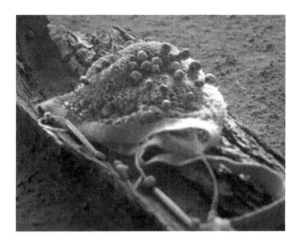

La jeune Haganita força un sourire et décida de lever son autre bras, conquise par le regard envieux et stupéfait de son mari qui assistait à la scène de ce couronnement mésolithique. Quelque chose de totalement incroyable était en train de se passer. Un événement qui semblait transformer les souffrances et le deuil en quelque chose de joyeux, d'unique, d'inespéré.

Tout le village était là, et Kadmeron n'en croyait pas ses yeux. C'était tout simplement magnifique. La coiffe ceinte par la nouvelle prêtresse brillait de mille feux dans les rayons du soleil. Formée de dizaines de cailloux d'or entremêlés à des coquillages, cousus sur une capuche en tissu immaculé, elle disposait de lacets pour la nouer autour du cou. La parure couvrait parfaitement la tête de son épouse dont le beau visage rayonnait littéralement de joie. Zia semblait désormais s'abandonner dans ce nouveau rôle que les circonstances, et sans doute sa manière d'officier durant les rituels funéraires pendant l'ensevelissement de Jovan et des autres morts pendant l'attaque des Budas, lui avaient valu.

Très bien, pensa Zlata en la contemplant, *maintenant tu es prête à transmettre l'héritage du Rocher Fendu, le mien !*

Alors que la nouvelle prêtresse pivotait sur elle-même sous la direction gracieuse de la Matriarche, les fines surfaces polies de métal doré et de nacre colorée faisaient miroiter de mille feux les rayons de l'astre du jour qui les surplombait. Certaines personnes de l'assistance étaient tout simplement éblouies, admirant la jeune femme comme un véritable miracle après des jours sombres.

Soudain, spontanément, plusieurs hommes et femmes se mirent à genoux. Ils se prosternaient devant Zia.

— Aide-nous !

— Parle aux esprits, Ô Zia !

La Haganita sortit de ses pensées et voulut ôter sa coiffe pour faire cesser ces prières qui la dérangeaient, mais Zlata l'en empêcha d'une main ferme. Une nouvelle fois, la Matriarche lui intima à voix basse :

— Laisse-les faire ! Ils en ont besoin. Tu es bien plus qu'une simple femme, Zia. Tu es un symbole, et tu dois agir conformément à ton destin et à ce que Menodora et moi-même voyons en toi. Accepte-le enfin ! Cette coiffe sacrée le prouvera partout où tu iras.

— Comment-ça, partout ? murmura la jeune femme, toujours gênée par ses adorateurs dont certains s'étaient mis à toucher ses pieds.

— Oui, partout. Je t'autorise désormais à aller où tu voudras.

Zia la regarda, médusée.

— Vraiment ?! demanda-t-elle en essayant de détecter le piège que la Matriarche lui tendait.

— Oui, maintenant que Vlad n'est plus là, nous devons créer une autre forme d'alliance, toi et moi.

Kadmeron s'approcha des deux femmes, contournant les personnes agenouillées. Les yeux écarquillés, il ne cessait de dévisager sa femme. La foule commença à se séparer.

— Tu... tu es différente, Zia, réussit-il à articuler.

— N'est-ce pas ? renchérit Zlata. Tu ne trouves pas que ce nouveau rôle lui convient parfaitement ?

— Oh que oui ! s'exclama-t-il avec enthousiasme.

— Relevez-vous, s'il vous plaît ! lança Zia en se penchant vers les trois personnes qui étaient encore en position d'adoration à ses pieds. Arrêtez maintenant !

Étonnées mais attirées par elle comme des papillons par la lumière d'une lampe à graisse, elles finirent pourtant par s'éloigner.

Zlata s'approcha de Zia, défit avec lenteur le nœud de la riche coiffe cérémonielle et la remit avec précaution au jeune chasseur :

— Kadmeron, je te charge de la protection de cette coiffe sacrée. Ce cadeau du Rocher Fendu scellera notre nouvelle alliance et votre loyauté, à vous deux envers moi.

Le Marteron reçut l'objet avec un immense respect. Il profita de l'occasion pour contempler de plus près le travail d'orfèvrerie et de tissage qu'il avait fallu déployer durant de nombreuses semaines pour obtenir un tel résultat. Une merveille d'artisanat et d'efforts de plusieurs personnes. Zia ne put s'empêcher une grimace de doute, mais elle constatait aussi l'effet étrange et puissant que cet objet symbolique avait sur son époux et également sur les villageois qui venaient tout juste de quitter la place centrale.

Zlata reprit l'initiative. Le moment était crucial :

— Zia, je sais que tu n'apprécies pas l'influence que Vlad – paix à son esprit – et moi-même souhaitions exercer sur toi et Kadmeron.

La jeune Haganita eut un mouvement de recul. Le chasseur plaça la coiffe dans sa besace et se mit à écouter avec grand intérêt.

— Non, ce n'est pas...

— Arrête, Zia ! Tu n'es pas la seule à comprendre les paroles qui ne sont pas prononcées, tu sais, rétorqua la Matriarche.

Zia baissa les yeux, vaincue. Zlata poussa son avantage en posant la main sur le bras de Kadmeron.

— Et donc, comme je l'ai dit maintenant à ta femme, vous êtes désormais libres d'aller et venir où bon vous semble, Zia et toi. Simplement, j'aimerais que vous vous sentiez encore loyaux envers le Rocher Fendu. Les habitants et moi-même apprécions énormément votre aide. Que ce soit pour l'attaque des Budas, bien entendu, mais aussi... pour l'avenir.

— Je ne peux pas accepter un tel cadeau. C'est trop ! gémit Zia en pointant sa tête où les cheveux portaient encore la marque de la coiffe scintillante.

— Si ! Bien sûr ! Pourquoi pas ? lança Kadmeron.

— Mais... murmura Zia d'une voix faible.

— Accepte-le ! insista Zlata en saisissant les mains de la jeune femme. Elle souriait avec chaleur, avec sincérité peut-être. Plus personne ne pourra contester ton rang, désormais. N'est-ce pas ce que ta mère voulait pour toi ?

— Oui, Zlata a raison ! asséna Kadmeron. Accepte cette coiffe ! Elle nous aidera grandement pour rendre service à ce village, et à nous-mêmes par la même occasion. Je le sens. Je le sais.

Zlata affichait un large sourire.

C'est maintenant... pensa-t-elle, *c'est maintenant que mes efforts doivent aboutir !* songea-t-elle à nouveau si fort que le résultat ne se fit pas attendre :

— Eh bien, c'est d'accord ! concéda Zia, en souriant timidement.

Kadmeron l'enlaça, la couvrant de baisers amoureux.

Zlata contempla la scène, d'un air victorieux.

✦

Dans l'après-midi, Zia et Kadmeron se rendirent dans la hutte de Zlata. Zia commença sans autre introduction :

— Comme tu le sais déjà, je souhaite poursuivre mon voyage initiatique. Bien qu'en arrivant au Rocher Fendu je ne savais pas encore si je voulais devenir Prêtresse, comme le souhaitait ma mère, l'attaque des Budas m'a aidée à prendre ma décision, annonça Zia avec confiance.

— Et quelle est ta décision ? J'espère que tu suivras le sage conseil de Menodora, dit Zlata en la regardant droit dans les yeux.

— Je veux d'abord en apprendre davantage sur les croyances des peuples qui nous entourent. Sur ce qui les divise et qui peut les amener à se comporter comme des bêtes enragées comme les guerriers qui nous ont attaqués.

Zlata se recula, un sourire narquois sur le visage.

— Ce ne sont pas les croyances qui les ont poussés à piller, Zia. Ne sois pas une enfant ! la réprimanda la Matriarche. C'est le fait d'obtenir les biens des autres sans aucun effort, ricana-t-elle. C'est pourtant évident ! ajouta-t-elle en levant les yeux au ciel.

Zia ne sembla pas relever la moquerie.

— Je ne pense pas. Pour atteindre ce but, la ruse est suffisante. Ce que j'ai vu chez ces guerriers ce n'est pas l'avidité, mais la soif de sang qui déformait leurs visages, leurs cris, leurs gestes. C'est comme s'ils ne croyaient plus que la Terre-Mère pouvaient les voir et les punir pour leurs actes, affirma-t-elle. Comme s'ils avaient perdu leur foi... conclut-elle pensive.

— C'est quoi, la foi ? ricana Zlata.

— C'est lorsqu'on croit par-dessus tout à notre Terre-Mère et la Nature qui nous ont donné naissance et qui nous protègent tant que nous les respectons. Lorsque nous ne le faisons plus, des catastrophes arrivent comme tu le sais certainement. Cette attaque sur ton village en est une car ce ne sont pas seulement les orages déclenchés par le ciel ou les tremblements du sol que nous foulons.

— Mmm ! marmonna Zlata avec scepticisme. J'imagine que tu n'es pas là pour me faire part de ta foi, non ? lança-t-elle. Tu parlais de ton voyage initiatique. Tu veux donc partir, c'est ça ? demanda-t-elle d'une voix froide.

— En effet. Nous en avons parlé longuement avec Kadmeron et nous avons une proposition qui pourrait t'intéresser.

— Je t'écoute, intervint Zlata.

Zia s'assit plus confortablement, en s'approchant du foyer qui la réchauffait.

— Après les pertes subies, il est peut-être judicieux de lier des alliances avec d'autres gintes. Pour se défendre contre ce genre de pilleurs, pour se prévenir et s'aider réciproquement. Inutile de te dire qu'à plusieurs, on est toujours plus forts.

— Je ne vois pas la liaison avec ton voyage initiatique et encore moins avec les croyances des gens dont tu me parlais plus tôt... l'interrompit Zlata, agacée.

— Je planifiais depuis longtemps de me rendre près de la Grande Rivière Mère, pour rencontrer le Peuple du Poisson, les Lepenvis. Avec Kadmeron, nous souhaitons partir avant que les grandes neiges arrivent.

La Matriarche haussa les sourcils d'un air dédaigneux.

— C'est ça la proposition censée m'intéresser ? la nargua Zlata.

— Je n'ai pas fini. Nous pourrions établir des alliances, tout au long de notre chemin, avec tous les villages et les gintes que nous rencontrerons. Nous allons les avertir du danger de ces attaques et sceller des accords pour la ginte du Rocher Fendu. Ainsi, en cas d'attaque vous serez prévenus et même aidés par les autres, tout comme nous allons les mettre en garde. Qu'en penses-tu ?

Zlata la scruta attentivement et son visage se détendit.

— C'est une idée intéressante, admit-elle en prenant le temps de réfléchir comment réagir à cette proposition. Bien sûr, elle savait déjà que Zia voulait partir et avait même entendu où elle comptait aller, mais elle n'avait pas encore totalement confiance dans la loyauté du couple. Même le cadeau somptueux qu'elle lui avait donné pour la rendre redevable et gagner sa reconnaissance ne lui garantissait pas son allégeance.

— Alors, es-tu d'accord ? insista Zia.

Zlata se leva et fit le tour de la hutte, à pas lents, en se donnant le temps de penser comment elle pouvait faire pour utiliser cette opportunité dans son intérêt tout en leur faisant croire qu'ils auraient la liberté de partir. Elle finit par répondre :

— Oui, je suis d'accord, mais Diegis et Zora devront vous accompagner au moins jusqu'à la Grande Rivière Mère. Ils vont pouvoir faire du commerce par la même occasion et renouer les liaisons que nous avons déjà avec plusieurs gintes.

✦

Les préparations pour ce long voyage occupèrent le village du Rocher Fendu pendant les jours qui suivirent, et notamment Zia et Kadmeron. Le départ des deux couples était prévu pour le lendemain matin et Zlata avait déjà organisé une grande fête, qui servait aussi bien pour rendre hommage aux braves qui étaient partis dans l'autre monde en défendant leur village que pour annoncer officiellement le but de ce voyage. Elle en profita également pour organiser une cérémonie de renouvellement de l'allégeance de Zia et Kadmeron, devant tous les habitants. Pour compenser la surprise du couple et la réticence qu'elle put déceler sur leurs visages dès qu'elle en avait fait l'annonce, Zlata avait préparé des cadeaux et avait même demandé aux villageois d'en apporter de leur part.

C'est ainsi que Kadmeron reçut de Ion la fameuse hache en obsidienne qu'il avait tant admirée. La Matriarche constata que son plan avait marché à merveille car le Marteron était plus qu'ému et avait complètement oublié sa méfiance, en étant trop heureux de recevoir un tel présent précieux. Quant à Zia, elle reçut des habits pour le long trajet et un grand sac de voyage décoré par les marques de la ginte. Reconnaissante, elle apprécia le travail que les femmes Biephis avaient réalisé et les remercia sincèrement. Pourtant, Zlata n'était pas dupe : elle avait remarqué le fait que la jeune femme restait sur ses gardes et était beaucoup plus retenue que son époux dans l'expression de sa reconnaissance.

Elle se méfie, songea la Matriarche. *Il faudra que je pense à d'autres moyens pour m'assurer sa coopération !*

Les villageois festoyèrent ensemble en réussissant à oublier pour la première fois depuis l'attaque meurtrière leur tristesse et leurs craintes pour l'avenir. Zlata conclut par un discours leur expliquant le but de ce voyage et le fait que sceller des alliances leur permettrait d'être plus forts et de mieux se préparer à affronter de telles attaques. Même si les Biephis ne furent pas entièrement rassurés par cette perspective, ils n'eurent pas vraiment leur mot à dire et se laissèrent conquis par la joie de cette fête, leur permettant d'oublier les dures épreuves traversées récemment.

11.
Zia

Un voyage assez long attendait les deux couples. Ils devaient traverser plusieurs montagnes, des vallées, des collines, des rivières et des plaines. Ils avaient estimé qu'il leur fallait au moins une dizaine de jours s'ils ne s'arrêtaient que pour la nuit. Néanmoins, comme Zia et Kadmeron avaient proposé à Zlata de nouer des alliances tout au long du trajet, ils devaient prendre le temps de s'arrêter dans tous les villages qu'ils allaient rencontrer en chemin. Ainsi, les chances d'atteindre les "Portes de l'enfer" où la Grande Rivière Mère avait brisé la montagne avant l'arrivée de la neige et du froid étaient assez réduites. Pourtant, Diegis les assura que dernièrement les saisons des neiges arrivaient de plus en plus tard et étaient plus clémentes. Les pluies, en revanche, étaient fréquentes et depuis trois jours il pleuvait sans arrêt.

Zia et Kadmeron décidèrent de ne plus tarder. Kadmeron ne voulut sous aucun prétexte laisser Potac au Rocher Fendu, alors Zlata concéda de donner à Diegis un cheval de la ginte, même si ces animaux étaient très précieux. Tache blanche et Cani étaient du voyage eux aussi, et un autre hydrontin des Biephis les accompagnaient pour pouvoir porter les marchandises qui allaient s'échanger, mais aussi les cadeaux qui devaient être apportés et remis pour sceller les alliances avec les autres villages.

✦

La première journée se passa sans incidents malgré la pluie qui tomba presque sans cesse. Ils furent obligés de faire une grande partie de chemin à pied car les sentiers, souvent escarpés et étroits, étaient devenus particulièrement glissants. Longeant des vallées encaissées surplombées de versants densément boisés, le petit groupe avançait les uns derrière les autres sans pouvoir vraiment se parler. Chacun était donc préoccupé par ses pensées et surtout par l'attention dont il fallait faire preuve pour éviter une chute et une blessure éventuelle.

Diegis, suivi du cheval que Zlata lui avait confié, ouvrait la marche car il connaissait bien le chemin jusqu'au village des Gorges de la Chèvre où ils avaient planifié de faire leur première halte pour la nuit. Zora suivait en tenant par le licol l'hydrontin chargé des marchandises et des cadeaux des Biephis. Ensuite, Zia tenant Tache blanche qui transportait les vivres nécessaires pour le voyage. Enfin Kadmeron et Potac fermaient la marche, assurant ainsi les arrières alors que Cani, plus agile et plus vif que tous, courait le long de la procession : loin devant le groupe par moments, puis de retour à l'arrière, en flairant les traces et en assumant bien son rôle de donneur d'alerte.

Après une progression fatigante sous des torrents d'eau froide la plupart du temps, ils arrivèrent à leur première destination avant la tombée de la nuit et eurent la chance de constater que la pluie s'était arrêtée depuis peu. Les villageois les accueillirent avec enthousiasme et bienveillance. Ils leur accordèrent l'hospitalité en leur ouvrant la porte de leur maison d'hôtes où les invités ou voyageurs de passage pouvaient passer la nuit. Après s'être séchés, changés des vêtements et réchauffés auprès du foyer, ils furent invités à manger avec les chefs du village.

Kadmeron et Diegis leur racontèrent ce qui était arrivé à la ginte du Rocher Fendu en les prévenant du danger de la guerre qui planait maintenant sur toute la région. Le Patriarche n'en fut pas si surpris car ils avaient déjà entendu que des petits villages voisins avaient subis des vols récemment. Néanmoins, apprendre que des femmes avaient été égorgées troubla non seulement la Matriarche, mais également son partenaire qui dissimula pourtant son inquiétude. Les temps changeaient, lentement mais sûrement, et ce n'était pas pour le mieux.

Ce fut alors que Zia commença à leur parler de l'alliance que les deux villages pourraient conclure afin de mieux se défendre face à de telles attaques dans l'avenir. Les deux chefs accueillirent l'idée avec une grande ouverture d'esprit. Zia pu même noter sur leur expression un certain soulagement concernant cette proposition car ils y adhérèrent immédiatement et sans réserve. Zora apporta les cadeaux symboliques que les Biephis, et notamment Zlata, leur envoyaient : une couverture tissée en laine de mouton avec leurs marques caractéristiques – des sapins, des cerfs et des tresses rouges tout autour. En échange, la Matriarche apporta une statuette sculptée dans une roche d'un blanc laiteux immaculé, lisse et brillante à la fois. Elle représentait une chèvre, l'animal fétiche de leur village. Zia en fut conquise tout de suite et elle leur parla avec émotion de sa Chevrette qui lui manquait tant.

Autour du feu, en présence des villageois des Gorges de la Chèvre, Diegis rendit hommage au serpent, suivi de Kadmeron qui fit honneur à l'esprit du Cheval. Ce dernier raconta quelques-unes de ses aventures.

— Et toi, Zia, que peux-tu nous dire de tes croyances ? demanda la Matriarche.

La jeune Haganita trembla malgré la chaleur du foyer qui brûlait pendant la longue veillée. Pourtant, elle savait que ce moment allait venir, inévitablement. Que plusieurs fois, même, durant leur périple, elle allait devoir s'expliquer, raconter elle aussi. Était-elle prête ? Vraiment ?

Ma mère m'a confié cette quête. Zlata m'a donné cette mission. Et Kadmeron pense que c'est aussi mon rôle, mon destin.

Son esprit s'envola vers la cérémonie qui s'était déroulée quelques jours auparavant entre les montagnes. Celle où elle avait accepté finalement son rôle de Grande prêtresse. Tout cela était allé vite, trop vite, à son goût. *Comme notre mariage,* songea-t-elle en jetant un coup d'œil à son mari.

Sans mot dire, Kadmeron fouilla dans sa besace et en sortit la coiffe cérémonielle. Immédiatement, elle illumina l'intérieur de la grande salle, réfléchissant la danse lumineuse des flammes. Les yeux s'enflammèrent à sa vue, et les exclamations d'étonnement et de surprise fusèrent de toute part.

Zia se leva et, avec une agilité et une maîtrise étonnantes, la ceignit avec grâce sur sa tête. Ce mouvement solennel sembla la transformer, la transcender. Le jeune chasseur assista de nouveau au prodige, alors que Diegis lançait un regard envieux et jaloux. Il n'avait toujours pas digéré cet affront public que Zlata lui avait fait :

n'était-il pas le mieux placé pour devenir, lui, le grand prêtre du serpent ? Il l'était avant que cette fille n'arrivât au Rocher Fendu. Zora sentit ce mouvement d'humeur et se rapprocha de lui, tentant de diminuer la rage qu'elle lisait dans ses yeux.

Entre temps, la nouvelle prêtresse s'était parée de sa coiffe scintillante qui imposa le silence comme par miracle. Seuls les crépitements des brindilles, succombant aux flammes voraces, se faisaient entendre dans la stupeur générale.

— Je suis la Grande prêtresse du Rocher Fendu, comme Diegis est le prêtre du serpent, dit-elle avec solennité en essayant de ne pas froisser davantage l'homme. L'intéressé serra la mâchoire et ne put s'empêcher de frémir d'aise et de jalousie. Elle poursuivit : Comme Diegis vous l'a expliqué, le Rocher Fendu croit au serpent, qui connaît les profondeurs et les secrets de la Mère-Terre. Le serpent détient les secrets de l'or.

— Vraiment ? demanda quelqu'un.

Zia continuait de regarder devant elle, comme dominant l'assemblée, les yeux tournés vers l'avenir, son œil intérieur sondant ses propres profondeurs.

— Oui, je le crois. Le serpent sait écouter le cœur de la Terre. Il se faufile dans les crevasses, les trous, les grottes, et rapporte cela à qui sait l'écouter. L'attendre. Le comprendre. L'honorer.

— Et toi, crois-tu au serpent, ô Zia la prêtresse ? interrogea une autre voix féminine.

Zia inclina légèrement la tête, cette fois-ci.

— Moi, j'ai foi dans la nature et dans les esprits. Je crois en ce que croient les autres gintes et les autres peuples que je rencontre sur mon chemin.

— Mais ne dois-tu pas croire dans la même chose que les gens du Rocher Fendu ?

— Au serpent, donc ? demanda une autre voix.

— À l'or ? fusèrent d'autres.

Zia sourit avec grâce. Kadmeron ne pouvait plus détacher ses yeux d'elle. Il n'arrivait plus à la reconnaître, comme si elle parlait dans un rêve. Comme cette nuit-là, où elle n'était pas réveillée mais lui parlait, pourtant. Néanmoins, elle semblait différente encore. La jeune Haganita répondit :

— Qui peut dire qui a tort ou qui a raison ? Est-ce que les

gens qui croient au poisson, au soleil, à l'or, au serpent, à l'esprit du cheval ont plus raison que les autres ? Je ne sais pas, je ne peux pas l'affirmer.

Un brouhaha envahit soudain l'audience. Les gens discutaient entre eux de façon animée.

— Mais, peux-tu être une prêtresse du Rocher Fendu dans ce cas ? rugit Diegis, se levant d'un bond. Zia le regarda calmement, alors que sa coiffe brillait en éblouissant presque celles et ceux qui la fixaient, fascinés.

— Et pourquoi ne le pourrais-je pas ? lui dit-elle en souriant. Parce que tu penses que tu en étais plus digne que moi, n'est-ce pas Diegis ?

Le visage de son interlocuteur rougit jusqu'aux oreilles. Il serra la mâchoire essayant en vain de contenir sa rage. Kadmeron était fâché et l'incompréhension s'affichait sur la plupart des visages des personnes présentes. Zora tremblait.

— Oui ! cria Diegis.

— Eh bien, c'est possible, continua Zia d'un ton conciliant. D'ailleurs, cette coiffe sera tienne lorsque je n'en serai plus digne. Le prêtre du serpent s'assit, choqué par cette déclaration inattendue. Zia reprit :

— En attendant, je tenterai de servir le Rocher Fendu et la Gorge des Ancêtres du mieux que je le pourrai. Je suis attachée à la terre de mes parents, de mes grands-parents qui me manquent terriblement. Je suis liée à la Montagne d'or où on a célébré mon mariage avec le chasseur du couchant qui a sauvé ma vie.

Plus personne ne parlait. Après un long moment, Zia se redressa enfin, s'adressant autant aux gens autour d'elle qui l'écoutaient avec une révérence stupéfaite :

— Je crois que guérir les autres est ce pourquoi la Mère-Terre m'a mise au monde. Je pense aussi que comprendre ce en quoi ont foi les gens, que ce soient le serpent, le cheval, l'épicéa, le soleil, la rivière ou le poisson, permet de mieux les comprendre, et donc de mieux les soigner. Voilà ce en quoi je crois !

Elle s'assit et enleva lentement sa coiffe, en la tendant cérémonieusement à Kadmeron.

Tous et toutes la regardaient avec un mélange de stupeur et de fascination. Ils n'avaient jamais vu ni entendu quelqu'un parler ainsi.

✦

Leur mission étant finie au village des Gorges de la Chèvre, les deux couples partirent le lendemain matin malgré l'insistance des habitants qui voulaient encore les retenir. Zia expliqua à tous qu'ils devaient arriver à la Grande Rivière Mère avant les neiges persistantes. Kadmeron ajouta qu'ils se devaient impérativement d'avertir aussi les autres gintes de la menace qui planait sur toute la région. Ce dernier argument finit par convaincre les indécis de l'importance de leur départ.

Ils partirent tôt, avant même que le soleil ne se fût levé car ils devaient atteindre la Rivière du Milieu avant la tombée de la nuit. Voire essayer de la traverser à l'aide des Biesis, où Zia se réjouissait par avance de retrouver Dida, son amie. Elle était aussi impatiente de voir l'évolution de la santé de Brynn, sa grand-mère qu'elle avait soignée avec dévouement malgré l'accablement terrible qu'elle ressentait à l'époque, à la suite de la mort de Lidova.

Cette fois-ci heureusement, Zia reconnut beaucoup d'endroits par où elle était passée et Kadmeron s'en souvint également. Le chemin fut ainsi plus facile à parcourir et ils purent souvent chevaucher leurs montures : Zia et Kadmeron sur Potac, Zora et Diegis sur leur cheval. Ils ne firent qu'une seule halte pour manger, sans même perdre du temps à allumer un feu. Ils avaient dans leurs réserves de la viande fumée, des fromages, des fruits et même des galettes de blé que les femmes du Rocher Fendu leur avaient préparées. Tout le village avait réalisé l'importance de cette mission pour leur survie qui ne dépendait plus maintenant seulement de la chasse, de la cueillette, de l'élevage des animaux ou des quelques plantes qu'ils arrivaient à cultiver.

Pendant le court repas, Zia essaya de parler avec Diegis qui était toujours tendu après leur altercation de la soirée précédente. Elle pensait qu'en lui accordant plus d'importance et qu'en s'entretenant avec lui, cela diminuerait sa rage. Elle savait bien qu'une atmosphère tendue entre eux pouvait transformer leur voyage en une épreuve particulièrement désagréable pour tout le monde et elle ne voulait pas en être responsable.

— Vous connaissez Diegis, le prêtre des Biesis ? demanda Zia en s'adressant à Diegis et à Zora.

— Il s'appelle Diegis et il est prêtre ? Lui aussi ?! s'étonna Zora avec un sourire crispé.

— Oui, je le connais, grommela Diegis. Tout comme Dapyx, le Patriarche des Biesis.

— Ah ?! réagit Zora. Je ne pense pas avoir rencontré ce Diegis-là, dit-elle en fouillant dans sa mémoire.

— Je l'ai rencontré lors de la réunion des prêtres, donc pas étonnant que tu ne le connaisses pas, répliqua Diegis d'un ton arrogant.

— Tu étais sans doute prêtre avant qu'il n'en devienne un, n'est-ce pas ? tenta Zia de rediriger la discussion dans le sens qu'elle souhaitait en sentant qu'une dispute pouvait éclater entre Diegis et Zora, comme cela était déjà arrivé à plusieurs reprises pendant la journée. Diegis était toujours irrité et profitait de chaque occasion pour déverser ses nerfs sur sa femme. Qui subissait en silence. Zia ne comprenait d'ailleurs pas pourquoi elle se laissait faire ainsi...

— Oui, bien sûr, répondit Diegis avec un sourire supérieur. Il n'était qu'un enfant lorsque je suis devenu prêtre, ajouta-t-il avec fierté en se détendant un peu.

— Je pense que nous n'aurons aucune difficulté à sceller une alliance entre les Biesis et la ginte du Rocher Fendu, tu ne crois pas ? s'adressa Zia en regardant Diegis pour lui faire croire qu'il était bien partie prenante de cette démarche.

Kadmeron jeta un coup d'œil à Zora qui le fixait d'un air renfrogné. Il avait bien compris l'intention de Zia, mais réalisa que ce n'était pas du tout le cas de Zora.

— Ils vont certainement nous aider à traverser la Rivière du Milieu avec leurs barques, intervint Kadmeron.

— Allons-nous y passer la nuit alors ? demanda Zora.

— Oui, nous n'allons pas marcher pendant la nuit quand même ! la brusqua Diegis sans ménagements. Peut-être que nous y resterons même quelques jours car je m'entends bien avec Dapyx et sa fille, Dida, est bien roulée... si tu vois ce que je veux dire, lança-t-il en faisant un clin d'œil à Kadmeron. Celui-ci ne broncha pas, alors que Zora baissait son regard, penaude.

Après avoir mangé, ils reprirent leur périple. Kadmeron rappela qu'ils ne devaient pas s'attarder s'ils voulaient arriver avant la tombée de la nuit à la Rivière du Milieu. D'autant plus que les jours se raccourcissaient et que le soleil se couchait plus tôt. La pluie se remit à tomber et les deux couples poursuivirent leur route, en silence. Ils espéraient pouvoir rencontrer quelqu'un des Biesis pour leur envoyer un message et leur demander de venir les chercher avec leurs barques puisque leur village se trouvait de l'autre côté de la rivière. La continuation de leur trajet dépendait de cela, d'autant qu'avec les précipitations inhabituelles pour cette période de l'année, les cours d'eau avaient beaucoup enflé.

✦

Potac ouvrait la marche avec Zia et Kadmeron sur son dos, suivi de Tache Blanche qui gardait le rythme de leur progression, n'ayant plus besoin d'être tenue par le licol par Zia. Diegis et Zora chevauchaient l'autre cheval et leur hydrontin les devançait car il suivait Tache blanche sans difficulté. Cani quant à lui préférait depuis quelque temps rester à l'arrière et aboyait quelquefois.

— Tu as remarqué que Cani aboie à chaque fois que Diegis hausse le ton envers Zora ? demanda Zia à voix basse en s'approchant de l'oreille de Kadmeron, même si la distance qui les séparait de l'autre couple était suffisamment grande pour ne pas risquer de se faire entendre.

— Non, répondit-il en tournant la tête pour regarder le chien qui venait tout juste d'aboyer. Cela ne semble pas attirer l'attention de Diegis en tout cas, fit-il remarquer.

— Bien sûr que non, pourquoi se gênerait-il ?! lâcha Zia en levant les yeux au ciel.

— Je trouve qu'il hausse un peu trop souvent le ton, celui-là, d'ailleurs... continua Kadmeron. Pas toi ?

— Si, si. Il malmène beaucoup la pauvre Zora. Tu trouves normal qu'il l'apostrophe tout le temps, comme il lui donne des ordres sans arrêt ? s'indigna Zia.

Kadmeron fronça les sourcils.

— Non, pas du tout. Je pense qu'il faut respecter sa femme, et j'avoue que j'ai de plus en plus mal à m'abstenir de ne rien dire ou faire quand je le vois comment il se comporte avec elle. Il m'arrive souvent d'avoir envie de lui mettre mon poing dans la figure, avoua-t-il excédé.

Zia éclata de rire en sentant les muscles de son mari se tendre contre son corps.

— Pourquoi ris-tu comme ça ? s'étonna-t-il en se retournant brusquement. Ce n'est vraiment pas drôle ! s'emporta-t-il.

— Ben, si tu voyais ta tête, tu rigolerais aussi, répliqua-t-elle en essayant d'étouffer son rire mais sans grande conviction.

— Arrête, tu ne pouvais même pas voir mon visage quand tu t'es mise à rire ! lança Kadmeron encore vexé.

— Mon chéri, arrête de faire ton Diegis ! plaisanta Zia en chuchotant d'une voix gentille et sensuelle et en lui embrassant le cou. Des frissons de plaisir finirent par calmer le jeune Marteron qui réalisa qu'il s'était emporté pour rien.

Le rythme des chevaux avait ralenti et Kadmeron comprit les signes que Potac lui envoyait.

— Je pense que nous devrions continuer à pied pour laisser les chevaux récupérer leurs forces, proposa Kadmeron.

— Oui, j'ai l'impression que le nôtre a du mal à avancer alors que le terrain semble devenir plus facile, répliqua Diegis.

Tous les quatre descendirent de leurs montures. Diegis prit la tête du convoi en portant son cheval par le licol. Kadmeron échangea un regard entendu avec Zia et lui chuchota :

— Je vais le suivre et puis vous, les filles, vous pourrez être plus tranquilles pour discuter entre vous, à l'arrière, avec les hydrontins.

Zora lui sourit faiblement, alors que Zia lança avec enthousiasme :

— Justement, Zora, cela faisait longtemps que j'avais envie de te demander comment tu préparais ces délicieux gâteaux blancs à base de fromage...

— Les *papanași* ? répliqua Zora avec un large sourire devant l'expression gourmande que Zia affichait.

— Ah, oui ! Les *papanași* – qu'est-ce qu'ils étaient bons ! Tu es une super cuisinière, Zora ! la complimenta-t-elle en étant entièrement sincère. J'ai du mal à ne pas saliver rien qu'en y pensant, admit la jeune femme en pouffant de rire.

— Oh, c'est pas compliqué, Zia. En plus, maintenant que

tu maîtrises très bien la technique de la fabrication du fromage, tu pourras t'en préparer quand tu veux.

— Raconte ! l'encouragea avec impatience Zia.

— Donc, il te faut du fromage frais, de vache de préférence, bien égoutté du *zer*. Attention, car si tu en laisses trop, ensuite tu devrais ajouter plus de farine. Par chez nous, la farine est précieuse, alors on l'utilise avec parcimonie.

— De la farine d'*alac* ? intervint Zia.

— Oui, mais ça marche aussi avec celle de millet.

— Le millet ? C'est quoi ça ?

Zora regarda son amie avec un air étonné.

— Oh, c'est cette plante haute qui peut pousser jusqu'à ta taille, velue, et dont les petites fleurs pendent lorsqu'elles sont bonnes à cueillir. Les graines toutes petites peuvent être moulues pour en faire de la farine, même s'il est vrai que souvent on cuisine des bouillies avec, expliqua Zora.

— Ah, je ne connais pas ! Ça pousse par chez vous ce millet ? poursuivit Zia intéressée.

— En fait, nous en avons eu des graines grâce à notre Maitre Marchand qui nous en a apportées au retour de son grand voyage dans le sud. Nous avons pu en cultiver, tout comme nous faisons maintenant avec l'*alac* et l'avantage c'est qu'il n'a pas besoin de beaucoup d'eau.

— Quel dommage que je n'en ai pas vu au Rocher Fendu ! regretta Zia.

— Pour la plante, tu n'aurais pas pu la voir car on sème les graines au début de la saison des fleurs et on récolte deux ou trois lunes après. Nous avions déjà cueilli tout le millet lors de votre arrivée chez nous avec Kadmeron.

— Tant pis, alors revenons aux *papanaşi* car j'aurais toujours la farine d'alac ou même d'orge. Donc fromage frais de vache, farine et quoi d'autre ?

— Un œuf ou deux, puis du miel ou de la purée de fruits douce.

Un large sourire d'envie illumina le visage de Zia.

— Ah, j'ai adoré la purée de pommes que j'ai goûtée chez Zlata ! se rappela-t-elle en se léchant les lèvres. Il faudrait que tu me dises aussi comment la préparer, ajouta-t-elle en se retournant pour regarder Zora dans les yeux.

— Bon, alors pour revenir à notre recette, tu poses tout ça dans une grande assiette creuse, tu mélanges et pétris énergiquement, jusqu'à ce que tu obtiennes une pâte lisse, qui ne colle pas.

— Et comment je sais quelle quantité de fromage mettre et combien de farine ?

— Ben, en fait tu peux utiliser tes mains : quatre poignées de farine, dit-elle en montrant sa main en creux, et deux fois plus de fromage. Tu peux ajouter un petit peu de sel, une pincée entre tes doigts, ajouta-t-elle en exemplifiant avec son index et son pouce.

— Ah, maintenant je comprends mieux, répliqua Zia avec un large sourire.

Zora continua son explication en mimant avec les mains :

— Puis tu ajustes jusqu'à ce que la pâte ne colle plus. Ensuite tu la roules avec tes mains et tu coupes des morceaux que tu peux modeler en boule.

— Et le trou qui était dans chaque gâteau, tu le fais quand ?

— Ben justement, dans chaque boule après l'avoir modelée comme je viens de te le dire. Puis tu les passes dans la farine et tu les mets dans un grand vase avec de l'eau qui boue sur le foyer. Tu couvres et les laisses jusqu'à ce qu'ils gonflent.

— Ça prend longtemps ? s'intéressa Zia.

— Non, pas du tout. Voilà ! Après tu les sors et tu les manges avec du miel ou de la purée des fruits ! C'est facile, n'est-ce pas ?

— En effet, je suis impatiente d'essayer à la première occasion. Merci beaucoup Zora de partager cette recette avec moi ! lança Zia enthousiaste, toute contente d'avoir appris à préparer ces délicieux gâteaux qui étaient restés gravés dans la mémoire de ses papilles.

12.
Kadmeron

Lorsque la Rivière du Milieu apparut à l'horizon, les quatre itinérants se sentir pousser des ailes. Ils allaient enfin laisser les montagnes et les sentiers pierreux derrière eux. Ils accélèrent leur rythme en profitant de la pente douce et de la large sente tracée par le passage de tant de gens au long des millénaires.

— Regardez, des voyageurs ! cria Zia avec enthousiasme en pointant du doigt droit devant elle. Ce sont peut-être des Biesis, ajouta-t-elle avec espoir. Nous pourrons leur demander de nous aider à traverser !

— Je ne crois pas, intervint Diegis avec suffisance.

Kadmeron se retourna et lança un regard ferme à Diegis. Même s'il avait avalé souvent les accès de virilité du prêtre, il commençait à en avoir plus qu'assez de son comportement qu'il jugeait inapproprié. Il réussit pourtant à se maîtriser et dit :

— On verra. De toute manière, difficile de s'en rendre compte à cette distance. Allons discuter avec eux d'abord !

— Mais enfin ! Les Biephis n'ont pas de chevaux, continua Diegis sans se laisser démonter. Aucune chance donc qu'ils appartiennent à cette ginte-là ! C'est pourtant évident ! Non ?!

Zia intervint à son tour, en gardant son calme :

— Ah, oui, c'est vrai que je n'en ai pas vus dans leurs enclos, confirma-t-elle après une courte pause. Tu dois avoir raison.

Les deux groupes s'approchaient inexorablement. Lorsqu'ils se rencontrèrent, après avoir échangé des saluts cordiaux, ils apprirent que le couple de voyageurs, Dimitar et Kalina, venaient d'un lieu appelé Magura. Ils faisaient partie des Thraks, un peuple composé de plusieurs tribus qui vivaient sur un très grand territoire, s'étendant au sud de la Grande Rivière Mère et jusqu'à la Nouvelle Mer.

Kadmeron fut tout de suite captivé en apprenant qu'ils étaient en train d'entreprendre un grand voyage, tout comme lui autrefois. Dimitar et Kalina avaient prévu d'arriver jusqu'au peuple des Iberos, dont ils avaient entendu dire qu'ils habitaient très loin vers le couchant. Quand Dimitar parla de la Grotte des signes-mots, Kadmeron proposa tout de suite d'établir le camp et de passer la nuit ensemble pour en apprendre davantage.

Zia apprécia immédiatement Kalina qui était non seulement belle, mais semblait beaucoup s'intéresser aux gintes, aux peuples, aux cultures, aux savoirs et aux légendes. La connexion entre les deux femmes fut tellement rapide et facile qu'elles en oublièrent presque la présence des autres, tout comme Kadmeron et même Diegis furent captivés par le récit de Dimitar, cet aventurier à la peau foncée, presque cuivrée. Quant à Zora, elle écoutait fascinée la conversation de Zia et Kalina sans oser intervenir, de peur de se faire rabrouer par son époux. Kadmeron nota son attitude craintive, mais il était trop absorbé par la découverte de nouveaux enseignements pour pouvoir s'en préoccuper. Peut-être l'occasion se présenterait-elle un peu plus tard ?

— Eh bien, nous avons beaucoup de choses à discuter, il me semble. Nous devrions trouver un endroit sûr où passer la nuit ensemble et monter le camp. Qu'en pensez-vous ? proposa le chasseur.

Tout le monde fut d'accord et se mit à la recherche d'un endroit propice. La pluie avait enfin cessé et les couples purent rapidement installer leurs tentes dans un lieu abrité. Ils allumèrent un feu pour faire sécher leurs habits. Zia prépara une tisane aux pignons de pin qui réchauffa tout le monde. Ils se mirent à préparer quelques grillades avec le chevreuil que Dimitar avait chassé le jour-même, et les conversations autour du feu s'animèrent chaleureusement.

Kadmeron aimait particulièrement ces veillées qui permettait à chacun d'exprimer ses idées, d'en faire naître des nouvelles, de raconter des aventures, des histoires et des techniques des autres peuples, des contrées lointaines, des merveilles de la nature. Combien de fois n'avait-il pas eu envie d'améliorer tel outil, d'adapter telle ou telle activité jusqu'alors inconnue à ce qu'il savait déjà ?

Il en avait parlé avec Zia, qui préférait davantage connaître de nouvelles personnes et échanger sur leurs cultures, croyances, habitudes culinaires, soins. D'ailleurs, elle avait déjà commencé à poser plein de questions à Kalina. *Décidément, elle ne peut pas s'abstenir d'interroger les autres, et avec quelle vitesse ! Si elle arrivait à changer de flèche et à tirer aussi vite avec son arc, les Budas n'auraient eu aucune chance contre elle !* pensa Kadmeron, à la fois amusé et triste en se remémorant l'attaque sanguinaire quelques jours plus tôt. Mais il sourit, en écoutant l'échange animé entre les deux femmes.

— Dis-moi, Kalina, tu as mentionné un lieu appelé Ma.. Maguna ? C'est bien ça ?

— Magura, corrigea cette dernière. C'est un lieu... magique, vraiment.

— Magique, comment ça ? demanda Zora, intéressée. J'aime beaucoup les choses magiques, moi !

— Tais-toi un peu, Zora ! Laisse les autres qui savent s'exprimer ! lança Diegis, nerveux.

Son épouse baissa immédiatement les yeux, sur la défensive. Zia et Kalina dévisagèrent l'homme, surprises et révoltées à la fois. Dimitar et Kadmeron quant à eux lui lancèrent un regard noir, et il leur adressa un sourire hautain, avant de se reculer et de garder le silence. Kalina reprit avec passion, les yeux brillants :

— Magura est non seulement un endroit magique, mais c'est aussi un lieu sacré. Il y a là-bas une grande grotte. Une caverne immense ! Un lieu où nous vénérons la Mère-Terre, mais d'autres déités également. Notre tribu, les Odrys, y a établi un très grand village. Une ville, en fait.

— Une ville ? Des... déités ?! interrogea Zia, complètement subjuguée.

— En fait, il y a beaucoup, beaucoup d'habitants par là-bas. Et pour nourrir toute la population de notre tribu, nous élevons beaucoup d'animaux et...

— Votre tribu ? Ce n'est pas une ginte, alors ? l'interrompit Zia étonnée.

— Non, au sud de la Grande Rivière Mère, nous appelons

les villages des tribus, en général. C'est seulement s'il y a trop peu d'habitants que c'est alors un simple hameau. Néanmoins, je comprends pourquoi cela t'étonne, car j'ai remarqué qu'au nord du fleuve, on les appelle surtout des gintes.

— Oui, c'est vrai ! confirma Zia, comprenant une nouvelle subtilité concernant les différences entre les peuples.

— C'est drôle, remarqua Kadmeron, de là où je viens, très loin vers le couchant, nous appelons aussi nos peuplements des tribus.

— Oh ! Tu nous raconteras tout ça alors ? intervint Dimitar, très intéressé.

— Oui, c'est promis ! lança le chasseur, mais ce soir je pense vraiment que c'est à votre tour de parler !

Tous commençaient à se sentir bien entre eux, à part le prêtre du serpent qui, fidèle à son animal-totem, se recroquevillait, comme prêt à enfoncer ses crocs pleins de venin.

— Et les déités ? C'est quoi ?! demanda Zora, encouragée par la présence des autres. Elle était suspendue aux paroles de Kalina. Diegis la toisa du regard, visiblement écœuré par l'attitude de sa femme. Cela n'échappa à Zia qui sourit à Zora avec chaleur. Kadmeron était lui aussi intéressé.

— Des déités ?! répéta Kadmeron.

— En fait, les déités sont des hommes et des femmes qui sont montés au ciel, répondit Kalina en souriant.

Elle n'eut pas le temps de terminer son explication que Diegis soupirait, d'un air de profond ennui et de dépit. Irrité, Dimitar l'apostropha :

— Tu as un problème Diegis ? J'ai comme l'impression que notre discussion t'ennuie. Pourquoi restes-tu, alors ?

L'intéressé ne prit même pas la peine de répondre. Il se détourna, faisant semblant de jouer avec des brindilles.

Kadmeron regarda Zia, qui ignora Diegis et reprit insatiablement :

— Les déités sont des hommes et des femmes qui sont montés au ciel alors ?

— Oui, confirma Kalina. C'est notre croyance. Ils sont les enfants adorés de Halipta, la vache céleste.

Diegis éclata de rire et se leva, s'éloignant rapidement du groupe et entrant sous sa tente. *Il veut certainement éviter de se faire taper dessus*, pensa Kadmeron passablement énervé. *Je n'aurai pas pu m'abstenir de lui mettre mon poing dans sa figure !*

— La vache... céleste... articula Zora. Tu veux donc dire... une vache du ciel ?

— Oui, tout à fait ! confirma Kalina en riant de bon cœur.

— Et, pourquoi une vache se trouverait au ciel ?

La jeune Odrys se leva et pointa les étoiles vers le sud-ouest, un peu au-dessus de la ligne d'horizon. Kadmeron et Zia étaient tout ouïe, écarquillant les yeux en regardant vers la direction indiquée. Oui, ils voyaient bien cette étoile à la lumière vive que nous appelons désormais Aldébaran. Oui, ils apercevaient également des étoiles autour d'elle.

Kalina se pencha, prit un petit bâton et traça patiemment des points sur le sol, à la lumière des flammes. Elle en désigna une en particulier.

— Là, ce sont les étoiles que vous voyez dans le ciel. Et la grande rouge qui brille, là-bas, c'est l'œil de la vache céleste. Tout autour, il y en a plein d'autres. Attendez, je vais vous montrer !

Les autres acquiescèrent et attendirent, impatients. Puis elle continua, cette fois en reliant les points entre eux. En quelques mouvements précis, une esquisse se manifesta soudain, une forme très familière apparut dans la terre battue. Sous leurs yeux éberlués, ils virent clairement... une vache stylisée, avec ses cornes, ses pattes avant et arrière, et son petit tétant ses mamelles, le tout formée d'étoiles !

La jeune femme marqua une longue pause avant de se redresser et de montrer à nouveau l'immensité étoilée où tant de réponses se trouvaient :

— En fait, elle est là, là-haut ! Vous la voyez maintenant ? C'est la Déesse-Mère et ses sept enfants, des filles et des garçons, qui l'ont rejointe pour l'éternité. Mon peuple pense qu'au début de toutes choses, c'est elle qui avait apporté la lumière dans le noir du ciel. Avant ça, on ne pouvait rien voir, rien entendre, rien sentir. Et puis Halipta a décidé qu'elle devait peupler la Terre. Elle a enfanté des femmes et des hommes qu'elle envoya sur Terre pour faire des enfants, nos ancêtres, et pour leur enseigner leur savoir. Après cela, Halipta a créé l'eau, les animaux. Ses enfants ont alors montré à nos ancêtres comment utiliser les bienfaits de la Mère-Terre. Enfin, quand le moment est venu de quitter la Terre, ils et elles ont dansé, dansé, dansé. Ils levaient les bras pendant leurs danses, tant et si bien qu'ils se sont envolés jusqu'au ciel, à nouveau, pour rester auprès de leur mère, la vache céleste. Halipta, notre mère à tous et à toutes.

Un silence respectueux se fit parmi les personnes présentes. Tous étaient sous le charme de ces mystères révélés qui leurs étaient inconnus jusqu'alors. De cette histoire incroyable de la création du monde d'après les croyances et la vision des Odrys. Subitement, tout prenait un sens. Tout s'expliquait logiquement : le vide cosmique, la vache céleste, sa gestation. Sans le réaliser, ils venaient d'apprendre l'une des cosmogonies les plus anciennes, dont les traces ont perduré jusqu'à nos jours grâce au génie des anciens, par-delà les éons et les cataclysmes.

C'était l'un de ces moments spéciaux, uniques, où tout semblait harmonie. La plupart d'entre eux ressentait une paix intérieure totale. Kalina continua en souriant, soulevant ses bras au-dessus de sa tête, les courbant légèrement vers le sommet de son crâne, avant de commencer à tournoyer sur elle-même avec grâce. Lentement, comme si elle entrait en prière, comme si elle rendait hommage à ce récit primordial qui vibrait en elle comme une vérité incontestable. Zora était également absorbée par la magie du moment. La voix douce de Kalina reprit avec gentillesse :

— En fait, depuis que les enfants de Halipta sont retournés auprès d'elle, dans le ciel, nous avons appris à danser et cela se transmet de génération en génération. Nous dansons souvent pour entrer en contact avec Halipta, notre mère à tous, qui nous a enfantés et dont les descendants nous ont tout appris.

La danseuse étrangère accéléra subitement son rythme,

tournoyant encore plus vite, se soulevant et s'abaissant alternativement en fléchissant les chevilles et en déplaçant ses pieds. Les pans de sa robe se soulevèrent alors, comme les vagues de la mer, comme le souffle du vent dans les arbres. Dimitar commença à chantonner et à frapper des mains. Zora, Zia et Kadmeron, enchantés, se joignirent au chant et à la meneuse en tentant de se mouvoir de la même manière, tout en gardant l'équilibre. Malgré tous ses efforts, le chasseur finit par tomber lourdement à la renverse, pris de vertige.

— Oh là là ! J'ai la tête qui tourne, moi ! dit-il en éclatant de rire, les fesses couvertes d'herbes et de cendres chaudes.

Les autres rirent gaiement et se rassirent, ravis de cette découverte et de ce partage.

— Tu disais que les enfants de Halipta sont restés sur Terre, si j'ai bien compris. Et qu'est-ce qu'ils ont donc enseigné à vos ancêtres ? demanda Zia, captivée.

Kalina sourit et répondit :

— En fait, les secrets de la poterie, du tissage, de l'élevage des animaux, l'utilisation des plantes. La chasse, la pêche, l'artisanat, et plein d'autres choses encore. En fait, vous pouvez voir de vos propres yeux toute cette histoire, ajouta-t-elle alors que les autres écarquillaient davantage leurs yeux.

— Comment ça ? s'intéressa Zia aussitôt.

— Nous avons tout dessiné sur les parois de notre grotte sacrée. Toutes les déités, leurs histoires. Tous nos signes-mots.

Dès qu'il entendit ses dernières paroles, Kadmeron bondit.

— Tous les signes-mots ?! Où se trouve Magura ? Comment y arriver depuis ici ?! demanda-t-il tout excité, littéralement fasciné par tout ce qu'il venait d'apprendre.

Des déités, des vaches célestes, des signes-mots, c'était trop beau, il fallait absolument voir ça !

Dimitar et Kalina éclatèrent de rire à leur tour. Ce fut le jeune Odrys à la peau cuivrée qui lui répondit :

— Magura est située vers le levant. Il faut descendre le fleuve pendant moins d'une lune de marche et...

— De toute façon, vous trouverez Magura sans difficulté ! précisa Kalina avec un rire cristallin. Notre ville est impossible à rater, tant elle est célèbre ! Donc il vous suffira de simplement demander aux villageois ou voyageurs que vous croiserez en chemin.

— J'avoue que je n'avais pas entendu parler de cette fameuse grotte, réagit Zora en baissant les yeux.

— Moi non plus, confirma Zia un peu confuse.

— Oh, c'est peut-être parce que vous n'êtes pas allées au sud de la Grande Rivière Mère ? suggéra Kalina sans la moindre trace de susceptibilité.

— C'est vrai, répliquèrent les deux femmes à l'unisson, soulagées que leurs mots n'avaient pas été mal interprétés.

— Tu as bien dit que Halipta, la Déesse-Mère, était peinte sur les parois de Magura ? intervint Kadmeron tout à coup.

— Oui, confirma Kalina. En fait, c'est normal, nous lui rendons ainsi hommage et par la même occasion enseignons à nos enfants son histoire. Mais pourquoi as-tu l'air si étonné ? demanda-t-elle alors que le chasseur était resté bouche bée et semblait confus, cherchant dans ses souvenirs pour rassembler ses idées.

— Parce que chez les Marterons, d'où je viens, nous ne peignons jamais la Terre-Mère sur les parois rocheuses. Nos artistes la sculptent, par contre. Des tribus honorent ces représentations et les appellent les "doni". Elles sont grandes comme ça et très grosses, symbolisant la fertilité et la générosité. Il montra la taille approximative en écartant les mains.

— Mais que peignez-vous alors dans les grottes ? intervint Dimitar.

— Des animaux, des techniques de chasse, les migrations, les saisons des accouplements, des naissances. Nous traçons des points pour compter le nombre de lunes après le début de la bonne saison, quand les neiges ont fondu et que les fleurs commencent à pousser. Comme ça, où que nous nous déplacions, nous avons ces informations sur les troupeaux de gibier, dans les grottes.

— Seulement des animaux ? s'étonna Kalina.

— Rarement des humains, surtout des chasseurs. Il y a des gens qui croient que si on les peint sur la roche, on leur vole leur âme, ajouta-t-il. C'est pourquoi on en voit rarement.

— Et tu crois ça aussi ? s'intéressa Zia.

— Pas vraiment. J'y ai longuement réfléchi et je ne vois pas pourquoi l'âme serait volée. Elle part lorsqu'on s'en va dans l'autre monde, mais pas parce qu'on la dessine sur une paroi. Quand j'ai peint le petit bison après que sa mère a failli me tuer dans les grandes plaines, c'était pour lui rendre hommage, et pour lui permettre de renaître. Je n'ai pas volé son esprit. Au contraire, j'ai aidé son âme à revenir sur Terre, selon moi !

— Je pense que tu as raison, intervint Kalina. Chez nous, l'esprit et le corps ne font qu'un et ils ne se séparent jamais. Même lorsque nos guérisseuses ou guérisseurs soignent une personne malade, ils doivent s'occuper non seulement de la blessure d'une jambe ou d'un bras mais de son esprit également.

— Ah, j'y avais jamais pensé ! s'exclama Zia en écarquillant les yeux. C'est une approche dont tu devrais me parler davantage, ajouta-t-elle en souriant, très intéressée par cette révélation.

— Zia est guérisseuse, expliqua Kadmeron avec fierté. Et elle est très douée en plus, ajouta-t-il en la regardant avec amour.

— J'ai encore tant de choses à apprendre, répliqua modestement Zia.

— Vous devriez aller voir aussi Belora, qui n'est pas très loin de Magura, intervint Dimitar.

— Belora ?! demanda le Marteron en lui jetant un regard surpris.

— Oui. C'est un endroit incroyable, vraiment, qui vous laissera sans voix ! Imagine un peu : une véritable forêt de pierres immenses, créée par des géants ! Il y règne une force impressionnante, qui résonne avec celle de la grotte de Magura, là où Halipta a envoyé ses enfants pour nous enseigner toutes les connaissances. C'est de Belora que vient la virilité des hommes comme nous, mon ami, déclara Dimitar en claquant l'épaule de Kadmeron d'un air entendu, lui faisant un clin d'œil au passage.

Les yeux de Kadmeron brillèrent de convoitise. *Magura ! Belora ! Que de lieux incroyables ! Je n'aurais jamais pu savoir tout ça si je n'avais pas dû quitter ma tribu des Marterons... S'ils n'avaient pas tous et toutes été avalés par la furie des eaux !* songea-t-il en un instant. La tristesse l'envahit et, comme par réflexe, sa main se dirigea vers le petit sac accroché à son cou, sous sa blouse, contenant les deux pierres polies que ses parents lui avaient donnés. Dans une autre existence. Néanmoins, l'enthousiasme qui crépitait comme les flammèches autour du feu l'arracha aussitôt à ses souvenirs nostalgiques et le contamina à nouveau.

Si j'allais à Magura, je pourrais enfin explorer le secret des signes-mots ! Surtout dans un tel village immense où de nombreuses personnes pourraient répondre à mes questions ! Il faut que nous y allions ! pensa-t-il avec tant d'intensité que, lorsqu'il croisa les yeux de Zia, il sut qu'elle avait deviné ses pensées. Toutefois, celle-ci mit une fin prématurée à ses espoirs en déclarant :

— Kadmeron, tu sais que nous devons aller visiter les Lepenvis d'abord ! lança-t-elle en laissant une petite porte ouverte pour les songes du chasseur.

— Mais enfin... Tu réalises ce qu'il y a à Magura, non ?! C'est fou ! C'est formidable ! Nous pourrions apprendre tant de choses dans cette ville.

— Je suis d'accord avec toi, mais après avoir visité le Peuple du Poisson, conclut-elle en lui souriant avec amour.

— Assez ! cria soudain Diegis. Assez de ces idioties !

Les cinq autres se retournèrent et le regardèrent avec des yeux ronds, stupéfaits de son retour fracassant. Profitant de l'effet de surprise, le prêtre continua :

— Vous, Kalina et Dimitar, vous ne racontez que des stupidités ! L'être supérieur originel n'est pas un homme, ni une femme, ni même une vache céleste, mais un serpent. C'est lui qui connaît les secrets de la Mère-Terre, et lui qui nous apporte l'or !

À ces mots, il brandit la plus grosse pépite que Kadmeron eût jamais vue. Elle était grande comme le poing fermé d'un bébé. Il s'avança vers le feu, la soumettant à l'éclat des flammes. Les autres la contemplèrent, hébétés, leurs yeux allant du scintillement de l'or au visage de Diegis, zébré d'un rictus. Le prêtre du serpent continua sa diatribe :

— Vous croyez détenir la vérité parce que vos ancêtres ont fait des dessins sur des parois depuis des temps anciens ? Vous pensez avoir raison, hein ?

Il allait de l'un à l'autre, exhibant sa pépite.

— Toi, Kadmeron, n'es-tu pas intéressé par l'or ? N'as-tu pas voulu apprendre nos savoirs sur cette ressource précieuse et même accepté de payer un tribut chaque année au Rocher Fendu ?

Le chasseur détourna son regard, gêné.

— Et toi Zia, n'as-tu pas reçu en cadeau la coiffe cérémonielle, brodée de coquillages et de cailloux d'or ? N'es-tu pas redevable au serpent, toi aussi ?

Zia le regarda sans broncher, voulant murmurer quelque chose mais s'en abstenant avec grande difficulté. Elle n'avait aucune envie d'envenimer la situation et savait très bien ce qui allait se passer si elle réagissait aux insinuations du prêtre.

Diegis se planta devant le couple de voyageurs. Il fit tourner la pépite entre son pouce et l'index.

— Et vous, les Odrys, pensez-vous que vos vaches valent autant que ça ?! La vraie croyance, celle qui amène l'or, la puissance, le vrai héritage, c'est celle du serpent !

Dimitar rétorqua, maîtrisant son agitation :

— Diegis, nous avons bien compris ton point de vue. L'or est apprécié même par chez nous. Il a beaucoup de valeur, en effet. Personne ne le nie. En revanche, tu ne veux pas accepter nos croyances, ce que nous ont enseignés nos parents, et leurs parents.

— J'ai entendu ce que vous croyez ! dit-il. Mais moi je sais ce qui est vrai. Je connais la vérité !

Kalina lui lança un regard dur.

— Tu as choisi d'adorer une déité qui te donne des cailloux dorés, mais qu'il faut arracher de la Mère-Terre. Néanmoins, j'ai l'impression que tu ignores complètement les vrais trésors que tu possèdes déjà ! lança-t-elle en montrant Zora d'un mouvement de la main. Laisse-nous tranquilles alors, et va prier ton serpent !

Le prêtre fit la grimace, se retourna puis saisit Zora par le bras, avant de la forcer à entrer dans leur tente. La jeune femme ne protesta pas.

Les deux couples se dévisagèrent gravement, choqués par la scène. La soirée si agréable tournait mal, leur laissant un goût amer.

— Comment une telle attitude est-elle possible ? se demanda Kadmeron à voix haute.

Un silence pesant régna quelques instants.

— Comment pouvons-nous ne rien dire, ni faire quoi que ce soit ? lâcha Zia, le cœur lourd, en les regardant tous curieusement.

Kalina et Dimitar compatirent mais ne firent rien pour intervenir car ils ne connaissaient pas comment fonctionnait le couple de Zora et Diegis.

Une heure plus tard, Diegis rejoignit à nouveau les voyageurs auprès du feu, étant de meilleure humeur, en offrant des petits gâteaux aux noisettes à tous, comme si rien ne s'était passé.

Zora apparut également et s'assit près de Kalina et Zia, en leur souriant faiblement.

— En fait, tu connais la Grotte Sacrée de la Vulve ? demanda Kalina à Zia tout en regardant aussi Zora pour ne pas l'exclure de la conversation.

— Non, je n'en ai jamais entendu parler ! avoua Zia intriguée alors que Kadmeron et Diegis tournèrent leur tête au même moment en regardant fixement Kalina. Bien qu'ils ne pipassent mot sur le moment, ils attendaient la suite avec tout autant d'intérêt que les femmes.

La jeune Haganita poursuivit avec une salve de questions, fidèle à son habitude :

— Où se situe cette grotte-là ?

— Eh bien, c'est tout près de la Mer aux îles, très loin au sud, répondit Kalina.

— Et pourquoi porte-t-elle ce nom-là ? Est-ce la Grotte qui a donné naissance aux premiers humains ? tenta Zia de deviner la signification de ce nom étrange et pourtant lourd de significations puissantes.

— En fait, c'est la tribu des Odrys qui a transformé cette grotte en un lieu sacré dédié à la fertilité de la femme, expliqua-t-elle. Notre tribu.

— Ah oui ? Et comment l'ont-ils transformée ? intervint tout à coup Kadmeron, fasciné et étonné en même temps.

Kalina s'ajusta dans ses fourrures, constatant que son récit avait capté l'intérêt de tous.

— En fait, il y a une légende autour de cette grotte disant que dans les temps anciens, une femme qui ne pouvait pas avoir d'enfants s'y est rendue et a prié la Mère-Nature. Elle a ensuite réussi à donner naissance à deux enfants et depuis lors d'autres femmes, qui avaient des difficultés à enfanter, sont allées là-bas pour prier et demander la même chose. Comme toutes y arrivaient, les hommes décidèrent de transformer cet endroit en un lieu sacré et creusèrent l'entrée selon la forme de la caverne de la femme, celle qui donne naissance aux bébés.

— Ah, je vois, d'où ce nom-là alors ! Et la Mère-Nature est Halipta ? demanda Zia, curieuse après quelques moments de réflexion.

— Non, c'est une de ses filles, expliqua Kalina.

161

— Raconte-nous en plus sur cette grotte ! Ça marche vraiment ? s'intéressa Zora tout à coup.

— En fait, oui. Ma sœur s'y est rendue. Je l'ai accompagnée, bien que je ne souhaite pas encore avoir d'enfants.

— Comment ça ? Pourquoi pas ? s'étonna Zora.

— Parce que voyager avec un bébé n'est pas facile, répondit Kalina en souriant.

— Et nous sommes encore jeunes et avons toute la vie devant nous, intervint Dimitar en regardant amoureusement sa femme. Nous partageons cette envie de connaître le monde, de rencontrer les autres peuples et vivre des aventures qui nous seraient impossibles si nous restions chez nous, dit-il avec enthousiasme.

Les yeux de Zia brillaient et en lançant un coup d'œil à Kadmeron, elle vit les mêmes étoiles illuminer ses orbes. Elle sut alors que quelque chose de nouveau, de fort et de mystérieux, venait de naître entre eux sans même avoir besoin d'échanger un seul mot.

13.
Zia

Après s'être séparés non sans peine de Dimitar et Kalina, le lendemain matin, et avoir échangé des promesses de se revoir un jour, les deux couples purent traverser la Rivière du Milieu à l'aide de Dapyx qui venait tout juste de d'arriver sur la berge. Le chef des Biesis accepta de faire demi-tour dès qu'il apprit la mission capitale que Zlata leur avait confiée et la menace qui s'approchait de son village.

Zia fut ravie de retrouver son amie, Dida, et d'apprendre que Brynn se portait bien. Mira et sa sœur montrèrent tellement de reconnaissance pour ce que la jeune guérisseuse avait accompli comme miracle, que Diegis enrageait littéralement de l'attention que tout le village accordait à celle-ci. En conséquence, ses accès de colère envers Zora ne firent que se multiplier, sous le regard désapprobateur de Kadmeron, mais aussi de son alter ego, le jeune prêtre des Biesis.

Les voyageurs passèrent la nuit dans le village et partirent le lendemain à l'aube. Après encore huit jours de marche, souvent sous la pluie, avec des haltes dans chaque peuplement qui se trouvait sur leur chemin, de longues veillées conclues par de nouvelles alliances scellées par l'échange de cadeaux, la petite troupe aperçut à l'horizon un immense rocher qui se dressait au-dessus de la forêt. Zia cria plein d'enthousiasme :

— Ça doit être la Table du Soleil ! Nous arriverons bientôt à la Grande Rivière Mère, se réjouit-elle sans cacher sa joie.

— Où est-ce que tu vois le soleil ? répliqua d'une voix morose Diegis. Ça fait des jours qu'on ne l'a plus vu. Nous sommes tellement mouillés que même les poissons nous envieraient, se lamenta-t-il.

Zia évita de pouffer de rire. Elle répliqua sur un ton léger :

— Eh bien, j'espère que cela nous aidera à rencontrer le Peuple du Poisson !

Diegis ne releva pas la plaisanterie.

— C'est vrai que cet immense rocher entaillé ressemble à la forme décrite par Dapyx, intervint Kadmeron en ignorant complètement Diegis. Pourtant, je pense qu'il faut nous dépêcher si nous voulons y arriver avant que le soleil ne commence à se coucher.

Lorsqu'ils aperçurent le grand fleuve, ils furent tous impressionnés. Même Diegis était de meilleure humeur car le soleil avait fini par se montrer, leur permettant de se sécher en partie et d'avancer plus vite vers les berges immenses où les hautes herbes et les roseaux ondulaient au vent.

— Regardez là-bas ! cria Zora. Que font ces hommes et femmes avec ses fins bâtons dans les mains ?

Tous tournèrent la tête vers l'endroit indiqué par la jeune femme. Intrigué, Kadmeron tenta de deviner :

— Comme ils sont accroupis, peut-être qu'ils ont perdu quelque chose dans la rivière et essayent de la récupérer.

— Ils devraient bouger dans ce cas, non ? La plupart semble immobile... s'étonna Diegis. Comme s'ils attendaient quelque chose.

Le sourire aux lèvres, Zia finit par leur révéler :

— Ils sont en train de capturer du poisson ! annonça-t-elle.

— Vraiment ?! s'étonna Zora en écarquillant les yeux.

— Avec des bâtons ?! Franchement, qui as entendu déjà une chose pareille ? lança Diegis, sceptique.

— Moi, précisa Zia. C'est vrai que c'est la première fois que je le vois en vrai, de mes propres yeux, mais je pense que c'est ça, dit-elle avec modestie.

— Nous le constaterons bientôt ! intervint Kadmeron en incitant Potac à presser le pas.

— C'est mon amie, Malina, de la ginte des Huttes Rondes qui m'en a parlé. Son père connaissait cette technique de pêche qui n'était pas encore arrivée chez les Bogesti.

— Ah, c'est quoi cette technique ? s'intéressa aussitôt

164

Kadmeron, les yeux brillants. Tu ne m'en as jamais parlé ! s'insurgea-t-il.

— C'est en fait une canne à pêche. Je ne connais pas bien comment ça marche, car même chez les Bogesti on venait tout juste de la découvrir lorsque j'étais passée là-bas. Je suis restée quelque temps et j'ai appris seulement à tresser le panier-piège à poissons. C'est Cotiso qui m'a montré comment faire.

Le chasseur sourit à l'évocation de ce souvenir. Effectivement, cela faisait partie des longues conversations que Zia et lui avaient tenu auparavant.

— Ah, tu m'as déjà parlé de ce panier qui, de tes descriptions, ressemblait beaucoup à ceux que j'ai vu chez les Lacustres, dit Kadmeron. Allons voir comment elles marchent, ces cannes à pêche !

✦

Après avoir salué et fait connaissance, les voyageurs apprirent que les hommes et femmes étaient bien en train de pêcher avec ces drôles de longs bâtons effilés et qu'ils faisaient partie de la ginte des "Enfants du Soleil". Ils eurent la gentillesse de leur offrir l'hospitalité et après leur avoir expliqué et montré pendant un long moment comment fonctionnait leur canne à pêche, ils partirent tous ensemble vers le village qui se trouvaient sur une petite colline surplombant l'immense rivière.

Kadmeron fut tout de suite captivé par cet outil, en apparence simple, mais très ingénieux, avec un petit harpon à encoches dans lesquelles des appâts étaient fixés. Le harpon, très fin, était accroché à un long ligament très solide. Il y en avait de plusieurs tailles, en fonction des proies visées. Quant au bâton, il s'avéra en fait qu'il s'agissait d'un roseau fin et très flexible. Cette nouvelle technique était particulièrement intéressante à apprendre car elle était beaucoup moins éreintante que celle qu'il connaissait. Mirko, un des pêcheurs, qui se lia vite d'amitié à Kadmeron, lui expliqua les avantages d'utiliser cette plante poussant près du rivage et qui était résistante, flexible et légère. Elle résistait ainsi sans se briser en deux, même lors des grosses prises et pouvait être facilement manipulée même par les plus petits à cause de son faible poids. Kadmeron était comme un enfant, ses yeux brillaient de mille étoiles et il ne résista pas à l'envie d'essayer ce nouvel outil :

— C'est prodigieux ! C'est tellement facile de capturer du poisson que même un gamin pourrait le faire ! cria-t-il à Zia, plein d'enthousiasme. Elle le regarda un moment, plein d'amour et en souriant.

J'aime tant comme il s'émerveille de petites choses comme ça ! Que va-t-il encore inventer en s'inspirant de cette canne à pêche ? songea-t-elle, curieuse de sonder l'avenir. Elle se mit également à essayer avec joie cette nouvelle activité à la fois si amusante et si utile.

D'ailleurs, tous les quatre voyageurs tentèrent leur chance à attraper du poisson, mais seule Zora eut la chance d'en prendre un. Diegis fut tenté d'éclater, fâché encore face à cette terrible injustice, mais il s'abstint devant les autres en allant même jusqu'à féliciter sa femme pour son exploit. Tant qu'il pouvait s'approprier aussi une partie de la victoire, et que ce n'était pas le couple de Zia, l'affront lui semblait moins important.

Comme le soleil commençait à se coucher, Mirko conduisit les deux couples au village. Il était situé en hauteur, dans une clairière qui dominait le fleuve qu'on devinait parmi les feuillages, magnifique et imposant, en contrebas. Zia fut émerveillée par les maisons, qui étaient toutes couvertes d'une argile jaune tellement luisante que cela les faisait briller. De forme ronde, couverte d'un toit de chaume circulaire, chaque hutte était surmontée d'un soleil en terre cuite, peint, lui aussi, de la même couleur jaune.

Mirko présenta les voyageurs aux villageois, puis les conduisit vers une maison qui avait une forme légèrement différente : les murs suivaient un contour avec six rayons, mais le toit couvert de roseaux était quand même circulaire, un peu plus haut que les autres et surmonté d'un soleil plus imposant. Mirko fit les présentations au jeune couple qui venait tout juste de sortir devant la bâtisse. C'étaient Veca et Goran, les chefs des Enfants du Soleil. Les introductions protocolaires furent rapidement faites, et les remarques fusèrent de la bouche de la jeune Haganita, toujours fidèle à son habitude :

— Elles sont magnifiques, vos maisons ! s'exclama Zia.

— Merci, Zia, répondit Veca en souriant avec bienveillance. Nous rendons hommage à notre Soleil que nous adorons tous, comme vous avez pu le remarquer. Il nous donne la vie et toutes nos cabanes reflètent notre foi en lui !

— Oui, nous l'avons remarqué, confirma Zia. Le soleil est donc si important pour vous ?

— Oh, oui ! répondit Goran. Nous observons ses mouvements tous les jours, ainsi que ceux des étoiles et ils nous guident pour toutes les choses de la vie. Nous pouvons ainsi savoir quand tel ou tel événement doit avoir lieu. C'est important pour les fêtes, pour les semences, les récoltes. Nous avons commencé à cultiver quelques céréales, par ici.

— Oui, j'ai aperçu quelques champs en arrivant. Comme au village des signes-mots plus au nord ! déclara Kadmeron.

— En effet, il a fallu couper beaucoup d'arbres et brûler leurs racines pour faire de la place aux plantes, mais maintenant nous arrivons à avoir de belles parcelles sur les flancs de la Table du Soleil ! Tous les habitants ont participé, car défricher la forêt est vraiment difficile. Enfin, nous avons de belles récoltes, se félicita Veca.

Les quatre nouveaux venus contemplaient les lieux. Le paysage était grandiose. Vers le sud, les gorges de la Grande Rivière Mère développaient leur magnificence du couchant vers le levant, et les épaisses forêts couvraient les collines. Tout en bas, sur l'autre rive on distinguait un gros village – particulièrement étonnant – avec des dizaines de cabanes rangées de façon ordonnée, pratiquement parallèles. Espacées de sorte à laisser suffisamment de place entre elles pour la circulation des gens et de l'eau de pluie, Les habitations se suivaient les unes les autres, avec un souci extrême d'ordre et d'économie de la surface habitable. En effet, la grande plage sur laquelle était installée la petite ville était relativement longue, mais étroite.

— Oh ! Mais quel est ce gros village, là-bas ? Il est si curieusement arrangé ! On dirait un motif tissé de Haganita, avec des carreaux ! demanda Zia, au comble de la stupéfaction, devinant néanmoins la réponse.

— Eh bien... c'est le village du Peuple du Poisson, comme il se fait appeler désormais, précisa Goran avec un air très gêné qui n'échappa à la jeune femme.

— Euh, j'ai dit quelque chose de mal ? répliqua Zia.

— Non, pas du tout ! lui répondit Veca en lui prenant les mains. Mais... nous sommes partis de ce village-là il y a trois longues années. C'est une histoire très... pénible, on va dire. Pleine de beaucoup de souffrances.

— Nous n'aimons pas en parler ! la coupa Goran, l'air offusqué.

Jetant un regard courroucé vers Zia, Kadmeron intervint :

— Pardonnez-nous, nous ne voulions pas vous fâcher en posant des questions.

Les traits du visage de Goran se détendirent un peu. Son épouse lui caressa l'épaule et s'efforça de sourire.

— Eh bien, ne vous en faites pas ! C'est juste un sujet très douloureux pour nous tous ici. Mais peut-être en parlerons-nous quand nous aurons fait mieux connaissance. En attendant, nous serions très honorés de vous offrir l'hospitalité. Soyez les bienvenus ! ajouta Veca en écartant les bras. Une femme du village apporta de la *pita* et du sel. Diegis et Zora en prirent cérémonieusement une portion, les portèrent à leur bouche et mâchèrent lentement. À leur tour, Kadmeron et Zia en firent de même. Le cérémonial sacré qui célébrait l'accueil des étrangers se répétait une fois de plus. L'atmosphère était plus détendue.

Tous commencèrent à déambuler dans le village.

— Oui, pardonnez-moi encore si j'ai réveillé une vieille blessure. Nous aussi venons de loin car notre ginte a été victime d'une attaque complètement lâche et horrible. De la part d'une tribu avec laquelle le Rocher Fendu commerçait depuis des années !

— Ah bon ?! demanda Goran, dépité. De nos jours, plus rien ne m'étonne. Il y a tant de violence entre les gens, il me semble. D'anciens amis peuvent devenir nos pires ennemis ! soupira le chef avec amertume.

— Je ne peux qu'être d'accord avec toi, confirma Zia en baissant les yeux. D'ailleurs, nous vous apportons une bien mauvaise nouvelle, dit-elle alors que son visage s'assombrissait.

— Ah ? De quoi il s'agit ? intervint Veca.

— La mort de Jovan.

— Oh, non, c'est pas vrai ! hurla une jeune femme qui se trouvait à proximité devant le porche de sa cabane.

Tous tournèrent la tête et la virent s'effondrer. Zia se précipita pour l'aider et comprit rapidement que c'était la femme du défunt. Elle insista pour tout savoir sur la mort de son mari, et Zia raconta le peu de choses qu'elle avait réussi à apprendre de Jovan. Lorsque Kadmeron l'assura qu'il avait eu des funérailles et que les rites avaient été célébrés pour guider son esprit vers le pays des morts, la jeune femme sembla se calmer un peu, même si la tristesse la terrassait.

— Nous vous remercions au nom de tous les Enfants su Soleil d'avoir offert à Jovan un enterrement digne, prononça Goran.

— Et, encore une fois, je voudrais vous dire : soyez les bienvenus chez nous ! ajouta Veca en les conduisant vers une cabane qui semblait inoccupée par les villageois.

Levant la tête, Zia ne put ignorer la forme de l'immense affleurement rocheux qui surplombait les habitations.

— C'est... incroyable ! s'exclama-t-elle.

— N'est-ce pas ? confirma Veca en lui souriant. C'est notre Table du Soleil ! C'est là que nous montons pour lui rendre hommage. Il y a un petit sanctuaire, tout en haut, en plus de celui que nous avons reconstruit, ici dans le village. Nous sommes ses Enfants.

— Oui, le soleil est important pour notre survie ! dit Zia enchantée.

— Et comme s'il était notre père et notre mère, nous apprenons de lui. Nous le surveillons attentivement. D'ailleurs, ici, dans ce lieu magique, le soleil se lève deux fois le jour le plus long de chaque année.

Zia s'arrêta.

— Comment ça, deux fois ?!

Veca éclata de rire.

— Oui, c'est vrai ! Mais on ne peut voir cela que d'en bas,

du village du Peuple du Poisson. Ce jour-là, il se lève une première fois, puis disparaît derrière la Table du Soleil, et se lève encore !

— Ah bon ?! C'est incroyable ! fit la jeune Haganita. Décidément, elle était enchantée de ses découvertes auprès de ce nouveau village des Enfants du Soleil. Mais tant de questions demeuraient sans réponses. Pourquoi y avait-il tant de souffrances pour ses hôtes à évoquer le Peuple du Poisson ? Que se passait-il ?

✦

Le lendemain, les Enfants du Soleil décidèrent d'organiser une veillée en hommage à Jovan. Ils allumèrent un feu au milieu du village où il y avait un grand foyer protégé par un large cercle pierres, au centre d'une grande place. Tout autour, les maisons étaient disposées en suivant également un cercle imaginaire. Zia se rappela qu'elle avait déjà vu pendant son voyage un village configuré de cette façon : Bogeni. Là-bas, la disposition des habitations était aussi réalisée en cercle, comme le soleil. À ce moment-là, Filona lui avait aussi confié qu'ils vouaient un culte au soleil.

Lorsque Veca et Goran expliquèrent pourquoi leur ginte s'appelait les Enfants du Soleil, Zia ne manqua pas de poser les questions qui la préoccupaient depuis sa rencontre avec Jovan. Tant de détails peu clairs pouvaient enfin être expliqués ! Elle n'allait pas laisser passer cette occasion d'en savoir plus.

— Malgré ses blessures, Jovan avait réussi à nous dire qu'il avait été banni par Kirilo, le chef du Peuple du Poisson parce qu'il croyait au soleil. Est-ce vrai ?

— Malheureusement oui, nous l'avons tous été, répondit Goran. Et depuis, ils nous considèrent comme des ennemis et n'arrêtent pas de tout faire pour nous obliger à partir d'ici aussi. Alors qu'ici, nous ne gênons personne.

— Comment ça ? s'indigna Kadmeron. C'est votre village, c'est vous qui avez construit vos maisons, alors de quel droit ferait-il ça ?

— Jovan disait que Kirilo est devenu fou, est-ce vrai ? intervint Zia.

La cheffe soupira longuement.

— On pourrait appeler ça ainsi, répondit Veca. Il n'accepte pas qu'on puisse croire en autre chose que le poisson. Le poisson est au-dessus de tout autre être sur Terre selon lui.

— Mais c'est n'importe quoi ! s'indigna Diegis qui avait réussi à ne pas parler jusqu'alors.

Zia dissimula un sourire en lançant un coup d'œil complice vers Kadmeron, mais ne fit aucun commentaire, sachant déjà comment ça allait finir dans le cas contraire. Le jeune Marteron s'abstint aussi car il ne voulait pas d'une nouvelle scène et encore moins d'un sermon sur le serpent.

— Nous ne rejetons pas le poisson, expliqua Goran. Nous continuons à croire dans ce que nos ancêtres nous ont transmis, mais nous pensons que le soleil joue un rôle plus important dans notre vie.

— En effet, le poisson nous nourrit, c'est vrai, mais le soleil... continua Veca en soulevant ça tête... même lorsqu'il est couché comme maintenant, il arrive à éclairer la lune. Sans lui, nous serions dans le noir, dans le froid. Nous ne vivrions même plus dans ce monde.

— C'est vrai, confirma Zia. Et le Peuple du Poisson n'est pas d'accord avec ça ? s'étonna-t-elle.

— Non. Et même ceux qui auraient envie de l'être sont vite rendus muets ou bannis par Kirilo, répondit Goran.

— Je ne comprends pas pourquoi. Vous n'êtes pas les seuls à croire dans les pouvoirs et les bienfaits du soleil, annonça Zia.

— Qu'est-ce que tu veux dire ? s'intéressa Veca.

— Vous ne connaissez pas Bogeni ? demanda Zia.

— Si, le grand village des Bogesti. Tu parles de la Ginte des Huttes Rondes, avec leur sanctuaire dédié au soleil, n'est-ce pas ?

— Exactement, confirma Zia avec un grand sourire.

— C'est quoi Bogeni et ce sanctuaire ? intervint aussitôt Kadmeron. Je ne crois pas que tu m'en as parlé, s'étonna-t-il en se tournant vers sa femme.

— Bogeni est le nom que le peuple des Bogesti a donné à leur village le plus important. Avant c'était la Ginte des Huttes Rondes, mais le nom de Bogeni commence à être de plus en plus utilisé. En fait, cette ginte a été la première à s'installer à la confluence de la Grande Rivière Mère avec la Rivière Brillante, expliqua Zia.

— Et puis là-bas, leurs huttes rondes en roseaux sont tellement belles ! Elles sont disposées en cercle, comme le soleil, lança Veca.

— Comme nous l'avons aussi fait dans notre village, poursuivit Goran en balayant d'un regard fier ses maisons jaunes.

Les deux couples des visiteurs ne pouvaient qu'acquiescer. En effet, les habitations et leur disposition témoignaient d'un grand souci du détail et de l'observation de la révolution du soleil.

— Et le sanctuaire ? intervint Zora, curieuse.

— Oh, les Bogesti ont construit un sanctuaire au soleil sur un *ostrov* que seulement les prêtres et prêtresses sont autorisés à visiter. C'est un endroit sacré qui permet de communiquer avec les esprits de la nature, de faire des offrandes et de remercier la Mère-Nature pour tout ce qu'elle nous donne, précisa Goran.

— Et tu l'as visité, toi aussi ? s'intéressa Kadmeron en regardant délibérément son épouse.

— Non. J'ai vu seulement la miniature du sanctuaire qui se trouve dans la Hutte des Sages car je n'étais pas prêtresse... *À ce moment-là*, pensa Zia.

Veca lui jeta un coup d'œil complice. Elle savait quelque chose mais fit mine de continuer la discussion :

— Oh, elle est assez fidèle à l'original. Bien sûr, le sanctuaire est encore plus beau. J'ai eu l'honneur de m'y rendre pour un rituel, expliqua Veca.

— Tu es donc prêtresse. Tu dois connaître Menodora, ma mère alors, n'est-ce pas ?

— Oh, la prêtresse Haganita, qui ne la connait pas ?! répliqua Veca avec un sourire sous-entendu.

— Désolé de vous interrompre, mais si apparemment ce peuple des Bogesti croit aussi dans le soleil, je ne comprends pas pourquoi ce Kirilo bannit des gens pour ça ? lança Kadmeron.

— Parce qu'il se prend *lui-même* pour le Dieu Poisson ! explosa Goran, oubliant son calme affiché jusqu'alors.

— Mais le Dieu Poisson n'existe pas ! rugit à son tour Diegis, vert de rage.

Le prêtre s'était levé, et Zora le retint avec difficulté. Il se rassit finalement, conscient de représenter Zlata et la ginte du

Rocher Fendu. Il fit mine de s'excuser et les discussions reprirent.

— C'est étonnant comme les croyances peuvent créer des réactions tellement fortes et si extrêmes ! s'étonna Zia.

— C'est exactement ce que j'allais dire, ajouta Kadmeron en voyant que Diegis aller encore ouvrir sa bouche pour mordre et injecter son venin.

— Et tu n'as encore rien vu ! répliqua Veca. De l'autre côté du fleuve, le culte du poisson, qui était aussi au début notre croyance, est devenu si intolérant, si exclusif, que nous avons préféré quitter le village plutôt que de risquer nos vies.

— Vos vies ?! répéta Kadmeron, ébahi.

— En effet, des gens sont morts à cause de ça. Kirilo les a tués et sacrifiés au Dieu Poisson, confirma Veca avec tristesse.

Kadmeron la regarda, estomaqué.

— Des gens sont morts ?! Zia, j'espère que tu vas réfléchir à nouveau avant de vouloir traverser la Grande Rivière Mère. Je pense que ce n'est plus la peine d'y aller désormais, c'est dangereux! conclut le chasseur.

— Bien au contraire ! Je pense que c'est encore plus important de s'y rendre pour comprendre ce qui se passe, protesta-t-elle, visiblement en désaccord avec son homme.

14.
Kadmeron

Les voyageurs décidèrent de rester quelques jours avant de reprendre leur trajet pour proposer leur alliance au Peuple du Poisson. C'était l'occasion de regagner des forces après la longue traversée depuis les montagnes. La pluie continuait de tomber et il fallait attendre une occasion propice pour traverser la Grande Rivière Mère, dont le niveau avait tellement grandi que peu de barques s'y aventuraient. Chacun avait alors décidé de passer le temps du mieux possible.

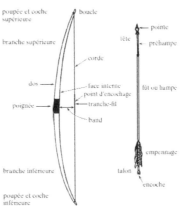

Kadmeron avait fabriqué plusieurs cibles avec du bois et des herbes tressées et s'exerçait au tir à l'arc. Rapidement, des habitants s'étaient regroupés autour de lui, fascinés par sa technique et surtout la robustesse et la précision de son arme. Charmé par leur enthousiasme, il commença à enseigner aux Enfants du Soleil à bander son arc double. Il fallait plus de force qu'avec les arcs simples qui étaient façonnés dans la région et beaucoup échouèrent à ne serait-ce qu'écarter de deux doigts de la verticale le tendon séché qui propulsait la flèche. Il leur promit de leur montrer comment sculpter des fines pointes microlithiques en silex. En dépit de l'horreur qu'ils avaient pu constater lors de la découverte des villageois massacrés par les Budas, le chasseur avait tout de même pris la précaution d'emporter plusieurs noyaux de silex. Ces pierres étaient si précieuses qu'il ne pouvait se passer d'en collecter dès que l'occasion se présentait !

— Je vous enseignerai tout ce qu'il faut lorsque nous reviendrons du Peuple du Poisson ! promit-il à ses nombreux admirateurs et admiratrices.

Beaucoup d'entre eux doutaient de cette perspective, ce qui n'était pas pour le rassurer. Il avait un très mauvais pressentiment à cet égard. Mais Zia demeurait inflexible : Zlata lui avait donné une mission qu'elle allait remplir et en plus, elle insistait pour rencontrer ce Kirilo, qui avait pourtant si mauvaise réputation. D'ailleurs, Diegis insistait tout autant que Zia pour s'y rendre. Cet objectif de créer des alliances pour résister à leurs nouveaux ennemis permettait non seulement à la Haganita d'être fidèle à sa quête mais également de satisfaire sa curiosité insatiable pour la connaissance. Elle voulait comprendre les croyances de ces gens, tout comme elle l'avait fait le long de son voyage initiatique.

Le chaman aimait beaucoup son épouse et sentait un immense respect le remplir lorsqu'elle posait des questions pertinentes, contrairement à Diegis qui ne faisait que rabrouer Zora. Néanmoins, les pensées contradictoires peuplaient son esprit, semant le trouble. Lui aussi avait des questionnements. Lui aussi avait des sentiments, des certitudes, des envies. Potac semblait partager cette agitation et, comme un écho à sa propre angoisse, le regardait souvent d'un air anxieux.

Ce n'est pas bien, se dit-il une fois qu'il contemplait l'intense nervure marron que la Grande Rivière Mère formait dans l'immense gorge qui se déroulait à ses pieds. Cette couleur était devenue dominante, le fleuve charriant des quantités impressionnantes de terre arrachée aux berges en raison des pluies qui ne cessaient de tomber. Depuis la haute Table du Soleil qui permettait aux villageois d'observer quelquefois les Lepenvis en contrebas, sur l'autre berge, il s'efforçait de résoudre le conflit entre ce que lui dictait son instinct et ce que souhaitait Zia. *Je pense qu'il faudrait que nous nous arrêtions ici. Au moins pour passer la saison des neiges... ou celle des pluies, plutôt, car elles ne cessent pas de tomber et de faire grossir la Grande Rivière Mère. En plus, tout le monde nous apprécie ici ! Mais tout comme je voulais rester au village du Rocher Fendu et qu'elle s'y est opposée, Zia n'écoute que ses propres envies ! Et les miennes alors ? Est-ce que je ne devrais pas utiliser ma force, moi aussi, pour l'obliger à m'écouter ? À me suivre ?!* Néanmoins, l'esprit du cheval et Potac étaient catégoriques : il ne fallait pas employer la violence envers elle. Tout comme le roseau se plie sous la tempête pour ne pas se briser, Kadmeron comprenait qu'il ne fallait pas trop s'opposer, qu'il fallait savoir attendre. Faire preuve de patience. Pourtant, la crainte d'un danger diffus et inconnu commença à l'habiter, à le préoccuper. Cependant, la belle assurance de Zia finissait toujours par vaincre ses réticences.

La jeune femme, quant à elle, avait montré sa coiffe cérémonielle Biephi et échangé quelques cadeaux avec le couple de la chefferie. Veca avait tenté de les convaincre de rester quelques lunes chez eux, mais sans obtenir gain de cause. En effet, Zia était radieuse et surtout déterminée. Les choses étaient parfaitement claires pour elle et elle avait même pu organiser la traversée du fleuve avec le concours d'un allié inattendu.

Ainsi Diegis, le prêtre du serpent, était de son côté, mais pas pour les mêmes raisons. Pour lui, il fallait rencontrer rapidement le Peuple du Poisson, afin de pouvoir revenir au plus vite au Rocher Fendu. Il allait et venait entre les Enfants du Soleil, discutant, distribuant avec parcimonie de petits cailloux d'or, établissant des contacts pour trouver les pirogues et les équipages nécessaires à cette navigation périlleuse.

Zora quant à elle avait fini par s'isoler malgré les tentatives de Zia de nouer des conversations avec son amie du Rocher Fendu. Kadmeron en avait discuté avec son épouse à plusieurs reprises. Mais la jeune Haganita et lui-même avaient réalisé qu'il ne leur serait plus possible d'aider celle-ci, à tout le moins momentanément. En effet, elle semblait totalement soumise à Diegis et avait visiblement accepté le comportement violent et dominateur de son époux. Un tel renoncement était difficile à comprendre pour les deux jeunes mariés, mais ils conclurent qu'ils ne pouvaient pas changer grand-chose et que d'autres tâches plus importantes, et surtout sur lesquelles ils avaient une chance d'agir, les attendaient.

Finalement, au bout de pratiquement une semaine d'attente et d'intenses préparatifs, l'occasion tant attendue se présenta. En effet, le soleil régnait depuis deux jours d'affilée et ses rayons, bien que faibles, avait tout de même pu sécher les berges meubles qui se stabilisèrent. Le long fleuve avait repris une couleur plus verdâtre, son courant avait diminué d'intensité et plus aucun tronc d'arbre n'avait été signalé depuis quelques heures. C'était le moment ou jamais de traverser la Grande Rivière Mère !

Répartis sur six longues pirogues, les deux couples ainsi qu'une dizaine d'Enfants du Soleil formant les équipages se lancèrent sur les eaux puissantes. À l'aide de longs bâtons pour propulser les embarcations tant que le fond était suffisamment proche, ou pour éloigner les éventuels obstacles et s'aidant de rames, chacun commença à pagayer. Cani remuait la queue avec enthousiasme, jappant de joie, couché aux pieds de sa maîtresse, enchantée par ce moment tant attendu.

En raison de sa musculature relativement faible par rapport à ses autres compagnons à quatre pattes, Tache blanche était restée au village de la Table du Soleil. Potac et le cheval prêté par Zlata suivaient en nageant, reliés au départ de la traversée par une longe que Kadmeron et Diegis lâchèrent au bout de quelques minutes pour permettre aux équidés d'évoluer dans l'eau à leur propre rythme. Ceux-ci restaient assez proches, agitant avec grâce et fermeté leurs pattes pour gagner l'autre berge, plus au sud.

L'idée générale était d'avancer dans la largeur et de louvoyer entre les quelques obstacles qui dérivaient encore au gré des courants : mottes de terre, branches, parfois des cadavres d'animaux. Inexorablement, il fallait ne pas contrer la force du fleuve et s'attendre à accoster bien plus bas en aval. Quelques troncs apparurent en amont, mais heureusement ne causèrent pas trop de soucis aux marins. Venant eux-mêmes du Peuple du Poisson, les Enfants du Soleil maîtrisaient en effet l'art de diriger leur pirogue avec dextérité et puissance en sachant mettre à leur avantage la force des eaux.

Au bout de ce que nous qualifierions aujourd'hui d'une demi-heure, les esquifs creusés avec maîtrise dans des troncs d'arbres abordèrent le rivage opposé sans encombre. Les deux chevaux étaient déjà là depuis un moment, se secouant vivement et trottant au soleil pour se sécher. Tout s'était déroulé de façon étonnamment plaisante. Kadmeron jeta un coup d'œil à Zia qui rayonnait, heureuse de cette petite victoire et anticipant la découverte du Peuple du Poisson, qui habitait plus en amont sur la même rive.

Eh bien, c'est autre chose que mes aventures affreuses lors de la traversée de la Sequa ! pensa Kadmeron, à la fois surpris et soulagé de ne pas avoir eu à affronter le renversement de son radeau et la perte de Potac. Tout le monde était arrivé à destination, et au sec. Contrairement au naufrage qu'il avait connu quelques mois plus tôt, à des milliers de kilomètres de là. Même momentanée, leur première séparation avait constitué une épreuve terrible pour le Marteron. Celle-ci l'avait obligé à reconsidérer son voyage, son comportement et même son amitié avec son cheval. Leur relation s'était approfondie. Instinctivement, ce fut donc la première chose qu'il fit une fois le pied à terre : se blottir contre la tête massive de son frère à quatre pattes et le couvrir de baisers. Néanmoins, il n'oublia pas d'en faire de même avec Zia qui le regardait un peu surprise.

Lorsqu'il détourna les yeux, il aperçut Diegis et Zora. Il se devait d'assurer la protection de sa femme, désormais ambassadrice et grande prêtresse du Rocher Fendu, en dépit de son envie d'aller à Magura, dont il savait qu'elle se trouvait sur cette rive-là, mais dans l'autre direction. *Zia ne changerait-elle pas d'avis, maintenant que nous avons traversé sans problème ?*

La réponse était évidente : pourquoi renoncer, pourquoi descendre le fleuve afin de trouver la ville sacrée des Odrys et découvrir la grotte des signes, alors que visiblement leur devoir était de remonter la Grande Rivière Mère afin d'accomplir leur mission ?

Ce ne fut pas sans un certain dépit que le chasseur harnacha les chevaux, arrangeant leur chargement. Ni sans une certaine angoisse qu'il vit les pirogues vides s'éloigner, remontant rapidement le courant à la force des bras des Enfants du Soleil.

Et maintenant, se dit-il, *voyons ce que l'esprit du Cheval, ou celui du Poisson, ont prévu pour nous !*

◆

— C'est encore loin, ce maudit village ?! lança Diegis, excédé. Il marchait devant le cheval où était juchée Zora, le tirant rageusement derrière lui par le licol.

Cela faisait un jour que le petit convoi remontait péniblement la rive droite de la Grande Rivière Mère. Au fur et à mesure de leur progression, les difficultés s'étaient accumulées. Le cheval du Rocher Fendu s'était blessé, en glissant sur la boue omniprésente et Zia avait dû lui faire une attelle à la patte. Cani s'agitait et aboyait un peu trop, inventant des jeux auxquels Zia ne voulait pas participer malgré son insistance. Son enthousiasme avait un peu diminué, mais elle s'était endurcie, résolue à faire son devoir et à satisfaire son envie de connaître ce peuple qui l'intriguait.

Kadmeron était devenu le meneur de la troupe, marchant en tête pour choisir le sentier à suivre. Le relief avait changé, ce qui ne facilitait en rien leur avancée. De ce côté-ci du fleuve, les obstacles s'accumulaient : les falaises se succédaient ainsi que les rochers lisses, devenant glissants sous la pluie, la végétation dense et les zones marécageuses. Il fallait souvent abandonner la berge, beaucoup trop abrupte. En conséquence, le groupe dut s'enfoncer à l'intérieur des terres, et parfois revenir sur ses pas lorsque le passage devenait impraticable.

— Non, plus très loin ! répondit le Marteron au Biephi.

Que pouvait-il lui dire d'autre ? Qu'il ne le savait plus lui-même ? Il jeta un coup d'œil courroucé à Zia :

— Tu vois bien que ce village est trop difficile d'accès ! Nous aurions dû remonter la Grande Rivière Mère avec les pirogues des Enfants du Soleil ! C'est trop compliqué par le rivage ! Il y a trop d'obstacles !

Zia expira longuement. Ils avaient eu ce genre de discussion en contradictoire trop de fois auparavant. Elle se força à parler avec calme :

— Mon chéri, tu sais bien qu'ils ne voulaient pas nous accompagner car ils craignent trop Kirilo. Puis tu connais mon opinion à ce sujet. Nous avons une mission à remplir. Et nous l'accomplirons. En plus, les Enfants du Soleil ne pouvaient pas remonter jusqu'au village du Peuple du Poisson car il y a des rapides dangereux dans les gorges.

— Oui, forcément ! Et surtout aussi parce que là-bas, il y a "des gens qui sont morts", hein ? Et toi, tu veux que nous allions leur rendre visite...

— Nous le devons, oui.

— Avec ce Kirilo, qui est si dangereux ? À quoi bon ? Nous pourrions très bien nous diriger vers Magura en ce moment-même, poursuivre la quête des signes, découvrir d'autres connaissances, d'autres choses qui t'intéressent tout autant que moi… Non ?

— Arrête, Kadmeron ! Tu sais très bien pourquoi nous sommes là, alors pourquoi me fais-tu toujours cette même scène ?! dit-elle d'une voix agacée en fronçant les sourcils.

— Pas si fort, lança le chasseur en baissant volontairement le ton de sa voix.

Derrière eux, Diegis entendait vaguement la dispute, se réjouissant intérieurement de la situation.

Kadmeron ravala sa colère envers Zia. Il l'aimait, oui. Il la désirait, même. Son corps, ses hanches, ses seins si doux et fermes étaient un enchantement pour lui. Son intelligence, ses mimiques lui plaisaient beaucoup, et mêmes ses questions qui n'en finissaient plus, surtout lorsqu'il songeait à l'attitude de Zora, à son effacement volontaire face aux assauts de son mari. Mais à ce moment précis, manquant de trébucher sur les pierres glissantes, fatigué, énervé et frustré, il la détestait vraiment. Et ça, c'était difficile à admettre. Comme un poison qui s'insinuait dans ses veines, dans son cœur.

Je n'ai jamais ressenti ça pour Potac ! Même lorsqu'il s'est retourné contre moi lorsque j'ai voulu... tuer Tigol. Est-ce normal de le détester et de l'aimer en même temps ? Perplexe, il décida de se taire.

— Il faudrait peut-être renoncer et revenir en arrière ! leur cria Diegis, un peu plus loin derrière. Zora ne disait rien, semblant somnoler grâce au cahin-caha que lui imprimait le mouvement infini de sa monture.

Zia se retourna et lui adressa fermement une mise au point claire :

— Diegis, tu sais très bien que Zlata nous a confié la mission d'aller nouer une alliance avec le Peuple du Poisson. Es-tu prêt à revenir les mains vides ? Nous n'en avons plus pour longtemps, puis vous pourrez revenir chez vous.

Celui-ci ravala sa rage. Pour le moment.

◆

La troupe, épuisée et trempée, arriva finalement au sommet d'une colline de la rive droite. À cet endroit-là, la Grande Rivière Mère semblait étranglée par les montagnes, se tordant comme un serpent géant dans la main d'un immense chaman de pierre. Les locaux appelaient ce lieu « Les portes de l'enfer ».

Kadmeron s'arrêta, choqué. Devant lui, tout en bas sur la berge du fleuve, un village s'étalait, comme il n'en avait jamais vu jusqu'alors, même dans ses longs voyages.

— C'est...

— Magnifique ! cria Zia en descendant de Potac. Regarde toutes ses huttes si curieuses !

— On dirait des petits paniers pliés, et elles sont toutes tournées dans la même direction : vers le fleuve ! intervint Zora.

En tournant la tête vers la Table du Soleil, Zia écarquilla les yeux en pensant à voix haute :

— C'est vrai, mais on dirait plutôt la forme de la montagne de la Table du Soleil, en miniature...

Kadmeron tourna son regard et ne put qu'être d'accord avec elle : la ressemblance était frappante. Ils continuèrent leur contemplation. Le paysage était grandiose : la Grande Rivière Mère formait un virage serré vers leur droite un peu plus en aval du gros hameau dont les fumées des foyers s'élevaient tranquillement vers le ciel. Directement à leurs pieds, tout en bas de la colline, le fleuve avait formé un renflement où le courant était beaucoup plus calme, presque inexistant.

— Regarde ! As-tu vu tous ces poissons qui nagent, juste là-bas ? cria le chasseur à sa compagne. Incroyable ! Je n'en ai jamais vus autant !

Zia se pencha et ne put que confirmer : des bancs se distinguaient clairement depuis les hauteurs, se faufilant entre les algues. Des pêcheurs étaient déjà à l'œuvre, soit avec leur canne à pêche, soit avec des nasses sur les quelques pirogues qui voguaient dans cette zone étonnamment calme de l'immense cours d'eau.

— Oui, voici donc le fameux Peuple du Poisson ! Enfin !

déclara-t-elle, souriante.

Le village était entouré par une épaisse forêt et des escarpements rocheux. Bâti sur une plage, au milieu d'une clairière dont le fleuve semblait l'unique voie d'accès, il était constitué de plusieurs rangées de maisons trapézoïdales surplombant la rivière. Les dizaines de cabanes à l'architecture originale faisaient face à la Table du Soleil, le fleuve large et placide à cet endroit formant une véritable barrière liquide entre les deux villages du même peuple. L'un s'était établi près de l'eau, l'autre plus près du soleil.

Lorsque les voyageurs s'approchèrent de leur destination, Cani arriva à débusquer un étroit sentier escarpé, sinueux et étroit, qui les conduisit jusqu'au village. Ils remarquèrent que certaines cabanes étaient à moitié enterrées dans le sol et que chacune disposait d'une cheminée, d'où s'échappaient des fumerolles. Ce qui frappa Kadmeron le plus fut la complexité et la précision de la forme de ces maisons. Il n'avait jamais vu cela auparavant, même dans les constructions solides et imposantes près des grands lacs. Pour ce qui est de la taille de ces habitations, elle était moins impressionnante que la forme. Toutefois, si la forme était la même, il y avait plusieurs tailles de cabanes. Parmi elles, Zia fut étonnée d'apercevoir des rochers assez ronds, qui semblaient représenter des figures humaines mais étranges. En y regardant plus attentivement, elle remarqua que devant chaque maison trônait une sculpture élaborée, chacune différente, juste devant la porte. D'autres roches polies étaient disposées entre les cabanes qui étaient rangées sur des terrasses surplombant le rivage. Quand ils furent un peu plus près, Zia ne put s'empêcher de crier :

— Mais ces sculptures... on dirait bien des humains ressemblant à des poissons ! Vous ne croyez pas ?

— Pouah ! répliqua Diegis, dégoûté. J'en doute.

— Pourtant, c'est vrai que de près avec leurs grands yeux et bouche et les vagues gravées, on dirait bien que ces sculptures rappellent les poissons, précisa-t-elle sans se laisser affecter par la réaction désormais prévisible du prêtre du serpent.

Le convoi fut accueilli avec enthousiasme par les villageois qui se réjouissaient d'avoir de la visite, mais avec méfiance par Zoran, le fils du chef du Peuple du Poisson. C'était un jeune homme de haute stature, à l'air très sûr de lui. Sa barbe naissante traduisait une sortie récente de l'âge de la puberté. Il ne prit pas la peine de se présenter lui-même, l'un des villageois le présentant comme "le fils du Dieu Poisson", s'inclinant avec déférence devant lui.

— Bien sûr que nos statues représentent le poisson, notre dieu à tous ! annonça avec arrogance Zoran lorsqu'il entendit les commentaires des nouveaux venus.

Lorsqu'il apprit que Zia et Diegis étaient respectivement grande prêtresse et prêtre et que ce dernier venait de la Montagne d'Or, une lueur de convoitise scintilla dans les yeux de Zoran. Il se montra dès lors plus ouvert et les invita même dans leur demeure. Celle-ci se trouvait au centre du village, sur une sorte de promontoire artificiel, et la richesse de ses ornements tranchait clairement avec celles qui l'entouraient.

Zia détailla avec intérêt les statues qu'elle rencontrait et remarqua des symboles étranges gravés dessus. Certains ressemblaient aux signes du bracelet en os que Kadmeron lui avait offert parmi les cadeaux de mariage. Il lui avait dit qu'il l'avait trouvé dans une grotte, très loin, près des Montagnes Endormies, là où une paroi entière était couverte de ces signes qui l'obsédaient tant et dont il voulait déchiffrer le sens. Lorsqu'elle lui fit remarquer la ressemblance des signes, Kadmeron en fut complètement conquis, en oubliant toute règle de politesse.

— C'est incroyable ! Comment se fait-il que ce soient les mêmes signes que j'ai vus si loin d'ici ?!

— Je ne sais pas de quoi tu parles, répondit Zoran, l'air indifférent.

— Peut-être que ton père, Kirilo, saurait nous renseigner à ce sujet ? suggéra Zia.

— Peut-être, peut-être, rétorqua Zoran. Mais sincèrement, ces choses-là m'intéressent peu.

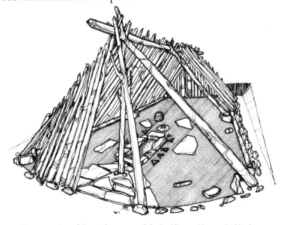

Reconstruction of the roof structure of the buildings of Lepenski Vir I

En pénétrant dans la maison de Kirilo et Zoran, tous furent surpris par le sol qui était recouvert d'un mortier rosâtre, très lisse et bien entretenu. Les murs étaient constitués de peaux d'animaux tendues entre des poteaux verticaux et une poutre supérieure. Le toit était fortement incliné vers la partie la moins arrière. La partie la plus grande dominait l'entrée de la demeure qui correspondait aussi avec le côté le plus large de la forme trapézoïdale de la maison. Encadrant le seuil, deux pierres orientaient les personnes qui y entraient vers les parois latérales, permettant ainsi de facilement se guider même dans la pénombre, et de ne pas buter contre le foyer central de la cabane, encadré par des blocs en grès clair.

Zoran fut suivi de près de Zia qui découvrit l'intérieur de cette demeure avec curiosité. Kadmeron était à ses côtés, alors que Diegis devançait Zora qui fut la dernière à franchir le seuil.

Kadmeron remarqua autour du foyer rectangulaire plusieurs sculptures étranges, disposées sur un autel dont on ne pouvait pas bien deviner le rôle. Un gros galet sphérique était en partie planté dans le sol, tout près. En jetant un coup d'œil à Zia, il remarqua son étonnement et ils échangèrent un regard entendu : sur ce galet étaient gravés des signes évoquant les rayons du soleil. *Pourquoi rejeter le soleil alors qu'il semble que ceux qui ont réalisé ces gravures le respectaient ?!* pensa Zia tellement intensément que Kadmeron fut obligé de la pousser pour avancer afin de ne pas risquer d'offenser Zoran qui ne semblait pas du tout un homme commode.

— Mais, où est ton père, Kirilo ? s'intéressa Kadmeron, voulant enfin découvrir le maître des lieux. Tant de mystère autour du chef des Lepenvis l'intriguait.

Zoran se tourna vers le chasseur, le toisant du regard.

— Kirilo le grand est en train de recevoir le message du Dieu Poisson. Il va bientôt revenir parmi son peuple.

— Comment ça ? demanda Zia.

Zoran se retourna vers son interlocutrice, se pinçant la lèvre.

— Puisque tu es grande prêtresse, tu devrais le savoir, dit-il avec suffisance, mais je vais consentir à t'expliquer quand même.

Zia le regarda d'un air choqué, mais préféra s'abstenir pour le moment. Diegis savourait pleinement l'attitude du fils du chef, comme put le lire Kadmeron sur son visage. Zora quant à elle s'était faite la plus discrète possible.

— Eh bien, explique-nous alors ! l'incita Zia. Nous sommes tous impatients de savoir comment "Kirilo le grand" reçoit le message du Dieu Poisson ! lança-t-elle, une infime pointe d'ironie dans la voix.

Zoran leur fit signe de s'asseoir autour du foyer. Il claqua des doigts et une femme, apparue de nulle part, apporta aux hôtes de marque du poisson séché.

— J'ai demandé qu'on s'occupe de vos montures et du chien, les informa-t-il. Comme vous avez pu le constater, notre peuple doit son existence aux poissons. Au Dieu Poisson, plus exactement. Mon père d'ailleurs, vous initiera à la vraie croyance, et vous expliquera tout cela en temps utile.

Kadmeron et Zia échangèrent un regard complice : toute cette emphase et ce discours leur semblaient bien futiles et exagérés. Néanmoins les mouvements subtils de leur visage leur firent comprendre, et à l'un et à l'autre, qu'il n'y avait pas lieu pour l'instant d'intervenir. L'heure était à l'observation, à l'écoute et à la compréhension des croyances de ce peuple. Tout comme ils l'avaient fait pendant les jours précédents, s'arrêtant dans chaque village pour nouer une alliance, il fallait d'abord savoir entendre ce que leurs hôtes avaient à dire. Faire preuve de beaucoup de patience. Le jeune homme reprit :

— Kirilo le grand s'est plongé dans les eaux pour aller écouter le Dieu Poisson. Il reviendra à la nuit tombée et nous délivrera son message. En attendant, mangeons !

Les convives commencèrent à déguster le poisson séché, qui avait un meilleur goût que celui qu'ils avaient imaginé. En plus, ils avaient plus faim qu'ils ne l'avaient réalisé. Au bout de quelques minutes, Zoran claqua à nouveau des doigts. La même femme apparut, tenant une écuelle en bois, qu'elle posa cérémonieusement au milieu de la table. Zia, fidèle à elle-même, se pencha immédiatement pour étudier ce qui semblait être un nouveau plat de ce repas d'accueil. À l'intérieur de l'assiette, de minuscules billes luisaient. Elles ressemblaient à de toutes petites perles de couleur orange. Leur odeur était curieuse, évoquant celle d'une salaison.

— Les œufs du Dieu Poisson. Goûtez-les, c'est succulent ! déclara Zoran avec fierté.

— Comment ça se mange ? interrogea Zia.

— Avec respect et déférence ! expliqua leur hôte d'un ton sentencieux. Ils sont prélevés sur les femelles saumon au moment de la saison du frai, puis conservés dans du sel pour honorer le

Dieu Poisson.

— D'accord. Peux-tu nous montrer l'exemple, alors ? insista Kadmeron, qui commençait à s'impatienter devant tant de précautions oratoires.

Sans mot dire, Zoran saisit une toute petite cuillère en os parmi celles qui attendaient en tas sur la table, et dont les convives n'avaient pas encore vu l'utilité. Puis il la plongea dans l'écuelle rempli du caviar orangé avant de l'amener sous ses narines. Là, il inspira la fragrance subtile des œufs de saumon avant de prononcer, les yeux fermés :

— Dieu Poisson, donne-moi ta force, ta puissance et ta sagesse !

La cuillère s'enfonça dans sa bouche, mais il n'avala pas tout de suite. Rouvrant les paupières, il expliqua :

— Il est important de laisser les œufs se reposer sur la langue, et de ne pas déglutir immédiatement. Il ne faut pas croquer comme on arrache la chair du poisson séché, mais écraser les œufs entre la langue et le palais. C'est là que l'on sent le mieux leur excellent goût !

Zia ne se fit pas prier deux fois pour goûter ce mets de choix : elle attrapa une petite cuillère en os, et engouffra avec empressement une bouchée généreuse d'œufs orangés. Elle ne prit même pas la peine d'en humer l'odeur, sous le regard courroucé de son hôte. Mais elle n'en avait cure. L'explosion des saveurs sur ses papilles fut tout simplement incroyable. Les petites perles explosaient dans sa bouche, révélant un goût inconnu et merveilleux !

— Mmmm ! C'est exquis ! Tellement bon ! s'extasia-t-elle avec gourmandise.

Les autres éclatèrent de rire. Seuls Diegis et Zoran jetèrent un regard dédaigneux à la jeune femme, complètement conquise par le caviar de saumon.

Le reste du repas se déroula sans incidents. Kadmeron ne nota pas d'hostilité particulière chez Zoran, qui visiblement avait reçu des instructions claires de son père quant à son attitude vis-à-vis des étrangers en son absence. Il n'y avait que peu de baies et de fruits, l'essentiel des plats étant constitué de poisson sous de nombreuses formes possibles.

Une fois qu'ils eurent fini, Zoran demanda à des femmes

d'accompagner ses invités dans deux cabanes séparées, un peu à l'écart du village, où l'on logeait les hôtes de passage.

— Quand verrons-nous Kirilo ? demanda le chasseur.

— Attendez jusqu'au soir ! Il vous apparaîtra, précisa Zoran avec un air énigmatique.

✦

La surface de l'eau s'irisait sous l'éclat de la lune. Les étoiles, pâles, s'y miraient dans la nuit claire et fraîche. Une brise constante agitait les joncs tout autour. Le calme régnait dans le village du Peuple du Poisson. La soirée était déjà bien entamée, et Kadmeron se demandait si le mystérieux chef de ces villageois dévoués allait faire son apparition un jour.

— Il arrive ! Il va sortir de l'eau ! cria soudain quelqu'un dans une des cabanes.

Rapidement, les Lepenvis sortirent de leurs maisons, saisissant des torches pour les plonger dans le foyer rituel avant de quitter le seuil. Lentement, sans mot dire, ils et elles se rassemblèrent le long du rivage, projetant la lumière de dizaines de torches enflammées sur les galets. Les ombres dansaient avec les vaguelettes venant lécher la berge.

Instinctivement, Kadmeron et Zia décidèrent de suivre le mouvement collectif, s'assurant que Diegis et Zora feraient de même. Les deux couples ne cachaient pas leur curiosité, s'échangeant des regards étonnés au fur et à mesure qu'ils avançaient vers le centre du village des Lepenvis. Ils s'approchèrent de la cabane du chef, et se placèrent sur la grande place circulaire qui se trouvait juste devant. Ils observaient ce qui allait se passer, impatients. Leurs regards interrogateurs allaient d'un point à l'autre du village : les habitants convergeaient inexorablement, reproduisant un cérémonial maintes fois répété. Les torches allumées se balançaient au bout de leur bras, zébrant les airs comme autant de papillons lumineux.

— C'est magique... prononça Zora, sous le charme des flammes dansantes.

Hommes, femmes et enfants commencèrent alors à se diriger vers l'aval du puissant fleuve, s'éloignant un peu de leur village. Ils marchaient vers la Crique du Tilleul, cette large zone d'eau tourbillonnante où le poisson était abondant. Les voyageurs s'étaient insinués dans le cortège de plusieurs dizaines d'habitants.

Finalement, la foule aboutit à destination. Les torches se levèrent plus haut, révélant la haute stature d'un homme qui attendait. Zoran était là, juste devant le rivage, habillé dans une tunique immaculée. Autour de lui, deux poteaux en bois sculptés étaient éclairés par de nombreuses torches fichées dans le sol. Les flammes s'agitaient, montrant des bouches et des formes ciselées dans les totems, évoquant des poissons nageant dans les ondes et s'élevant de l'eau.

Une clameur venue des habitants se fit entendre :

— Nous sommes venus !

— Nous sommes là !

— Viens à nous, ô Dieu Poisson !

— Dis-nous la vérité, ô Kirilo le grand !

Zoran leva les bras et demanda à l'assemblée :

— Hommes et femmes du Peuple du Poisson, du peuple élu parmi les peuples, êtes-vous prêts à recevoir le message du Dieu Poisson ?

— Oui, nous le sommes ! prononcèrent-ils d'une seule voix.

— Bien. Alors appelons notre Dieu ! Tous ensemble !

— Kirilo ! Kirilo ! Kirilo ! entonnèrent les croyants tout en martelant le sol à l'aide de leurs jambes.

La litanie continua quelques instants, alors que les vibrations sourdes des impacts des personnes frappant la terre de leurs pieds se ressentaient jusque dans les tripes. Kadmeron regarda autour de lui, éberlué. Zia croisa son regard étonné, et il y lut également la surprise et le choc.

Puis le cri d'un enfant mit fin à la transe, pointant du doigt et sautant d'excitation :

— Il est là ! Je le vois !

À quelques mètres, dans l'eau, une forme émergea, éclairée par les dizaines de torches des fidèles. Zoran tonna :

— Laissez-le arriver, et appelez-le !

— Kirilo ! Kirilo ! Notre Dieu ! Viens à nous !

Zia et Kadmeron regardaient la scène, stupéfaits. La forme sortit de l'onde. Un crâne. Une tête recouverte d'une capuche d'écailles. Une tête d'homme. Des yeux fermés. Des cicatrices sur le front, les joues. Une barbe épaisse d'où coulait de l'eau.

— Kirilo !!!

Les yeux s'ouvrirent, brillants.

— Kirilo ! Notre Dieu Poisson !

L'homme s'avança vers le rivage. Lentement. Ses épaules émergèrent à leur tour. Couvertes d'écailles, elles aussi. Kadmeron n'en croyait pas ses yeux.

— Ki-ri-loooo ! continuait la litanie de cris des habitants.

Sa poitrine était large, et l'eau ruisselait, tombant comme la pluie à la surface de la Grande Rivière Mère. L'homme-poisson s'arrêta, puis cracha de l'eau en direction des fidèles, plantés sur le rivage. Il écarta d'un coup ses bras, et sa voix grave déchira le silence :

— Peuple du Poisson ! Je suis revenu des eaux ! Il inspira un grand coup et avança de deux pas. J'ai reçu le message du Dieu Poisson, clama-t-il solennellement.

Aussitôt, hommes et femmes plantèrent leur torche et s'agenouillèrent en adoration devant lui. Les deux couples restèrent respectueusement en retrait, inclinant simplement la tête.

Kirilo continua de s'avancer, révélant sa taille, ses genoux puis enfin ses pieds, protégés par de solides sandales en peau de silure. L'eau s'écoulait de tout son corps recouvert d'écailles géantes. De ses bras toujours écartés, il invita d'un geste lent ses fidèles à se relever. Son regard acéré allait d'un habitant à l'autre :

— Mes enfants, notre Dieu est préoccupé. Quelque chose suscite son irritation. Les eaux vont se troubler !

Un murmure d'inquiétude parcourut la foule.

— Mais quoi ? osa une voix en baissant immédiatement la tête.

Zoran couvrit respectueusement les épaules de son père avec une couverture dont les motifs évoquaient encore les écailles du poisson. Il en profita pour chuchoter quelques mots à l'oreille de Kirilo. Ce dernier fit mine d'avoir compris et congédia son fils d'un geste de la tête.

— Je vous le dirai demain, mes enfants. Mais il est clair que notre village devra obéir pour ne pas entraîner la colère du Dieu Poisson. Pour le reste, je vous demande de faire bon accueil à nos quatre invités venus de loin.

Un brouhaha d'assentiment accompagna l'ordre du grand prêtre du poisson.

— Maintenant, retirez-vous dans vos cabanes, mes enfants ! Nous nous verrons demain !

Kadmeron voulut se diriger vers Kirilo, mais Zoran l'en dissuada d'un revers de la main. Ce n'était pas encore ce soir-là que la rencontre aurait lieu. Zia croisa le regard de son époux et lui dit, enthousiaste :

— Quelle sortie des eaux ! As-tu vu comme il semblait émerger, comme un poisson ? C'était... étonnant !

Le chasseur la regarda un peu de travers et rétorqua :

— Oui, répondit-il sans grand enthousiasme. Un poisson qui respire comme un homme.

15.
Zia

Kirilo n'organisa aucune fête en honneur des voyageurs et fit preuve de beaucoup de pragmatisme. Il leur posa des questions tout de suite sur les motifs de leur venue. Les deux couples lui expliquèrent brièvement ce qui était arrivé au Village du Silex, puis au Rocher Fendu et la menace qui pouvait s'étendre jusqu'à la Grande Rivière Mère.

— Pour être franc avec vous, ces Budas dont vous me parlez ne me font pas peur le moins du monde. Avez-vous remarqué comme c'est difficile d'arriver chez nous ?

— En effet, le sentier est étroit et abrupt et le fleuve vous protège, répondit Kadmeron.

— Conclure une alliance avec la Ginte du Rocher Fendu serait néanmoins un avantage pour tout le monde, insista Zia, malgré le sourire narquois qui se dessina sur le visage de Diegis et qu'elle avait remarqué puisqu'elle attendait son soutien.

— Ha ! Quel avantage une telle alliance pourrait nous apporter ? ricana Kirilo.

— Laisser donc vos semblables se faire tuer par des sauvages ne vous importe pas du tout alors ? s'indigna Kadmeron sans pouvoir se retenir.

— Pas du tout, confirma sarcastiquement Kirilo sans ciller.

— Peut-être alors que l'or vous fera changer d'avis ? intervint enfin Diegis en étant sûr de l'effet que sa proposition aura sur l'homme en face de lui.

— L'or peut en effet s'avérer plus intéressant, dit-il en se tournant vers le prêtre du serpent et en changeant l'inclinaison de son sourire.

— Suffisamment intéressant pour vous faire vous engager dans une telle alliance ? insista Zia.

— Oui, cela peut se discuter, mais parlons de cela après avoir rempli nos ventres car j'ai faim.

✦

Après deux jours d'âpres négociations et plusieurs cadeaux et échanges, Kirilo finit par accepter l'alliance avec les Biephis, en s'engageant à les aider en envoyant des hommes au cas où des attaques allaient se produire au Rocher Fendu. Il fit également savoir ce qu'il pensait des Enfants du Soleil, qu'il osa même accuser d'être de mèche avec les gens qui voulaient la guerre. Personne parmi les voyageurs ne sembla accepter une telle version, même Diegis qui avait l'air d'apprécier beaucoup cet homme imbu de sa personne, que tout le monde craignait, vénérait et à qui on obéissait. Pourtant, personne ne fit aucune remarque à ce sujet car ils avaient tous compris que contredire Kirilo pouvait être périlleux.

Le prêtre du serpent décida qu'il était temps de revenir au Rocher Fendu car la mission était accomplie et il voulait avoir une chance d'arriver avant les grosses tombées de neige. Zora essaya de l'en dissuader, ainsi que Zia et Kadmeron, en lui proposant de rester jusqu'à la saison de la renaissance, mais sans succès. Grâce à une transaction établie avec des cailloux d'or, Diegis réussit à obtenir le poisson séché que Zlata lui avait demandé en plus de l'alliance. Lorsque Zora suggéra de rester et de revenir plus tard avec Kadmeron et Zia, le prêtre du serpent faillit la frapper devant tout le monde. Il arriva à s'abstenir au dernier moment, sous les regards noirs de Kadmeron qui était prêt à se battre avec lui.

Le lendemain matin, Zora et Zia eurent du mal à se quitter. La jeune Haganita serra longtemps son amie dans ses bras et profita de cette dernière occasion avant longtemps pour lui chuchoter à l'oreille que ce que Diegis lui faisait subir n'était pas normal. Qu'il faudrait ne plus accepter ce genre d'attitude et que si elle était décidée à le quitter, ils allaient l'aider si elle voulait venir avec eux à Magura, leur prochaine destination dont le départ n'était pourtant pas encore bien défini. La femme Biephi n'osa même pas envisager une telle alternative.

Diegis fut beaucoup plus bref dans ses adieux et sembla même soulagé de partir. Il avait réussi à obtenir une pirogue de Kirilo qui les transporta sur l'autre rive, profitant d'un soleil éclatant qui donnait de l'espoir quant à l'arrêt des pluies incessantes qui s'enchaînaient depuis des jours et des jours risquant de submerger même le village des Lepenvis.

Après la séparation, Zia revint sur ses pas, pensive. Elle se sentait triste pour son amie qui ne semblait pas réaliser que, si elle ne changeait pas d'attitude, Diegis continuerait à abuser de son amour, de sa confiance. *Pourquoi les gens ne m'écoutent-ils pas ? Pourquoi ai-je l'impression de parler dans le vide, comme on remplit sans fin une corbeille qui n'a plus de fond ?*

Elle réalisait que Zora n'était pas la seule à faire cela avec elle : lorsqu'elle avait parlé plusieurs fois à son amie auparavant, son corps était bien là, ses oreilles étaient ouvertes, mais rien ne semblait rester dans sa tête. Comme un panier sans fond. Soudain, une autre pensée triste et décevante lui vint : *Kadmeron fait pareil avec moi, parfois. Je sais qu'il m'aime, qu'il veut m'écouter, mais il ne comprend pas toujours. Ce n'est pas juste !*

Se sentant mélancolique, elle réalisa cependant que, pour la deuxième fois en quelques jours, elle se retrouvait dans un endroit extraordinaire, tout près de la Grande Rivière Mère. Elle repensa à la Gorge des Ancêtres et à Lidova, qui l'avait quittée beaucoup trop tôt. En souriant tristement, elle se dit que s'il y avait bien une personne sur Terre qui l'écoutait complètement et faisait bien attention à ce qu'elle disait, c'était sa Grand-ma ! Désormais, elle se sentait plutôt seule, à prévenir celles et ceux qu'elle aimait, et qui pourtant n'arrivaient pas à tenir compte de ses avertissements faits avec amour et compassion. Que faire malgré tout ? Comment réussir à communiquer avec eux ?

Je ne peux pas tout résoudre ni tout comprendre sur les oreilles intérieures des autres. Donc, au lieu de me morfondre, je vais essayer d'en apprendre plus sur ce peuple si étonnant ! se proposa-t-elle, se redonnant du courage.

Un pas après l'autre, sans vraiment s'en rendre compte, elle avait quitté le rivage et se rapprochait du centre du village. Les cabanes, ouvertes, permettaient de distinguer facilement l'intérieur. Des scènes de la vie quotidienne s'y déroulaient, comme partout ailleurs, constata-t-elle avec un sourire : des femmes tissaient, des hommes écaillaient des poissons ou les séchaient. Des enfants jouaient avec des poupées et des petits animaux en bois. Des adolescents balayaient le sol rougeâtre des cabanes et les alentours. Il était essentiel de maintenir la propreté partout. Elle aimait cela !

Certains des habitants entretenaient un grand feu juste à l'extérieur, dans une immense rigole tapissée de grandes pierres plates. Les flammes s'élevaient à hauteur de cuisse et diffusaient leur chaleur.

C'est peut-être une sorte de "porte de feu", qui réchauffe et empêche les animaux sauvages et les intrus d'entrer, songea Zia, très intriguée.

D'autres avaient fermé leur cabane et préféraient garder leur intimité. Elle s'arrêta pour contempler une hutte vide. S'approchant, elle vit juste au centre le foyer profond et rectangulaire que chaque habitation comportait. La lumière l'éclairait bien, et elle put observer clairement la pierre gravée représentant le Dieu-Poisson qui trônait au centre de la cabane. *On dirait un œuf de pigeon géant !* pensa-t-elle en s'amusant. *Je me demande à quoi ressemblerait le nid d'un tel oiseau capable de pondre de tels œufs !*

Elle avait pu constater que chaque cabane comportait l'une de ces lourdes pierres gravées, entre quarante et soixante centimètres de haut. Étonnantes, on y reconnaissait bien les yeux, mais aussi la bouche et les oreilles des ancêtres disparus qui s'étaient transformés probablement en poissons. L'une d'elles l'avait profondément marquée, avec les commissures des lèvres tendues vers le bas, comme la marque d'une tristesse éternelle. Elle arborait comme des sourcils, mais sous les yeux. *Une vraie carpe, celle-là !* pensa-t-elle, troublée par l'importance du monde de l'eau chez le Peuple du Poisson.

Continuant son exploration, elle remarqua une autre effigie avec une bouche affreuse qui faisait une grimace. *Sans doute un grincheux !* Une autre, sa préférée, avait les yeux ronds, les sourcils en bas, et également de magnifiques écailles ! *Si j'avais habité ici lorsque Grand-pa est mort, à quoi aurait pu ressembler Danil sur sa statue de poisson ?* se demanda-t-elle, curieuse mais passionnée par cette possibilité inattendue. Elle continua son inspection discrète.

De loin, elle réussit à observer une famille rendre hommage à sa statue familiale et confirmer ses soupçons : chacun déposait devant la pierre gravée des morceaux de poisson séché, de la bouillie de céréales, plus rarement des morceaux de viande, des fleurs, des algues. Puis on brûlait ces offrandes dans le petit foyer aménagé à cet effet.

C'est étonnant ! songea-t-elle avec gratitude. La tristesse de la séparation d'avec Zora s'estompa petit à petit dans son cœur.

16.
Kadmeron

Kadmeron s'était levé tôt ce matin-là avec Zia. Ils n'avaient pas pu faire l'amour, bouleversée qu'elle était par le départ de Zora et la perspective de ce qu'elle risquait d'endurer avec Diegis. Légèrement énervé par ses réticences et ne pouvant pas s'endormir, ils en avaient discuté ensemble tard durant la nuit. Contrarié, le Marteron avait dû tout de même constater que lui non plus n'avait pas vraiment envie de partager les plaisirs avec sa femme. En lui décrivant les récents événements, les soucis qu'ils avaient, la jeune Haganita lui avait démontré que le manque de désir sexuel n'était pas seulement son fait à elle, mais également du sien, à lui.

Ce sentiment totalement désagréable de ne pas pouvoir contrôler la rigidité de son membre était nouveau pour Kadmeron. Il avait totalement confiance dans sa virilité qui jusqu'alors ne l'avait jamais trahi, permettant de s'accoupler quand bon lui semblait. Or cette-nuit-là, son corps n'en avait pas eu envie, apparemment. Cette révélation le troublait. Oui, il était d'accord avec les explications qu'elle lui avait fournies. Peut-être qu'il ne pouvait pas avoir des érections sans cesse, après tout. Ils avaient finalement réussi à s'endormir dans les bras l'un de l'autre, réconciliés malgré leurs discussions qui n'avaient pas été de tout repos.

D'ailleurs, pendant leurs conversations, Zia lui souriait, calmement, sans sembler être affectée par ce qui lui paraissait être une sorte de drame intime. Secret. Au moins pour lui-même. Ce décalage entre elle et lui, entre ses propres sentiments et ceux qu'elle lui avouait concernant le fait de faire l'amour ou pas était étrange. Comment était-ce possible, alors que jusqu'à présent, elle et lui étaient si bien alignés ? Qu'elle ne se refusait jamais à lui ? Pourquoi n'avait-il pas pu durcir la nuit précédente ? Est-ce que cela voulait dire qu'il s'était refusé à elle sans s'en rendre compte ? Non. Ce n'était pas lui. Mais qui ou quoi en lui-même ?! Était-ce un esprit malfaisant qui le guettait ou le punissait ?!

Une certaine tension emplissait l'air et semblait l'affecter, lui seul. Et en plus Zia ne paraissait pas impactée par tous ses questionnements. Il devait donc se changer les idées.

— Allons nous promener dans le village ! proposa-t-il. Peut-être apprendrons-nous de nouvelles choses.

— Oui, tu as raison ! rétorqua la jeune femme. Il y a toujours des choses à apprendre, peu importe l'endroit où on se trouve.

En dépit de ses doutes, Kadmeron sourit à Zia. *Elle n'y est pour rien, il y a quelque chose qui se manifeste en moi*, pensa-t-il. Se prenant par la main, ils sortirent de leur cabane. En face d'eux, le grand fleuve coulait majestueusement vers le levant. Ils tournèrent la tête, contemplant le village. Une trentaine de huttes étaient là, toutes tournées vers la Grande Rivière Mère et la Table du Soleil qui se dessinait, gigantesque, sur l'autre rive. Ces eaux leur apportaient la subsistance et l'abondance. Pas étonnant que le Peuple du Poisson vouait une telle dévotion à cet animal qui leur permettait de manger, de s'habiller, de construire des outils et même leurs maisons.

Les cabanes étaient de différentes tailles. L'une d'elle, à l'autre bout du village, était si petite qu'elle semblait plus à une tente. Celle du chef, au centre, était la plus spacieuse et la plus opulente. La majorité des habitations occupait le même volume, pouvant abriter de deux à six personnes. Leur forme, inclinée vers l'arrière, était surprenante et caractéristique. Les voyageurs n'avaient jamais vu cela ailleurs. Même chez les Enfants du Soleil qui avaient choisi des formes élaborées.

De la fumée s'échappait de la plupart des maisons, car toutes comportaient un foyer qui servait à la fois pour préparer la cuisine et effectuer des rituels quotidiens. De forme rectangulaire, celui-ci était creusé dans le sol et couvert de pierres plates. Tout autour, le sol de la hutte était enduit d'une préparation rougeâtre très solide et étanche.

Le couple déambulait lentement, s'approchant de la rive et contemplant attentivement toutes ces constructions inédites. Ils passèrent près d'un four où l'on cuisait quelque chose à très haute température. La chaleur les fit se reculer puis contourner le bâtiment.

— Que brûlez-vous ici ? demanda Kadmeron à l'un des artisans.

— De la pierre rouge ! répondit l'un d'entre eux, pendant que son collègue surveillait l'intensité du foyer.

— De la pierre *rouge* ? s'étonna Zia.

— Oui, regardez, nous la prenons d'ici ! précisa leur interlocuteur, en soulevant une brassée feuillue de tilleuls. Dessous, il leur montra un tas de calcaire rougeâtre. Les gravas étaient disposés en grand tas à côté du four, protégés des intempéries et de la vue des nouveaux venus par plusieurs couches de branches disposées les unes sur les autres.

— D'où viennent ces morceaux de pierre rouge ? demanda Kadmeron, intrigué. Ce n'est pas de l'ocre, d'après ce que je vois.

— Pas loin d'ici ! Mais nous ne devons pas en parler avec les étrangers ! lança-t-il méfiant.

Kadmeron fit mine de continuer la visite. Zia le retint par le bras.

— D'accord, mais vous en faites quoi avec ? insista Zia, qui ne voulait pas lâcher l'affaire aussi facilement.

— De la pâte à sol ! avoua finalement l'artisan. Il se mit à sourire à la jolie jeune femme, qui lui rendit sa gentillesse en se rapprochant pour lui toucher le bras. Elle jouait de ses charmes et

Kadmeron la regarda un instant, cramoisi, avant de comprendre qu'elle arriverait à en savoir plus de cette manière. *Ah bon, elle se sert de sa beauté, maintenant !*

— De la pâte à sol, comme c'est intéressant ! Tu pourrais m'expliquer ce que vous faites avec ?

L'homme était heureux d'avoir suscité l'intérêt de la belle étrangère et ne se fit pas prier. Son collègue maugréa sans rien dire, jetant encore des bûches dans le feu qui se mit immédiatement à les dévorer.

— La pâte à sol sert à recouvrir le sol, comme son nom l'indique, répondit-il avec un rire niais.

— Et comment se prépare cette pâte ? continua Zia.

— Lorsque la pierre rouge est brûlante, elle se brise. Nous la sortons du four pour qu'elle refroidisse. Après ça, on la mélange avec de l'eau, du sable et du gravier. Tout ça colle un peu comme la sueur des poissons ! Et puis nous l'étalons sur le sol de nos huttes. La pâte refroidit pendant quatre jours, et voilà !

— Eh bien, je suis conquise avec tout ce savoir-faire ! Et pourquoi en mettez-vous par terre dans vos maisons ?

— Parce que c'est plus facile à maintenir propre et puis les bêtes qui sont dans le sol ne peuvent pas remonter.

— Ah, ça c'est très ingénieux ! pensa Zia à voix haute en se rappelant ce que sa grand-mère lui avait appris sur les petites bestioles qui provoquaient des maladies.

La guérisseuse lui fit un baiser sonore sur la joue, suivi d'un sourire ravageur pour le gratifier de son explication. Même Kadmeron, pourtant conscient de la scène qu'elle jouait, ne put s'abstenir de rougir de surprise. *Incroyable ce qu'elle est prête à faire pour soutirer des informations, celle-là !*

Gêné par ces marques de tendresse dont il lui semblait qu'il détenait l'exclusivité, Kadmeron décida qu'il était urgent de sortir sa femme de là.

— Eh, mon brave, la pâte à sol que tu prépares là, elle est destinée à une hutte en particulier ou quoi ?

— Oui, le village est en train de construire une nouvelle cabane, un peu plus haut par là-bas, déclara l'artisan montrant un endroit sur la pente, vers le couchant. Un jeune couple vient de s'unir et nous participons tous à la construction !

— Oh ! Chouette ! On va voir ça ? demanda Zia, sautillant

de joie.

— Oui, allons-y tout de suite ! soupira Kadmeron, trop heureux d'arracher les lèvres de son épouse aux joues de ce représentant du Peuple du Poisson.

Le chantier était en pleine effervescence. Kadmeron et Zia y arrivèrent pour découvrir d'autres hommes et femmes qui travaillaient tous ensemble. Au sol, un large triangle rougeâtre d'une vingtaine de mètres carrés, équilatéral, se distinguait clairement. Sa base, orientée vers la Grande Rivière Mère, était en forme d'arc de cercle. Son sommet était tronqué.

Les artisans, sur leurs genoux, étaient penchés par terre. Au-dessus de la terre bien nivelée et tassée, ils y versaient la pâte à sol, à peine préparée et encore toute chaude qui venait du four. Tout autour du triangle, une tranchée large d'une main et profonde de deux avait accueilli du gravier et du sable pour drainer le ruissellement de l'eau de pluie.

Des femmes allaient et venaient en silence, prenant des mesures avec de grandes perches en bois. Deux par deux, elles les posaient, vérifiaient visuellement leur position avec le sol triangulaire. Puis elles marquaient un endroit avec une entaille avant de repartir pour couper le poteau en bois à l'endroit en question.

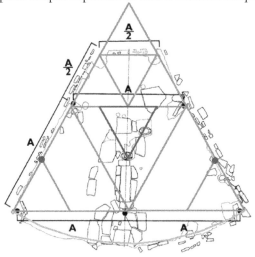

Kadmeron était fasciné par ce processus aussi élaboré que silencieux. Tous les participants savaient exactement quoi faire, comme s'ils avaient reproduit les mêmes gestes de nombreuses fois auparavant. Zia était muette, elle aussi. Tous les Lepenvis agissaient de concert, sans chef, sans ordres et parfaitement synchronisés. Comme dans une danse. Une danse de charpenterie muette et précise.

Car c'était évident pour le Marteron : toutes les cabanes étaient érigées sur le même modèle et, s'il ne pouvait pas encore le formuler avec nos termes modernes, les habitations n'en adoptaient pas moins la même structure architecturale. Seule l'échelle variait : plus petite pour les maisons modestes, plus vastes pour la cabane du chef. Après avoir assisté, médusés, à la préparation d'un des premiers mortiers calcaires, nos deux voyageurs étaient donc maintenant témoins du premier montage en série d'habitations standardisées de leur époque ! Ils n'en croyaient pas leurs yeux.

Telles des fourmis ouvrières bâtissant leur fourmilière, tout était coordonné, et le résultat collectif était magnifique à observer. Il suffisait aux villageois de se regarder, de faire quelques signes clairement établis pour que l'ossature en bois de la hutte se propulsât en hauteur, conférant à la base horizontale une existence et un volume dans la troisième dimension.

Pendant que l'enduit calcaire séchait, manifestant concrètement au sol la taille du triangle équilatéral que la hutte finale allait occuper, les perches étaient croisées pour former autant de triangles équilatéraux, plus petits, déterminant strictement la position des poteaux de soutien.

Zia et Kadmeron écarquillaient les yeux, allant de surprise en émerveillement : sous les coups précis et puissants du plat des haches, les poteaux étaient enfoncés dans la tranchée de drainage qui ceignait la fondation, dans des espaces creusés en préalable, avant que le gravier et le sable ne recouvrît le bois pour l'isoler de la terre afin de lui éviter de pourrir trop vite. Puis les poteaux étaient entrelacés, se rejoignant en leur sommet grâce à du cordage solide et finement tressé. Le squelette en bois de la cabane était là, debout, devant eux, en quelques minutes !

— C'est... incroyable ! lâcha Kadmeron, au comble de la stupéfaction.

La grande prêtresse était elle-même bouche bée. La hutte était pratiquement prête. Certes, le toit et les parois en peau tannée manquaient encore, mais au vu de l'expertise des constructeurs, il ne faudrait que quelques jours pour réaliser les finitions.

Soudain, le jeune couple apparut, rayonnant de bonheur. Les ouvriers crièrent de joie et battirent des mains en les voyant.

La jeune épouse, souriante, déclara :

— Merci à tous pour votre travail !

Plusieurs voix joyeuses s'élevèrent :

— Ne nous remercie pas ! C'est notre devoir !

— C'est notre plaisir !

— C'est la tradition !

Le jeune époux sourit à l'assemblée et déposa une statuette ronde à l'effigie du Dieu-Poisson, juste devant l'excavation parallélépipédique qui allait accueillir le futur foyer. Il se releva et déclara :

— Je l'ai gravée moi-même, et Kirilo le grand l'a bénie ! Il va venir pour consacrer notre cabane.

À ces mots, le grand prêtre fit son apparition. Revêtu de son manteau et de sa capuche de poisson, il venait du centre du village. Zoran était debout à ses côtés, surveillant attentivement l'assemblée et le chantier. Une ovation enthousiaste les accueillit. Toutes les personnes présentes s'inclinèrent révérencieusement, à l'exception de Zia et Kadmeron qui firent un signe de tête poli et respectueux.

— Mes amis ! Quelle joie de voir qu'une nouvelle cabane vient agrandir notre village !

Hommes et femmes se relevèrent, heureux. Un mariage était toujours une fête en ces temps difficiles. Kirilo leva les mains vers le ciel, puis vers la grande rivière, avant de continuer, s'adressant au couple qui se tenait par la main :

— Par ma voix et par mes gestes, le Dieu-Poisson bénit ces lieux et cette nouvelle maison. Que ce sol rouge soit propice à vos ébats et vous apporte rapidement de nouveaux enfants ! De nouveaux poissons à deux pattes !

Tous levèrent les bras en l'air, célébrant avec des cris de joie l'événement. La nouvelle hutte était consacrée, et la vie continuait sous de bons auspices pour le Peuple du Poisson.

◆

Ce matin-là, Zia sortit de leur hutte et découvrit de gros flocons qui tombaient en abondance. Émerveillée, elle réveilla Kadmeron qui avait déjà ouvert les yeux :

— Viens voir comment il neige ! C'est tellement beau ! dit-elle enthousiaste.

— Oh, non ! grogna-t-il. Je savais que nous devions partir avec Diegis et Zora pour avoir le temps de revenir au Rocher Fendu avant les saisons de neiges. Je te l'avais bien dit ! lui lança-t-il de mauvaise humeur.

Zia le regarda stupéfaite pendant un instant puis protesta :

— Je veux rester ici pour apprendre plus de choses sur ce peuple et comprendre leurs croyances sur le poisson. À peine avons-eu le temps de voir comment construire une de leurs merveilleuses cabanes. Même toi tu as apprécié, admets-le ! répliqua-t-elle boudeuse. Je ne comprends pas pourquoi tu es si pressé de revenir au Rocher Fendu.

— Parce que nous en avons besoin... répondit-il en se frottant les yeux, encore sous l'emprise du sommeil.

— Je pensais que nous étions d'accord de sortir de l'emprise de Zlata et de ses manipulations. Veux-tu mettre ta liberté entre ses mains ? lança Zia en sachant qu'il y tenait tout autant qu'elle.

— Non, tu sais très bien ce que je veux.

— L'or pour la quête des signes-mots, continua-t-elle. Et je comprends, même si cela ne me semble pas lié. D'ailleurs, je trouve très intéressants ces signes qui me passionnent aussi depuis que Grand-ma m'a appris la signification de l'Amulette des Saisons, ajouta-t-elle en portant instinctivement sa main au médaillon qui pendait autour de son cou, près de son amulette-totem. Mais pour l'or... continua-t-elle dubitative.

— Alors pourquoi ne pas partir à la grotte de Magura ? l'interrompit-il. Si tu ne veux pas revenir au Rocher Fendu pour extraire l'or qui nous permettra de continuer notre voyage, nous pourrions y aller directement, proposa-t-il avec espoir.

— Mais nous n'avons même pas encore appris la signification des signes qui se trouvent ici, protesta-t-elle. Et tu veux déjà partir ! Ce n'est plus une quête mais une course...

— Je ne comprends pas ce que tu veux insinuer ! Toi, aussi, tu n'as pas eu la patience de rester au Rocher Fendu, s'emporta Kadmeron.

Zia le regarda d'un air compatissant. Le ton de sa voix se fit presque maternel.

— Pour comprendre les choses, il faut prendre le temps d'aller plus en profondeur, de poser des questions, d'écouter les gens, essaya-t-elle d'expliquer du mieux qu'elle pouvait le fond de sa pensée.

— Mais qu'est-ce qu'il y a à comprendre ici, chez les Lepenvis ? À part que ce Kirilo s'impose par la force et oblige tout le monde à lui obéir et à le vénérer. Comme s'il était le Dieu Poisson comme il le prétend... Franchement Zia, est-ce là que tu veux passer la saison des neiges ?

— Oui, répondit-elle calmement. Apparemment, tu ne veux rien entendre.

— J'essaye, mais je ne comprends pas ce que tu veux apprendre, répéta-t-il.

— Pour ta quête, à combien de Lepenvis d'ici as-tu posé des questions concernant les signes qui sont gravés sur leurs nombreuses statues présentes dans le village ? Ou ceux des murs, affichant des scènes de chasse ? poursuivit-elle.

— Des scènes de chasse ? s'étonna-t-il. Je n'en ai pas vues...

— Parce que tu n'as pas cherché à apprendre grand-chose... Et pour le nombre de villageois, j'imagine que ce n'est même plus la peine que j'insiste, dit-elle en lui tournant finalement le dos, excédée par sa mauvaise foi et sa superficialité.

— Très bien, pour ce qui me concerne, je n'ai plus rien à faire ici ! conclut Kadmeron, furieux, en quittant la cabane.

17.
Zia

Zia décida de ne pas le suivre, malgré l'envie qu'elle avait de revoir la neige qui tombait dehors. Elle prépara une tisane avec des fleurs de tilleul en comptant sur son effet apaisant pour calmer les nerfs de son homme. Les femmes du village lui en avaient données beaucoup et ce fut ainsi qu'elle apprit que le nom des Lepenvis venait justement de cet arbre-ci, qui se trouvait en abondance dans la région.

Lorsque la tisane fut prête, elle remplit deux pots à anse en terre cuite et sortit à la recherche de Kadmeron. Elle le trouva près de la berge, accroupi à côté d'une grande tête en pierre qui le dépassait en hauteur lorsqu'il était dans cette position-là. Elle avait déjà remarqué cette grande statue en grès, couverte d'un enduit rougeâtre, qui symbolisait le Dieu-Poisson, selon les dires de Kirilo. Enfoncée dans la berge, dominant le fleuve, la grande tête aux yeux ronds et à la bouche énorme similaire à ceux des poissons, semblait émerger des ondes liquides et impressionnait par sa taille.

— Bon, je viens pour faire la paix, annonça Zia en lui tendant un des deux pots fumants.

Kadmeron se retourna en sursautant, ne l'ayant pas entendue arriver. Il tendit la main pour attraper la tisane qu'il n'avait pas eu le temps de boire car il avait quitté la maison pour ne plus avoir à se disputer avec sa femme.

— D'accord. Merci, finit-il par dire. C'est très beau comme il neige, ajouta-t-il en souriant.

— Il était temps car je commençais à croire que la saison blanche ne viendrait plus ! répliqua-t-elle.

— Quant à moi, je craignais de revivre le cauchemar avec la furie des eaux avec toutes ces pluies qui ne cessaient pas de tomber... pensa-t-il à voix haute sans pouvoir dissimuler son émotion.

— Oh, je suis désolée ! Je ne l'avais pas réalisé, avoua Zia en s'approchant de lui et en l'enlaçant de ses bras, par derrière, tout en faisant attention à sa tisane. Elle déposa un baiser tendre sur son cou.

— C'est très dangereux de rester ici, si près de ce fleuve immense avec autant de pluies, dit-il soucieux. Je le sais parce qu'une nuit près de la Rhoda avec Potac, le fleuve avait grossi sans que je m'en rende compte et avait failli emporter tout mon équipement pendant que nous dormions !

— Mais il ne pleut plus, répliqua Zia, le sourire aux lèvres.

— La neige c'est quand même de l'eau, ne se laissa pas berner Kadmeron. Mais pourquoi veux-tu tellement rester ici ?

— Parce que cela me permettrait de terminer peut-être mon voyage initiatique sans avoir à aller jusqu'à la source de la Grande Rivière Mère, dit-elle. Les techniques de construction et de pêche qui se trouvent ici sont suffisamment innovantes et étonnantes pour que je puisse revenir chez moi, comme Grand-ma l'avait fait aussi lorsqu'elle avait appris les secrets de la terre et de l'élevage de certains animaux à Ripiceni, expliqua-t-elle à voix basse. Je ne veux pas me faire bannir de chez moi, ajouta-t-elle après une courte pause et après s'être assurée que personne ne pouvait les entendre. Un nuage assombrit son visage et sa lèvre inférieure se mit à trembler.

— Mais Zia, tu dis n'importe quoi, tu ne risques pas de te faire bannir ! s'insurgea-t-il. Tu es déjà guérisseuse et prêtresse comme le prouve même ta coiffe que Zlata t'a donnée. Non ? N'est-ce pas suffisant ?!

Zia ne répondit rien, en regardant au loin la majestueuse Table du Soleil qui s'érigeait vers le ciel.

— Puis n'oublie pas ce que tu m'as raconté que ta grand-mère t'avait donné comme conseil. Un excellent conseil, d'ailleurs, ajouta-t-il après un court moment.

— Lequel ? se retourna-t-elle tout à coup.

— D'écouter ton cœur, Zia ! C'est le plus sage conseil que j'ai entendu et tu devrais vraiment le suivre... dit doucement

Kadmeron.

— Mais toi aussi tu étais parti pour chercher les signes-mots et puis l'or est devenu plus important pour toi ! protesta Zia sans vouloir admettre qu'il avait raison de lui rappeler les dires de Lidova.

— Je ne vois pas le rapport ! s'emporta Kadmeron.

Zia expira longuement, ayant de plus en plus de difficulté à rester calme. Elle pouvait presque sentir l'onde de choc, la nervosité palpable de son mari qui la secouait comme une feuille d'arbre sous le vent. Mais quelque chose la poussa à tout avouer, à dire sans ambages ce qu'elle avait sur le cœur depuis si longtemps et qu'elle avait retenu en elle. Elle inspira avant d'annoncer :

— Le rapport entre les deux est que tu veux revenir au Rocher Fendu pour l'or. Depuis que tu l'as vu, que tu l'as touché, il t'obsède. Comme une autre femme ! Tu ne peux plus dormir la nuit et tes pensées se dirigent toutes vers cette chose brillante qui semblent tourner les têtes de tout le monde ! Regarde Vlad, le Patriarche ! Il était lui aussi obsédé par l'or. Tu as pu constater comment il traitait Zlata, non ?! Regarde Diegis ! Tu as vu comme il maltraite Zora ? Lui aussi ne pense qu'à ce maudit or ! Toujours ! Tout le temps ! Et tu commences à me traiter exactement comme ça ! lança Zia sans ménagements.

Le Marteron recula sous le choc de l'accusation, alors que son visage reflétait l'impact de son trouble.

Des villageois s'étaient arrêtés et commençaient à regarder curieusement le couple à une distance respectueuse. La discrétion que le sens de l'hospitalité leur imposait leur dictait de ne pas montrer trop d'intérêt à l'événement inhabituel qui se déroulait à proximité. Surtout lorsque cela concernait une grande prêtresse étrangère, mais l'intensité des éclats de voix était désormais impossible à nier. Zia s'en rendit compte et son visage rougit à vue d'œil. Elle commença à regretter ses paroles, lancées au vu et au su de tous. Mais il était trop tard.

Incapable de se calmer mais ne voulant pas transformer sa rage en violence physique contre celle qu'il croyait aimer mais le provoquait délibérément devant tout le monde, Kadmeron serra si fort l'anse de son pot qu'elle céda sous son emprise et se fracassa contre le socle en grès de la statue du Dieu-Poisson. L'écho lugubre du bruit de la cassure résonna un instant. Le visage de Kadmeron se déforma d'un rictus.

— Très bien, tu n'as qu'à rester ici alors, dans ce cloaque humide et froid ! bouillonna-t-il de rage. Il tremblait de colère et continua à la déverser, ne contrôlant plus la violence de ses mots : J'en ai assez de tes maudits rêves de connaissance et de découverte de la croyance des autres ! Tu ne m'écoutes plus depuis des semaines ! Tu t'obstines à vouloir continuer cette fichue quête que tu as déjà terminée depuis longtemps ! Tu n'entends plus ton cœur, mais ta fierté qui est désormais tellement haute qu'elle atteint même les nuages ! Et puisque tu considères que je suis obsédé par cet or, qu'en plus je te traite comme ce lâche de Diegis, je m'en vais dès demain !!! Tu n'auras plus jamais à subir ma soi-disant violence, je te libère de ma présence, annonça-t-il en quittant subitement les lieux tout comme il l'avait fait plus tôt dans la cabane. Les quelques villageois témoins de l'altercation tournèrent silencieusement la tête et reprirent le cours de leurs occupations quotidiennes. Cani rejoignit Zia mais n'osa pas aboyer en sentant le désarroi de la jeune femme.

Zia baissa tristement les yeux. Les empreintes des pas du chasseur dans la neige étaient les seules traces de sa présence quelques instants plus tôt. Une rafale de vent froid s'engouffra dans le lit du fleuve, frappant de plein fouet le village du Peuple du Poisson. Une larme brûlante coula doucement sur la joue glacée de Zia. Quelque chose s'était brisé en elle. Quelque chose d'immense.

La jeune femme se mit à déambuler dans le village sans savoir où elle allait, suivie en silence par Cani. Comme tétanisée, son cerveau n'arrivait plus à réfléchir. Elle ne voulait pas penser comment surmonter cette douleur atroce qu'elle ressentait, provoquée par l'homme qu'elle aimait le plus au monde. Elle réalisa que jamais auparavant elle n'avait senti une telle souffrance. Titubant, ses pas la portèrent tant bien que mal jusqu'à une statue couverte d'un revêtement rouge qu'elle n'avait pas remarquée auparavant. Mesurant presque la moitié de sa taille, Zia la regarda avec surprise. Elle ressemblait à une femme, au contraire de celle qu'elle avait vue devant la cabane de Kirilo qui avait plutôt une allure masculine. La caractéristique commune aux deux, et à pratiquement toutes les effigies de pierre qui gardaient chaque maison du Peuple des Lepenvis, était leur ressemblance à des poissons. Même si les éléments qui la faisaient penser aux attributs féminins étaient assez limités, les traits étaient symétriques, et deux évents étaient gravés sur ses épaules. Le corps bien arrondi, les seins recouverts de ses mains, cette statue semblait incarner l'esprit féminin du poisson. Pour Zia, cette découverte fut un choc. Suivi d'une envie irrépressible d'appeler à l'aide.

— Je vous en supplie, déesse du Poisson ! Ouvrez les yeux et les oreilles de mon homme ! se surprit-elle à prier à voix basse en s'accroupissant près de la grande statue rouge. Aidez-le à comprendre que le mal ne peut être soigné sans trouver sa racine tout comme la plante vénéneuse continuera à pousser si sa racine reste enfouie dans la terre !

Zia appuya son front contre la statue froide qui semblait contempler le ciel avec ses grands yeux ronds. Sa grande bouche ouverte rappelait plutôt celle d'une carpe que celle d'un humain. Courbée vers le bas, elle semblait exprimer le même sentiment de désarroi qu'elle ressentait elle-même en ce moment-là.

18.
Kadmeron

La traversée s'était déroulée rapidement, sans trop de difficultés. La barque des Lepenvis avait été menée efficacement sur la rive gauche de la Grande Rivière Mère, et Potac avait suivi l'embarcation en nageant. Le chasseur avait su que Kirilo, le grand prêtre du poisson, avait facilité son départ et donné des instructions en conséquence. Mais tout cela n'avait plus d'importance, désormais. Il était sûr de lui. Certain de son choix. Il avait besoin de paix, de tranquillité. De calme. Pour savoir ce qu'il devait faire.

Kadmeron avait quitté la berge sans regarder en arrière, sans même répondre au salut des pêcheurs du Peuple du Poisson. *Tout cela est fini pour moi*, pensa-t-il.

Il sauta sur le dos de Potac, après avoir vérifié et fixé son harnachement. Tout l'équipement était là, bien accroché. Il palpa rapidement les pierres ovoïdes protégées par le sachet pendu à son cou, avant de pousser sa monture vers l'avant. La neige tombait et les flocons, légers, glissaient des nuages anthracite comme des pétales immaculés.

La Table du Soleil était un peu plus en amont et il y serait en peu de temps. Il ne regardait pas vers l'autre rive, là où il savait qu'elle était restée. Là où elle avait pris une décision contraire à la sienne. Contre ce qu'ils avaient construit ensemble. Contre tout.

Il déglutit difficilement, et son cheval hennit faiblement, comme s'il avait compris sa lutte intérieure, à quoi et surtout à qui il pensait.

Zia.

Tout était allé si vite.

Il avait prononcé des mots terribles. Les regrettait-il ? Impossible à dire encore. Mais c'était parce qu'elle lui avait pratiquement craché ces paroles-là. Ce *poison-là*. Qu'elle avait mis en doute son amour, sa façon à lui de l'aimer, de la respecter, de l'écouter.

Ce n'est pas ça. Et tu le sais.

C'était quoi, alors ?

L'or. Ce que l'or provoque en toi. Ce qu'il tue en toi. Ce qu'il t'oblige à faire et à dire.

Avait-elle vu juste ?! Se pouvait-il qu'elle eût raison, une fois de plus ? Toujours et encore ?! Comme une sorte de malédiction de la vérité qu'elle seule pourrait proférer et que lui ne saurait jamais s'approprier ? Difficile de l'admettre.

Oui. Bien sûr.

C'est si... injuste. Moi aussi je peux avoir raison !

Il chassa ces pensées sombres de son esprit. Kadmeron sourit au vent froid, car il était étrangement fier de s'être retourné face à l'insulte, de s'être abstenu de la frapper pour la faire taire, pour lui montrer que c'était lui le plus fort. Il était heureux de lui avoir démontré que *lui* savait se maîtriser, que *lui* était capable d'éviter de recourir au poison des mots. Il s'était *arrêté*, lui. *Pas* elle. Mais était-ce vraiment la même chose ?! La vérité fait mal, mais n'était-ce pas mieux d'en être conscient ?! Le doute s'immisçait en lui, et toutes ses questions revenaient sans cesse...

Pour faire face à l'urgence de la violence intérieure qu'il avait ressentie à ce moment précis, une colère si destructrice qui ne demandait qu'à sortir de sa poitrine, à se manifester dans sa bestialité, dans un coup dont il savait qu'il aurait pu être fatal, un besoin impérieux de silence, de séparation immédiate l'avait alors saisi quand elle avait prononcé ces mots-là.

Il vécut à nouveau les sensations terribles qui l'avaient accaparé en quelques secondes. Qui avaient mobilisé toutes ses pensées, toutes ses forces. Sa rage s'était transformée en un éclair. Comme dans un rêve où il se blessait de son propre fait, où il se tailladait ce bras-là qui voulait s'abattre sur cette femme, sur son épouse chérie. Kadmeron avait alors senti ce qu'il réalisait désormais comme étant l'intervention magique de l'esprit du Cheval. Comme une nécessité de s'induire lui-même une fatigue si subite et si accablante pour éviter d'envoyer sa main lourde et vengeresse sur ce beau visage tant aimé, de la frapper et de la jeter à terre.

Kadmeron le savait pertinemment et en tremblait encore : il l'aurait tuée. D'un coup. Comme il aurait mis à mort Tigol s'il avait laissé libre cours à sa colère. Comme il avait massacré le chasseur solitaire de la Rhoda lorsque sa rage n'avait pas connu de limite. S'il avait écouté sa violence intérieure quand Zia l'avait provoqué, et déclenché sans le savoir toute la puissance de sa fureur, il aurait commis quelque chose d'irréparable.

Alors l'esprit du Cheval était intervenu. Il était devenu si faible dans son corps, si intensément déçu, si immensément triste, si implacablement fatigué et las, qu'il s'était retourné, sans un mot. Qu'il était parti.

Oui, Kadmeron était fier de s'être abstenu, d'avoir vaincu la bête, l'animal blessé en lui qui se serait battu jusqu'à la mort.

Elle m'a blessé. Oui. Si fort.

J'ai eu si mal.

Elle m'a fait mal.

Alors, il était étrangement content d'avoir marqué son désaccord si puissamment, de s'être retiré, sans se jeter sur elle pour la vaincre.

Mais, qu'y avait-il vraiment à vaincre ?! Étais-je en danger ?! Me menaçait-elle de mort ?!

Il n'osait s'avouer la réponse négative à toutes ces questions qui le troublaient. Comme un cri étouffé, comme un hurlement silencieux, quelque chose en lui ressentait le ridicule immense de toute cette situation, de tout ce conflit. Des proportions exagérées qu'il avait prises. Mais la gêne causée lui apparaissait comme une sensation diffuse, comme une petite démangeaison à la marge de sa conscience. Elle le dérangeait à peine. Il ne voulait pas en outre qu'elle vînt troubler ses pensées.

Car son esprit était ailleurs. Le bruit des sabots qui s'enfonçaient dans la neige. Le balancement du corps de son cheval. Son ami. Son *seul* ami. *Zia est-elle devenue... mon ennemie ?*

— Potac ?! Kadmeron ?! C'est bien vous deux ?! cria une voix un peu plus loin.

Le chasseur releva la tête. Il reconnut Mirko. Il était arrivé au village des Enfants du Soleil sans même s'en rendre compte.

✦

Kadmeron était depuis quelque temps de retour parmi ses amis de la rive gauche de la Grande Rivière Mère. Goran était enchanté de son arrivée, et lui avait demandé de tenir sa promesse d'enseigner son art de la chasse aux hommes et femmes du village. Il fut soulagé et heureux d'être si bien accueilli.

À Veca qui s'en était vivement inquiétée, le Marteron avait expliqué que Zia continuait sa mission auprès de Kirilo et voulait en apprendre davantage sur le Peuple du Poisson. La cheffe n'avait pas semblé accepter complètement sa version, mais n'avait pas posé davantage de questions. Elle était suffisamment préoccupée par la nécessité de pourvoir aux besoins de la ginte pour l'hiver qui s'installait.

Un matin qu'ils s'exerçaient au tir à l'arc, Mirko lui demanda :

— Kadmeron, tu nous as expliqué comment pister le gros gibier, comment le rabattre et l'encercler. Mais est-ce que l'on peut utiliser toutes ces connaissances contre d'autres humains qui font la guerre ?

Le chaman se recula, surpris. Il s'insurgea :

— Non ! Bien sûr que non ! L'arc et les flèches ne nous ont pas été donnés pour ça !

Le pêcheur le considéra un moment avant d'ajouter :

— Mais tu nous as bien expliqué pourtant, pendant une des veillées, que des villages des Grands lacs ont été attaqués, non ? Et les Budas, ceux qui ont massacré le Village du Silex et celui du Rocher Fendu, eh bien je pense qu'ils ont utilisé ces techniques de chasse pour vous surprendre et vous attaquer. N'est-ce pas ?

Kadmeron s'assit, soudainement las, excédé par ces faits qui étaient véridiques et qu'il ne pouvait nier.

— La Mère-Terre nous a donné ces armes pour ôter la vie à des animaux pour pouvoir maintenir la nôtre. Il faut toujours rendre hommage aux esprits des cerfs, des lapins ou des chèvres à qui nous prenons la vie pour prolonger la nôtre. Nous ne devons pas tuer sans raison.

— Ce n'est pourtant pas ce que font ces guerriers ! Rendent-ils hommage aux villageois qu'ils ont massacrés ? Ont-ils pris leur vie pour prolonger la leur comme la Mère-Terre nous l'a enseigné ? intervint Goran.

Le Marteron le regarda longuement, ne trouvant rien à y redire. *Qu'aurait répondu Zia à cela ?* Curieusement à ce moment-là, il eut cruellement besoin de lui poser directement la question. Mais elle n'était plus là. *C'est parce que je suis parti. Parce que je l'ai laissée sans regarder en arrière*, songea-t-il, alors qu'une boule se formait dans sa gorge. Il renifla.

— Eh bien moi, déclara le chef des Enfants du Soleil, je vais demander à mon peuple de bien apprendre ce que tu nous enseignes, Kadmeron, pour pouvoir nous défendre ! Nous ne nous laisserons pas massacrer sans rien faire si on nous attaque.

Hommes et femmes levèrent les bras en signe de défi.

— Oui, nous nous défendrons ! crièrent-ils d'une seule voix.

Kadmeron les regarda tristement. Quelque chose était en train de changer tout autour de lui. Quelque chose se tendait, comme la corde d'un arc. Il se leva et contempla en vain l'autre rive du fleuve, couverte d'une épaisse brume.

Ayant réfléchi un long moment, il se retourna prestement alors que ses apprenants commençaient à se retirer dans leurs cabanes, pensant que la leçon du jour était terminée :

— Attendez ! Je pense que la chasse à l'homme n'est pas bonne, et je ne suis pas tout à fait d'accord avec vous tous, c'est vrai. Pour moi, la chasse au gibier est nécessaire, et seulement celle-ci. Mais je peux vous enseigner autre chose si vous voulez. Qu'en dites-vous ?

Goran s'approcha.

— Eh bien, pourquoi pas ? Nous pouvons ne pas être d'accord tout en restant amis, n'est-ce pas ?

Le chef fit signe à celles et ceux qui n'étaient pas partis de revenir écouter le Marteron.

— Oui, bien sûr ! soupira Kadmeron, soulagé.

Il comprenait la position des Enfants du Soleil maintenant qu'il avait pu vivre quelques jours auprès du Peuple du Poisson et ressentir une certaine tension dans l'air. Sans parler de l'attaque sanglante des Budas. Il se rappela qu'il avait aidé les villageois du Rocher Fendu à se préparer, à riposter et même à vaincre les assaillants. Il avait lui-même senti la rage de la guerre, le sentiment d'injustice et de colère qui changeaient sa perception des relations entre les humains. Pourtant, il y avait quelque chose qui l'empêchait d'utiliser ses compétences de chasseur pour répondre à la violence. Quelque chose de sacré. La parole de la Mère-Terre ?! Il soupira avant de continuer à expliquer :

— Eh bien, il y a un enseignement qu'Ausgon, le chaman des Marterons, avait commencé à me transmettre, quelques lunes avant que la furie des eaux n'engloutisse mon village.

— Ah oui ? Et lequel est-ce ? demanda Mirko, curieux.

Kadmeron rassembla ses souvenirs. La nostalgie le frappa.

— La peinture sur les parois de nos cavernes. Je ne peux pas vous la montrer car elles sont très loin ici, mais je peux au moins vous en parler et vous dire ce qu'elle représente, affirma-t-il avec regret.

— Raconte-nous alors ! lui intima Goran en le regardant avec compassion. N'écoutons-nous pas tous nos propres histoires ?

— Oui, c'est vrai ! confirma le chasseur. Eh bien, comme tous les chamans, Ausgon maitrisait la carte des étoiles. Il la peignait et l'utilisait pour prévoir les choses.

— La carte des étoiles ? s'intéressa Goran.

— C'est ça. En fait, dans la grotte sacrée des Marterons, nos ancêtres ont peint toutes leurs observations, comme lorsqu'on trace une carte sur le sol avec une branche pour indiquer le chemin à suivre. Si on sait bien les lire, on peut voir le nombre de lunes après le début de la bonne saison pour que les bisonnes soient en chaleur. Et puis le nombre de lunes pour qu'elles mettent bas. Ça nous aide à savoir quand nous pouvons chasser, quand se passe leur migration et plein de détails de ce type. De nombreuses cavernes peintes se trouvent partout chez les Saveronacs !

— Vous avez encore des bisons par chez vous ? s'étonna Goran. Il n'y en a presque plus par ici, depuis que les pluies tombent. Ils se sont retirés plus loin, vers les grandes plaines.

— Chez nous aussi la catastrophe de l'eau les avait faits partir. Plus vers le nord. Certaines tribus les ont suivis, mais pas la nôtre. *Peut-être aurions-nous dû le faire...* songea-t-il sans pour autant oser prononcer à voix haute ces pensées qui auraient tant changé pour lui.

— Et la carte des étoiles ? insista Mirko.

— Eh bien, je n'ai pas eu l'occasion de trop apprendre

216

d'Ausgon, répondit Kadmeron avec un immense soupir. Mais avant de partir pour le territoire des esprits, Ausgon m'avait enseigné que certains animaux se retrouvent dans les étoiles. Que plusieurs étoiles dessinent des aurochs, des chevaux, des cerfs.

— Ah oui ? Nous connaissons cela, nous aussi. En fait, il y a plusieurs gintes et des tribus qui ont une telle carte du ciel, comme tu l'appelles. Mais il y a des différences entre elles. J'ai compris que beaucoup par ici voient des poissons. Apparemment, chez vous, on y voit d'autres animaux.

Kadmeron s'enthousiasma soudain. La carte du ciel était quelque chose qui existait un peu partout.

— Tout à fait ! Quand Kalina, une femme Odrys que nous avons rencontrée il y a quelques jours, nous a parlé de la vache céleste...

— Halipta ? intervint Mirko.

Le chasseur sursauta, stupéfait.

— Oui ! Tu la connais ?

— Bien sûr ! À Magura, ils adorent la vache céleste. Et le chemin du soleil passe par Halipta et ses enfants.

Ce fut au tour de Kadmeron de s'étonner.

— Le chemin du soleil ?

— Oui, confirma Goran. Le soleil prend un chemin tous les jours du lever jusqu'au coucher. Tu l'as remarqué, quand même ! lui lança-t-il en rigolant et en lui tapant l'épaule. Il visite plusieurs étoiles et des animaux-étoiles pendant la nuit. Mais tout au long des saisons, il va voir d'autres animaux-étoiles, un peu plus haut ou un peu plus bas dans le ciel. Ça dépend, et c'est pas toujours facile de le suivre. Parfois, nous avons même peur que le soleil ne se lève plus. Mais il y a des sages qui savent ce qu'il faut faire et qui nous évitent de mettre le soleil en colère !

Les yeux de Kadmeron s'illuminèrent. *Je pourrais alors terminer mon enseignement sur la carte des étoiles !* songea-t-il avec une joie indicible.

— Quoi ?! Y en a-t-il un ici ? Un sage, un chaman ?

Son interlocuteur resta bouche bée en entendant la question. Après un instant de silence, il répondit :

— Eh bien... non, affirma Goran.

Mirko s'insurgea :

— Ce n'est pas vrai, Goran, et tu le sais ! osa-t-il le défier.

Le chef toisa le pêcheur du regard, visiblement en colère.

— Dis-le-lui ! C'est notre hôte ! À qui nous donnons l'hospitalité et qui nous transmets son savoir. Il a aussi le droit de savoir ! insista Mirko.

Le regard de Goran se durcit. Le chef des Enfants du Soleil réfléchit un moment puis se décida. Kadmeron resta silencieux, ne comprenant pas la raison de ce conflit entre les deux hommes. Le chef se retourna vers le chasseur et avoua :

— Mirko a raison. Ce que je t'ai dit n'est pas totalement vrai. Notre peuple, les Lepenvis, a bien un chaman.

— Ah bon ? Et qui est-il ? demanda Kadmeron, plein d'espoir.

— Il nous a bannis en quelque sorte. Et tu le connais déjà. Il s'appelle Kirilo.

19.
Zia

Zia n'arrivait pas encore à croire que Kadmeron était parti. La même question tournait en boucle dans sa tête : *Comment un homme peut-il aussi facilement et rapidement quitter sa femme alors qu'ils se sont engagés à rester ensemble pour la vie ?* Elle ne réussissait pas à comprendre comment une dispute pouvait entraîner des conséquences aussi graves. Certes, ils avaient déjà eu des discussions en contradictoire, s'étaient même disputés et étaient restés fâchés pendant des heures, voire des jours. Et durant ces périodes-là, ils ne se parlaient plus et se jetaient des regards pleins de reproches. Pourtant, c'était la première fois qu'il la quittait ainsi. Allait-il revenir ?!

Après le départ précipité de son homme, Zia resta toute la journée enfermée dans la cabane. Elle ne voulait pas de la pitié des Lepenvis, craignant d'affronter leurs regards et surtout leurs questions. Surtout celles de Kirilo. Qu'allait-elle pouvoir leur répondre ? Que devait-elle leur dire ? Devait-elle, d'ailleurs, s'expliquer ? Pourtant, le soir, une femme vint frapper à sa porte et lui demanda de se rendre dans la cabane du Dieu Poisson. Zia lava son visage en s'aspergeant d'eau froide, en espérant que ses yeux rougis par les larmes allaient retrouver un aspect normal. Désormais, elle ne pouvait plus fléchir. Il lui fallait faire face à la dure réalité : celle de son choix de rester, que Kadmeron avait contesté jusqu'à l'extrême.

— Entre, Zia ! l'encouragea Kirilo d'une voix presque doucereuse lorsqu'elle franchit le seuil de sa maison, éclairée par tellement de torches qu'il y faisait aussi clair qu'en plein jour.

La jeune femme, surprise par un accueil plus chaleureux que celui dont le chef avait fait preuve jusqu'alors, esquissa un sourire.

— Il parait que tu souhaitais me voir, commença-t-elle en avançant de deux pas à l'intérieur de la demeure qui lui sembla bien plus spacieuse que la première fois qu'elle l'avait visitée.

— Oui, je voulais t'inviter à manger avec moi ce soir car j'ai entendu que tu es seule.

Zia déglutit difficilement et conserva le silence, ne sachant pas quoi dire. La fixant avec ses yeux sombres où des lueurs étranges semblaient danser, Kirilo continua :

— C'est donc vrai que ton homme t'a quittée, conclut-il sans même poser la question.

— Non, ce n'est pas vrai ! protesta sans réfléchir Zia.

Kirilo eut un faible mouvement de recul, puis se pencha à nouveau vers elle.

— Ah ! Pourtant j'ai cru comprendre qu'une de nos barques l'a amené sur l'autre rive du fleuve, non ? demanda-t-il avec un sourire malicieux qui reflétait tout sauf le doute.

Zia hésita un instant.

— En effet, il a traversé la rivière. Cela ne signifie pas qu'il m'a quittée, ajouta-t-elle fermement sans pour autant le croire elle-même.

— Dans tous les cas, je ne vois pas quel homme serait assez stupide pour abandonner une femme aussi belle que toi ! lança-t-il en l'invitant avec sa main à s'asseoir. Viens me rejoindre ! Une grande prêtresse et guérisseuse comme toi ne devrait pas dîner toute seule, ajouta-t-il d'une voix suave. Ses scarifications rituelles se plissèrent dangereusement sur son visage lorsque les commissures de sa bouche se relevèrent.

Zia sentit ses joues s'enflammer et baissant sa garde, elle décida qu'elle pouvait profiter de cette occasion pour apprendre plus de choses sur les croyances du Peuple du Poisson. Elle lui sourit donc et prit place sur le siège en bois que Kirilo lui désignait de la main.

— Eh bien, je te remercie pour l'invitation, lança-t-elle finalement.

Le chef prit place à son tour.

— Donc est-ce que ton homme est-il stupide ? demanda-t-il sans ciller et affichant un sourire amusé sur le visage.

— Non, je ne pense pas, répondit-elle simplement, ne souhaitant pas se laisser entraîner dans cette discussion, mais ne voulant pas non plus paraître totalement dénuée de politesse.

— Alors pourquoi est-il parti ? insista Kirilo.

Prise au dépourvu par cette question à laquelle elle n'avait pas eu le temps de préparer de réponse, Zia réfléchit quelques instants avant d'ouvrir sa bouche.

— Il est parti parce que nous avions des opinions différentes.

— Ah bon, et à quel sujet ? s'intéressa Kirilo aussitôt.

— Oh, ce n'est pas si important ! tenta d'esquiver Zia.

— Cela devait quand même être important s'il est parti. D'ailleurs si mes informations sont correctes, il me semble qu'il a décidé de revenir à la Montagne d'Or... n'est-ce pas ? demanda-t-il en fixant Zia d'un regard intense pour étudier chacune de ses réactions.

— En effet, soupira-t-elle.

— Donc, il est bien stupide comme je le pensais, conclut-il en posant sa main sur celle de Zia.

Bien qu'elle sentît un frisson parcourir son bras, Zia n'était pas sûre de l'effet que cet homme autoritaire provoquait en elle. Ce n'était pas du plaisir, elle en était certaine, ni du dégoût. Quelque chose d'indéfinissable pourtant l'empêcha de retirer sa main. Kirilo continua :

— Même si je peux comprendre sa fascination pour l'or, car il est difficile d'y résister... le préférer à toi, une femme si attirante, une grande prêtresse ayant beaucoup d'atouts, me semble incompréhensible. Moi-même, bien que j'aie plusieurs femmes, je serais honoré d'avoir une épouse telle que toi, Zia, et je ne la laisserais certainement pas seule, affirma-t-il avec une voix pleine de sous-entendus qui flatta néanmoins la jeune femme. Elle se contenta juste de sourire sans prononcer aucun mot.

D'ailleurs, que pouvait-elle dire ?! Elle fournissait de grands efforts pour dissimuler sa tristesse et l'incompréhension face à la réaction extrême de Kadmeron, qui, en effet, l'avait bien laissée seule, au milieu de ce Peuple du Poisson qu'ils venaient à peine de rencontrer. *Est-ce que je compte vraiment si peu à ses yeux ? Est-ce que j'ai seulement imaginé que j'occupais une place spéciale dans son cœur ? Pourquoi s'est-il uni à moi ? Est-ce que tout ce que nous avons vécu, avons fait ensemble, nos promesses, nos envies... est-ce que tout cela n'était qu'un rêve ? Un mauvais rêve ?!* se demanda-t-elle tristement. Abattue, elle perdit un moment le cours de la réalité.

— Tu en serais d'accord, alors ? demanda Kirilo.

Elle sursauta.

— D'accord... avec quoi ? s'étonna Zia réalisant qu'elle n'avait pas entendu la question, trop absorbée par ses propres pensées et ses doutes profonds au sujet du comportement de son époux.

— Eh bien, de devenir mon épouse, bien sûr ! précisa Kirilo avec un large sourire.

Zia en resta bouche bée. Elle n'en croyait pas ses oreilles, mais ne voulait surtout pas le faire répéter en ne souhaitant qu'une chose : changer de sujet. Au plus vite.

— Tes femmes doivent être contentes d'avoir été choisies par toi, mais pour ce qui me concerne, j'ai déjà un époux et selon nos traditions et coutumes chez les Haganitas, nous ne pouvons pas avoir plusieurs hommes. D'ailleurs, un mari ne peut pas avoir plusieurs épouses, non plus, ajouta-t-elle. En fait, si je comprends bien ce que tu dis, cela signifie que chez les Lepenvis c'est possible. Est-ce que les femmes peuvent-elles avoir aussi plusieurs époux ? demanda Zia en supposant la teneur de la réponse mais en espérant ainsi se sortir de cette mauvaise passe. Elle commençait à se sentir assez mal à l'aise.

— Ha ! éclata de rire Kirilo. Non, une femme ne peut se marier qu'à un seul homme, précisa-t-il en essayant de redevenir sérieux.

— Mais comment ça ? s'insurgea-t-elle. Pourquoi un homme peut-il épouser plusieurs femmes, mais une femme non ? questionna Zia sans se laisser démonter, outrée par cette injustice qui lui offrait un bon prétexte pour se sortir de la difficulté de répondre à la proposition de Kirilo.

Les traits de son visage se durcirent légèrement.

— Tu m'as mal compris, répliqua Kirilo. Ce n'est pas *n'importe quel homme* qui a le droit d'épouser plusieurs femmes, précisa-t-il en lançant une œillade provocatrice à Zia.

— Ah ! J'ai mal compris alors, confirma-t-elle en étant tentée de poser davantage de questions mais ne voulant pas s'étaler sur le sujet pour retomber dans le piège de Kirilo. Tout était devenu clair désormais. Amèrement clair.

Elle sentait que malgré la fascination qu'il pouvait susciter, cet homme pouvait s'avérer dangereux. Elle ne savait pas pourquoi, mais son intuition lui intimait fortement de rester prudente à son égard. Zia décida donc de dévier la discussion sur les sujets qui l'intéressaient davantage. Elle se recula sur sa chaise, et picora quelques morceaux de poisson séché avant de demander :

— Dis-moi Kirilo, puisque cela faisait quelque temps que je voulais te demander, comment est né le Peuple du Poisson ?

Le grand prêtre la regarda en souriant et se cala dans ses fourrures.

— Il y a bien longtemps de cela, si longtemps que les montagnes tout autour de ce village n'étaient même pas encore nées, il n'y avait pas d'hommes et de femmes qui marchaient debout, commença-t-il l'histoire en adoptant un ton dramatique et théâtral. Il n'y avait même pas d'animaux pour courir sur la lande, voler dans les airs ou nager dans les eaux. Il n'y avait que le vent, l'eau et la terre. Il n'y avait que le jour et la nuit.

Zia sourit, intriguée par ce nouveau récit de la création du monde. Après ce que leur avait raconté Kalina, elle était littéralement fascinée par ces histoires primordiales. Elle sourit intérieurement : *comment Kadmeron n'est-il pas resté, rien que pour écouter cela ?* Kirilo reprit après une pause, savourant l'effet que ses paroles avaient sur son auditrice :

— Un jour, un arbre a poussé tout près de la rivière, près d'ici. Il est devenu si grand en puisant sa force de l'eau que ses feuilles sont devenues aussi brillantes que l'eau de pluie.

— De quel arbre s'agissait-il ? demanda-telle, curieuse. L'autre la regarda intensément, comprenant enfin comment il pouvait susciter son intérêt.

— C'était un tilleul. Un arbre fort et vigoureux. Il transmettait la puissance des eaux du fleuve à ses feuilles. En grandissant, elles étaient si fortes, si vivantes, qu'elles ne tombaient pas. Pourtant, elles voulaient revenir vers la Grande Rivière Mère. Mais le tilleul ne les laissait pas partir, ni quitter ses branches. C'est alors que l'une d'elles, révoltée de sa captivité forcée, se mit à bouger. À vibrer si fort, d'un côté comme de l'autre, puis à briller comme un éclat de lune, qu'elle se transforma en poisson. Les autres feuilles auprès d'elle, intriguées, se mirent à l'imiter. Tant et si bien que toutes, une par une, puis tout autant que les doigts de toutes les mains de la tribu, se mirent à chuter au sol, transformées elles aussi en poissons ! Il y en avait partout, et toutes se dirigèrent en sautillant vers la rivière. Les poissons ainsi nés étaient heureux de retrouver leur rivière-mère. Tous, sauf quatre qui ne réussirent pas à atteindre l'eau et se transformèrent en deux hommes et deux femmes, sur la berge.

— Ah bon ? C'est tellement... fascinant ! Et alors ?

Kirilo lui adressa un sourire charmeur. Elle le lui rendit en rougissant, étonnamment ravie de cette étrange communion qui s'établissait entre eux.

— Et c'est ainsi qu'est né notre Peuple du Poisson. Nos deux pères et nos deux mères se retrouvèrent ainsi, tout nus sur la rive, séparés de leurs frères et sœurs poissons retournés dans la rivière. Ils étaient tristes et n'avaient rien à manger. Alors ils commencèrent à manger des baies, mais ça ne suffisait pas. La faim avait commencé à les faire crier de douleur. Désespérés, ils se sont retournés vers le grand arbre. Le tilleul, lui, était resté seul, sans feuilles. Devant la souffrance de ses quatre enfants humains, il décida de grandir encore. Il puisa encore de la force dans l'eau et se mit à pousser, pousser ! Il devint immense, si grand que ses sept branches les plus hautes touchèrent le ciel. Il fit encore un effort et perça la peau de la nuit. C'est alors que les sept étoiles du pêcheur sont apparues loin dans le ciel ! On les voit là-bas, la nuit, juste au-dessus de la haute colline par là où vous êtes venus et qui surplombe ce qui est devenu notre zone de pêche. Les sept étoiles ont enseigné à nos mères et nos pères comment pêcher et nous nourrir de poisson dans la rivière.

Sept étoiles, là encore ! C'est incroyable, se dit Zia. *Y-a-t-il une ressemblance avec les sept enfants de Halipta, la vache céleste ?* Elle mourrait d'envie de poser la question, mais préféra se taire. Kirilo continua sa narration, transfiguré par la foi qu'il avait dans ce qu'il racontait :

— Mais le grand arbre avait lui aussi de la peine : comment nourrir ses enfants poissons et humains ? Comment les uns pouvaient-ils manger les autres ? Immense était sa tristesse ! Il pleura tant et si bien qu'il se transforma lui aussi en poisson. Mais un poisson si grand, si fort, qu'aucun homme ne pouvait rivaliser avec lui !

Soudain, Kirilo se leva et rapprocha ses mains de son visage et de ses terribles cicatrices. Il écarta les doigts, touchant le pouce et l'index, formant ainsi des cercles qu'il posa sur ses propres yeux. Zia reconnut immédiatement les nombreuses sculptures qui ornaient chaque cabane : le prêtre mimait la forme du visage d'un poisson géant ! Le ton de sa voix baissa et Kirilo prononça d'une voix grave et lente :

— Le poisson-tilleul géant avait des yeux si énormes et des moustaches si longues qu'on l'appela "les yeux de la rivière", le silure.

À ces mots, Zia sursauta, se remémorant la ginte du Silure. Une pointe de tristesse l'envahit : Lidova lui apparut devant les yeux. Son sourire, sa gentillesse. *C'est si loin, tout ça...* pensa-t-elle en un éclair. Mais Kirilo continua, l'arrachant de ses souvenirs :

— Et le poisson géant tomba lui aussi dans l'eau, se jurant de revenir sur la terre ferme pour punir les hommes et les femmes s'ils pêchaient trop de poissons pour se nourrir. Et depuis lors, le Peuple du Poisson honore ce géant et fait attention à ses yeux !

Kirilo éclata d'un rire sonore avant de s'asseoir et d'engouffrer une large portion de caviar dans sa bouche.

Zia prit un moment pour assimiler toutes ces informations nouvelles. *C'est étonnant, toute cette histoire sur le tilleul géant et les feuilles qui se transforment en poissons. Est-ce possible ?! Pourrais-je voir comment ça se passe, vraiment ?* pensa-t-elle, à la fois troublée et joyeuse. Sa curiosité insatiable avait été satisfaite, en partie seulement.

Pendant qu'elle était absorbée dans ses réflexions, Kirilo s'était rassis, et consacrait son énergie à dévorer quelques-uns des nombreux plats qui jonchaient la table entre eux.

— Mais, comment rendez-vous hommage au Dieu Poisson ? demanda-t-elle après quelques minutes de méditation.

Le prêtre essuya sa bouche grasse d'un revers du bras, passa son ongle entre les dents pour enlever un morceau de poisson séché qui s'y était coincé. Il avala une longue rasade de *cornata* alcoolisée et se racla la gorge :

— Ah ! Je vois que tu t'intéresses maintenant aux rituels et au culte du Poisson ? C'est bien normal, entre collègues... lui dit-il en faisant un clin d'œil. Je vais t'expliquer, ma jolie, déclara-t-il en faisant mine de vouloir lui saisir le bras.

La jeune femme se redressa et répondit d'un ton sérieux :

— Oui, je m'intéresse aux rituels des autres tribus et gintes. Je crois que ça m'aide à être une meilleure prêtresse !

— Tout à fait ! confirma Kirilo, un peu ivre. Eh bien le grand prêtre porte la marque des yeux du poisson géant de la rivière, dit-il en montrant ses scarifications avec fierté. Telles des écailles sur sa peau, elles marquaient ses joues, son front et le pourtour de sa bouche. Il continua : Le grand prêtre, c'est-à-dire moi, veille au respect des quantités de poissons pêchées et répartit le résultat des pêches entre les familles. Il exécute des rites et des cérémonies pour honorer le silure. Si l'un d'eux est pêché, il est honoré puis relâché. Je fais aussi des rituels vers les étoiles du pêcheur.

— Avez-vous un sanctuaire, comme celui que j'ai vu chez les Bogeni ?

Kirilo se crispa.

— Non ! Pas comme ces imposteurs qui adorent le soleil. Non, pas du tout. Nous honorons le Dieu Poisson sur le bord de la rivière. Plusieurs fois par an, lorsque le Dieu Poisson le décide, je sors le morceau de la pierre des étoiles qui est abrité ici, dans ma cabane.

— Ici ?! s'étonna Zia.

— Oui, ici même ! déclara Kirilo. Juste à côté des crânes de mes ancêtres, qui sont enterrés là.

— Nous aussi, nous enterrons nos morts dans nos huttes ! répliqua la jeune femme, étonnée de la ressemblance de certaines coutumes.

— Eh bien, chez nous, c'est seulement la tête, rétorqua Kirilo. Et seulement celle des hommes. Avec les mandibules des femmes, quand même.

— Ah bon ?! soupira Zia. Mais qu'est-ce que la pierre des étoiles ? Je peux la voir ?

Kirilo lui sourit d'un air complice.

— Ah, ça t'intéresse, hein ? La pierre des étoiles est tombée du ciel et l'un des pères de mes pères est allé la chercher dans un trou immense. Très, très loin d'ici ! Il l'a ramenée car c'est un cadeau des étoiles pour honorer notre Dieu Poisson !

— Où est-elle ? insista Zia.

— Eh bien... je ne te la montrerai que si tu deviens plus gentille avec moi, susurra-t-il d'une voix mielleuse.

Immédiatement, elle se raidit, sur la défensive. Elle avait appris énormément de choses en peu de temps. *Mais je ne veux pas aller sur ce terrain-là avec lui,* songea-t-elle, résolue à ne pas céder à ses avances.

Zia profita de la bonne disposition de Kirilo à répondre à ses questions pour investiguer sur un autre sujet qui l'interloquait depuis le jour où elle avait rencontré Jovan, le banni. Cette question la bouleversait encore plus depuis qu'elle avait appris que les premiers Lepenvis venus s'installer sur les rives de la Grande Rivière Mère respectaient le soleil et lui rendaient hommage comme le témoignaient les gravures sur plusieurs statues disséminées dans le village. Que c'était-il passé pour qu'ils renonçassent à leur croyance originelle ?

— Je trouve fascinante l'histoire de ton peuple Kirilo, mais dis-moi, il me semble que lorsque les Lepenvis sont arrivés ici, ils croyaient et honoraient le soleil, comme vos voisins de l'autre rive, les Enfants du Soleil ou les Bogesti, n'est-ce pas ? demanda-t-elle d'une voix neutre en essayant de ne pas le provoquer.

Le grand prêtre bomba le torse. Son visage se ferma, et les scarifications prirent une allure menaçante. Ses traits devinrent ouvertement hostiles et il serra les poings.

— Nous ne sommes pas des Lepenvis ! rétorqua fermement Kirilo. Nous sommes le Peuple du Poisson et n'avons rien à voir avec ces gens qui se proclament les Enfants du Soleil ! D'ailleurs, ils ne sont que des imposteurs ! ajouta-t-il avec mépris, en crachant par terre.

La jeune femme accusa le choc et se recula vivement, manquant de renverser la vaisselle qui se trouvait sur la table.

— Ah, désolée ! Je pensais que vous aviez les mêmes ancêtres, dit Zia confuse, même si elle réalisait que Kirilo niait l'évidence.

— Eh, bien, tu te trompais ! répliqua Kirilo, irrité. D'ailleurs, il est temps d'aller te coucher, la congédia-t-il d'un geste hautain.

Zia se leva, comprenant l'allusion et ne souhaitant pas courroucer davantage cet homme qui ne semblait plus disposer à en raconter davantage ce soir-là. Elle partit rapidement vers sa hutte, dans le froid de la nuit. Elle avait du mal à respirer : une angoisse indescriptible l'avait saisie tout à coup.

20.
Kadmeron

Toute la nuit il s'était retourné sur sa couche sans trouver le sommeil. Résolu à écouter ses propres envies, maintenant qu'il se retrouvait seul à nouveau, Kadmeron avait décidé de suivre sa quête des signes et de revenir au Village des Signes-mots. Dès qu'il avait quitté Dardanos ce jour-là, il avait senti un déchirement, comme un sentiment d'inachevé. Il avait tant à découvrir là-bas ! Mais finalement il l'avait trouvée, elle. Puis il l'avait perdue.

Même s'il avait annoncé aux Enfants du Soleil son départ imminent, il n'arrivait pas à prendre la décision de s'en aller. *Comment laisser Zia en arrière ? Si je pars, cela ne signifie pas que j'abandonne ma femme ?! Quel homme ferait une telle chose à sa propre femme ?* Tout autant de questions qui le torturaient sans cesse et qui ne lui permettaient pas de retrouver la paix qui avait été de courte durée. Le silence de la hutte était assourdissant. Les journées sans Zia, interminables.

Les mots blessants qu'ils avaient échangés quelques jours auparavant lui revenaient en tête sans arrêt. Il finit par regretter ce qu'il avait dit à Zia et ne pouvait plus chasser les remords de son esprit. Même si elle l'avait blessé avec ses paroles, il ne put que se rendre à l'évidence : c'était la vérité. L'or l'avait complètement détourné de sa quête et le fait que l'or qu'il extrairait servirait pour cette recherche n'était en fait qu'une excuse. Un argument pour la contrer et lui prouver que ce qu'elle affirmait n'était pas vrai. Cette réalisation le glaça subitement, envoyant des frissons dans tout son corps. C'était bien lui qui l'avait abandonnée. Lui qui s'était tellement offusqué et fâché. *Comme un enfant stupide*, songea-t-il écœuré de lui-même.

Dès qu'il sortit de sa hutte, ce matin-là, la première chose qu'il fit fut de se rendre près de la berge et de scruter le village du Peuple du Poisson en espérant déceler sa silhouette. Il réalisa qu'il faisait déjà cela chaque jour et que l'absence de Zia le pesait bien plus que ce qu'il voulait admettre. Il comprit que pour l'instant, il ne pouvait pas s'en aller. Pas quand elle se trouvait juste là, devant ses yeux, et que seule cette grande rivière les séparait. Néanmoins, il n'avait plus envie d'aller voir le Peuple du Poisson. Il n'avait pas du tout apprécié Kirilo, qu'il trouvait arrogant, imbu de sa personne et dangereusement puissant. D'ailleurs, comment s'imaginer qu'un tel personnage aiderait Zlata et son village si elle faisait appel à leur aide ? Kadmeron doutait fortement qu'un tel homme, chez qui la violence se décelait presque dans chaque trait de son visage, dans chaque éclat et lueur sombre de ses yeux, pouvait vraiment tenir sa parole et défendre des gens innocents. Il le voyait plutôt de l'autre côté de la palissade : rejoignant et menant les guerriers pour dépouiller les habitants de leurs biens et de leurs réserves de nourriture. Et qui capturerait et violerait les femmes. N'avait-il pas déjà soumis les siens et ravi leurs pensées ?!

Tout à coup, il sursauta en réalisant avec qui il avait laissé sa femme. Sa gorge se serra et un frisson de dégoût le transperça de part en part. *Comment ai-je pu faire une chose pareille ?* se demanda-t-il, rongé par la culpabilité. *C'est elle quand même qui a tellement insisté pour y rester !* se rassura-t-il sans pourtant trouver cela très convaincant. *Je ne peux pas l'obliger à me suivre contre sa volonté !* déclara-t-il fermement en s'arrachant de force à la rive et en se dirigeant vers la place centrale où les villageois l'attendaient pour ses leçons quotidiennes d'archerie et d'artisanat.

Kadmeron décida donc de rester encore quelques jours, en espérant secrètement que Zia finirait par changer d'avis et viendrait le rejoindre. Il passa son temps à se rendre utile, en enseignant des techniques de chasse, mais aussi de taille de ses fameuses pointes en silex effilées qui émerveillaient tant les Lepenvis du soleil.

Un peu plus tard, Mirko et Goran étaient en train d'imiter les gestes que Kadmeron avait répété à plusieurs reprises devant plusieurs villageois intéressés par la fabrication des pointes de flèches. Ce fut le moment que le chasseur utilisa pour poser des questions qui le préoccupaient depuis quelque temps.

— Dis-moi Mirko, pourquoi les Enfants du Soleil se sont-ils fâchés contre les autres Lepenvis du poisson ? demanda Kadmeron en pointant de son menton l'autre rive.

— Fâchés ? s'étonna celui-ci. Mais nous ne sommes jamais fâchés contre les poissons ! Pourquoi ferions-nous une chose pareille ?! Les poissons sont la clé de notre survie. Nous en mangeons, nous utilisons leurs peaux pour tant de choses, ils nous apprennent à nager. Ce sont des êtres merveilleux que nous aimons et nous leurs sommes tellement reconnaissants ! conclut-il en souriant avec enthousiasme.

Kadmeron le regarda plus intensément.

— Dans ce cas, pourquoi êtes-vous partis de votre village ? Pourquoi se disputer ainsi avec le Peuple du Poisson ? poursuivit le Marteron, désireux de comprendre. Il réalisa qu'il avait envie de poser des questions à ses amis afin de pouvoir répondre aux questionnements de Zia et cela le fit sourire avec nostalgie. Finalement, la soif de connaissances et le désir de comprendre qui la caractérisaient était contagieux...

— Eh bien nous y avons été obligés, répondit Mirko tristement.

Son interlocuteur écarquilla les yeux.

— Mais si j'ai bien compris, c'est parce que vous croyez au soleil, c'est ça ? continua Kadmeron.

Ce fut le chef qui prit la parole, cette fois-ci.

— Les Lepenvis croient depuis toujours aux bienfaits du soleil. Ils ne sont pas les seuls. Plusieurs peuples rendent hommage au soleil qui nous permet à tous d'avoir la lumière, la chaleur, aux plantes de grandir, aux animaux de se nourrir, aux eaux de couler. Ne trouves-tu pas que le soleil mérite toute notre reconnaissance ? Que sans lui, rien n'existerait ? demanda Goran qui ne pouvait pas laisser autant de malentendus persister.

Un large sourire éclaira le visage du Marteron.

— Bien sûr. Le soleil représente la vie, même s'il est vrai que lorsqu'il est trop puissant, il peut nous brûler aussi. Lorsqu'ils embrase les prairies il provoque beaucoup de dégâts et tout meurt sur son passage, comme l'incendie : plantes, arbres, animaux et même les humains s'ils s'y laissent piéger ou s'ils ne font pas attention avec le feu de leurs foyers, répliqua Kadmeron. D'ailleurs, cela me fait penser à l'Amulette des Saisons de Zia, songea

Kadmeron.

— L'Amulette des Saisons ? C'est quoi ? s'intéressa Goran.

— C'est une amulette que sa grand-mère lui a transmise et dont elle porte une copie à son cou. C'est en fait grâce à ça qu'elle a pu apporter des savoirs sur les saisons, les cultures, les animaux, de son voyage initiatique, expliqua Kadmeron en se rappelant les longues discussions intéressantes qu'il avait eues à ce sujet avec Zia.

— Ah, et c'est comment cette amulette ? demanda-t-il d'un air confus.

— Elle est en terre cuite comme la vaisselle pour manger, et il y a des gravures dessus. On y voit le soleil justement et les doigts de feu qui éclairent le ciel pendant les grands orages. Le soleil, selon leurs croyances, apaise la colère des cieux quand il y a trop de pluie qui tombe.

— Nous le croyons aussi, confirma Goran en souriant.

— Ce qui est extraordinaire, s'enthousiasma Kadmeron, c'est que sur une toute petite amulette on puisse transmettre autant de savoirs car elle présente la culture du blé, quand et comment cultiver, quand récolter, l'importance des saisons, le cycle de vie des bovins, des moutons, des chèvres... Lidova, la grand-mère de Zia, appelait cela une "image mémoire" et c'est tout à fait ça !

— Oh, il faudra qu'elle nous montre et nous raconte tout sur son Amulette des Saisons quand ta femme reviendra ici ! lança Goran avec un réel intérêt.

— Qui sait si elle reviendra... pensa Kadmeron à voix haute alors que ses yeux s'assombrissaient et qu'un poids immense lui écrasait sa poitrine. Enfin, revenons au soleil ! dit-il en s'arrachant à ses pensées nostalgiques.

— Oui, donc tu vois, tu respectes le soleil comme nous, comme Zia, comme Lidova ?

— Sans aucun doute, le soleil est important pour nous tous et notre vie ici, confirma Kadmeron en hochant la tête.

— Bien, nous sommes d'accord alors, confirma Goran en souriant. Mais ce n'est pas le cas de Kirilo, ajouta-t-il d'un air sombre.

— Pourtant tu disais que les Lepenvis croient depuis toujours aux bienfaits du soleil. Cela veut dire que ce ne sont pas les Enfants du Soleil qui ont inventé ces croyances-là. Vos anciens y croyaient déjà, n'est-ce pas ? s'intéressa le chasseur, interloqué.

— Oui, bien sûr. Le soleil est la source de toute vie. Il nous a créés, il nous protège, et nous devons le respecter et ne pas le mettre en colère. C'est pour cela que nous l'adorons depuis que le monde est monde, depuis que les mères et les pères de nos mères et nos pères marchent debout sous sa lumière.

— Eh bien alors qui vous a obligés à partir de là-bas, de l'autre côté de la Grande Rivière Mère ?

— Kirilo, depuis qu'il s'est proclamé le prêtre et le messager du Dieu-Poisson sur Terre, se moqua Mirko.

— Mais comment ça ? Qu'est-ce que ça veut dire ? Je n'y comprends rien… avoua Kadmeron qui avait du mal à saisir comment un seul homme pouvait décider du sort de tant de gens et les obliger à quitter un village. Bannir une personne comme ce pauvre Jovan, il avait déjà entendu parler de ça, même si chez les Marterons cette pratique n'existait plus depuis très longtemps, mais tant de personnes à la fois ?!

Goran posa son morceau de silex et parla :

— Kirilo a commencé par gagner la confiance des villageois. Il a profité d'une année de famine et a réussi, par ses talents de pêcheur, mais aussi par de nombreuses tromperies, à faire croire à tout le monde qu'il a sauvé notre peuple de la mort. Il l'a fait grâce aux poissons et petit à petit, en parlant de vieilles légendes, il a réussi à imposer aux gens le culte du poisson. Et à en exclure toute croyance dans le soleil.

— Mais comment les gens ont-ils accepté une telle chose ? s'insurgea Kadmeron. On ne peut pas renier comme ça les croyances de nos anciens… dit-il en levant les sourcils.

— Si, si, avec les talents de Kirilo, sa langue qui sait proférer des paroles mielleuses, il arrive si bien à manipuler les personnes ! Des amis de toute une vie peuvent finalement se disputer et se battre, ajouta-t-il songeur. À cause de ce… serpent menteur ! compléta Goran, l'air profondément dépité.

— D'accord, mais obliger tant de familles à quitter le village ? Comment a-t-il pu faire ça ?! insista-t-il.

Le chef soupira longuement sous le regard compatissant de Mirko. Il avait visiblement du mal à évoquer tous ces souvenirs pénibles, mais Kadmeron était désormais devenu un allié sûr et son amitié pour les Enfants du Soleil n'était plus à démontrer. Goran continua donc :

— Lorsqu'il a commencé à faire taire ou disparaître des gens qui n'étaient pas d'accord avec lui, à bannir ceux ou celles qui ne croyaient pas au Dieu-Poisson et même à provoquer des accidents aux personnes qui continuaient à rendre hommage au soleil, plusieurs d'entre nous avons décidé de partir car nous ne nous sentions plus chez nous. Nous étions plusieurs familles qui avons préféré quitter volontairement le village car nous ne souhaitions pas faire partie du Peuple du Poisson, ni obéir aveuglement à Kirilo.

Kadmeron le regarda longuement, alors qu'il assimilait tous ces événements tragiques. Goran inspira avant d'ajouter :

— Nous nous sentions vraiment en danger. Pour notre vie. Tu comprends ? Tout le monde était devenu suspicieux, nous regardait de travers. Et surtout, nous n'avions plus le droit d'adorer le soleil, comme nos ancêtres avant nous, de père en fils et de mère en fille ! Kirilo nous l'avait interdit ! dit-il en haussant le ton.

— Je comprends mieux, même si j'ai encore du mal à saisir comment une seule personne peut en dominer tant d'autres, s'interrogea Kadmeron pensif.

Goran, la mine grave, continua son récit :

— Après avoir quitté tous ensemble le village des Lepenvis sur nos pirogues, nous nous sommes établis ici, près de la Table du Soleil, que nous vénérons tous. Ce n'était pas facile, car il a fallu construire des huttes alors que la pluie battait fort, que nous avions très peu de provisions. Et puis, le soleil nous a envoyé un signe, ajouta-t-il en souriant.

— Un signe ? demanda le chasseur.

— Oui, un signe. Si le soleil est content, qu'il veut nous montrer la bonne voie, ou au contraire s'il est en colère contre ce que nous faisons, il envoie des signes. Et là, il nous a montré que nous faisions ce qu'il fallait ! déclara-t-il, le visage lumineux.

— Comment ça ?

— Eh bien, lorsque nous avons arraché des buissons par là-bas pour dégager de la surface et y cultiver quelques plantes, nous avons trouvé un vieux sanctuaire que nous avons reconstruit. Un sanctuaire du soleil !

Kadmeron se rappela d'un coup ces moments partagés avec Zia, lorsque le couple des chefs leur avait fait visiter les lieux. Son épouse avait insisté pour s'arrêter au sanctuaire et elle avait posé toute sorte de questions sur le culte solaire. La gorge du chasseur se serra. Il se força à revenir à la réalité pour écouter le chef.

— ... difficile de nous installer, mais nous y sommes arrivés, continua Goran, enthousiaste. Et puis alors, le village s'est réuni et nous avons décidé d'élire un couple de chefs. Comme tu le vois, Veca et moi-même avons été choisis. Nous ne voulions plus d'un seul homme qui décide de tout, comme bon lui semble. Nous ne voulions plus de Kirilo !

Kadmeron regardait ses interlocuteurs. Tant de choses obscures s'éclairaient désormais. Il comprenait beaucoup mieux les silences gênés, les tensions que Zia et lui avaient décelées sans pour autant les définir précisément.

— Cet homme est d'une cruauté sans limites et sa ruse est plus grande que celle du renard ! admit Mirko avec une certaine admiration mélangée à de la crainte. Si nous ne dépendions pas tellement de la Grande Rivière Mère et des poissons, si nous n'étions pas si attachés à la terre de nos ancêtres, nous serions partis plus loin. Car plus on est loin de Kirilo, plus on serait en sécurité, conclut-il avec un sourire amer.

Levant les yeux, un frisson inattendu secoua Kadmeron et il sentit la chair de poule couvrir ses bras et remonter jusqu'à son cuir chevelu. Un nom percutait sans arrêt sa tête comme l'herminette frappait l'arbre pour le faire tomber.

21.
Zia

Le lendemain matin, une femme vint à nouveau chercher Zia pour lui annoncer que le Dieu Poisson souhaitait lui parler. Ne sachant pas sur quel pied danser et ne souhaitant pas se retrouver à nouveau dans une position de faiblesse, Zia décida de porter la coiffe cérémonielle de prêtresse que Zlata lui avait fait cadeau et qui avait bien joué son rôle dans plusieurs villages. Cette parure scintillante avait imposé le respect et impressionné tout le monde. Elle n'espérait pas du tout la même réaction de la part de Kirilo, mais si au moins cela lui permettait de ne plus être la cible de ses convoitises ou de maintenir une distance protocolaire entre elle et cet homme imprévisible et très égocentrique, cela valait le coup d'essayer. Elle demanda à Cani de ne pas la suivre car elle avait constaté que l'homme ne pouvait pas supporter le chien.

Lorsqu'elle entra dans la cabane de Kirilo, celui-ci l'attendait, assis sur le grand siège richement décoré qu'elle avait remarqué lors des visites précédentes. Il portait des habits de cérémonie et était coiffé d'une énorme tête de poisson qu'elle ne reconnut pas, avec un long rostre plat très pointu, légèrement courbé vers le haut. Sa grande et très large gueule lui rappela la lune, et elle remarqua qu'elle occupait presque toute la partie inférieure de la tête. La lèvre supérieure du poisson était entière, tandis que l'inférieure semblait présenter une large cassure au milieu. Sur la partie ventrale du museau, quatre longues moustaches aux extrémités frangées pendaient, encadrant le visage de Kirilo. Zia n'avait jamais vu un poisson avec une tête aussi grande, alors elle n'osait même pas imaginer à quel monstre aquatique elle devait appartenir. *Le silure ?* songea-t-elle sur l'instant, se remémorant le récit de la création du monde par le Dieu Poisson.

Soudain, Kirilo s'adressa à elle, d'un ton autoritaire :

— Je vois que tu as aussi revêtu ta coiffe cérémonielle ! Quelle coïncidence, décidément ! Je t'ai convoquée pour ne pas te laisser dans l'obscurité concernant les imposteurs de l'autre rive qui clament haut et fort qu'ils vénèrent le soleil, annonça-t-il solennellement en interrompant Zia de ses observations concernant son accoutrement.

— Ah ! dit-elle, surprise par cette affirmation.

— Intéressante ta coiffe ! remarqua Kirilo mais sans s'attarder sur le sujet. L'explication est très simple : il n'y a qu'un seul dieu, le Dieu-Poisson, déclara-t-il d'une voix ferme qui ne supportait pas la contradiction.

— Un seul dieu ? répéta Zia sans dissimuler sa surprise. J'ai entendu parler récemment de "déités" ou de Halipta, la Déesse-Mère, auxquelles croient les Odrys, mais pas d'un seul dieu... expliqua-t-elle.

— Il n'y a qu'un seul dieu, le Dieu Poisson ! tonna Kirilo en se levant et en tapant des deux poings serrés sur la table massive en bois de tilleul qui se trouvait devant lui. Ses yeux semblaient lancer des éclairs.

Zia redressa sa tête, coiffée de sa parure scintillante qui l'aida à gagner en confiance et à répondre :

— Inutile de t'énerver, Kirilo ! J'ai entendu et compris les croyances du Peuple du Poisson, celles que tu m'as racontées en détail, mais cela ne signifie pas que je vais oublier ou ignorer celles des autres peuples, affirma-t-elle avec conviction. Je comprends parfaitement le rôle du poisson dans la vie de ton village et ne le minimise pas. Bien au contraire, je le respecte, ajouta-t-elle.

Kirilo ne sembla pas apaisé par les paroles conciliantes de Zia et elle remarqua les tremblements de la peau en écailles de poissons qui lui couvrait les épaules. Il finit par annoncer :

— Je ne m'énerve pas car je suis celui qui parle pour lui sur cette terre. Il s'exprime à travers moi ! Ce que je dis, c'est le Dieu-Poisson qui le dit !! D'ailleurs, je sais que tout le monde finira par vénérer le Dieu-Poisson et comprendra qu'il n'existe qu'un seul être supérieur, ajouta-t-il calmement. Tu le comprendras aussi avant la fin de cette saison des neiges. Sois-en certaine ! conclut-il avec un ricanement qui la fit frissonner.

Zia le regarda attentivement, essayant de comprendre si Kirilo croyait vraiment ce qu'il racontait ou s'il était complètement fou. Son intuition lui disait qu'il était fanatique, mais elle crut que c'était de son devoir de prêtresse de tenter de le raisonner. Surtout parce qu'elle avait pu constater les conséquences concrètes que l'attitude intolérante de Kirilo avaient pu avoir sur Jovan, sur les Enfants du Soleil et même sur les villageois qu'elle côtoyait maintenant depuis bien des jours. Tous ces gens craignaient cet homme qui se prenait pour un dieu ou un être supérieur, au-dessus de tous. C'était au-delà de ce qu'elle aurait pu jamais imaginer, mais c'était néanmoins la terrifiante réalité.

— Penses-tu que les gens qui croient dans le soleil, le cheval, la Mère-Nature ou la vache céleste sont tous fous ? osa Zia lui poser la question en tentant de le raisonner.

Le ton de la voix de Kirilo fut affreusement calme.

— Des fous, peut-être pas. Des rebelles, des aveugles, des personnes stupides, oui, répondit-il sans le moindre doute inscrit sur son visage.

— Mais pourquoi sur certaines de vos statues, qui sont pourtant dédiées au poisson, on trouve des rayons du soleil gravés ? continua Zia sans se laisser démonter par les regards acérés de Kirilo.

— Pff ! fit-il avec amusement. Parce que nos anciens ne savaient pas encore... Le Dieu-Poisson ne leur avait pas encore parlé, affirma-t-il hautain. À moi, il m'a parlé !

— Et qu'est-ce qu'il t'a dit ?

— Que toutes les autres croyances sont fausses, répondit-il avec assurance.

Zia haussa le ton. C'en était trop pour elle. Elle secoua la tête : sa coiffe cérémonielle envoya des rayons lumineux dans la cabane.

— Et comment compte ton Dieu-Poisson obliger les gens à croire dans sa seule existence et sa suprématie sur les autres croyances ? ne lâcha pas Zia, décidée à défendre ses idées et à essayer de faire entendre raison à son interlocuteur.

— Ceux et celles qui s'y opposent vont mourir ! D'ailleurs, les Enfants du Soleil seront les premiers, ricana Kirilo.

La grande prêtresse se raidit. Son cœur de guérisseuse

tressaillit à la perspective de la menace proférée par l'homme furieux en face d'elle.

— Kirilo, tu vas donc tuer tout le monde qui ne se soumet pas à ta volonté et à ta croyance ?! s'insurgea Zia en ayant du mal à croire ce que cet homme affirmait.

— Exactement ! ricana-t-il avec un sourire diabolique.

— Mais c'est donc *toi* qui déclenches la guerre finalement... pensa Zia à voix haute en réalisant trop tard que sa bouche avait parlé sans sa volonté.

Kirilo frappa deux fois dans les mains et deux hommes apparurent de nulle part dans la cabane. Ils encadrèrent Zia de leur stature imposante.

— Vous pouvez l'amener dans la hutte spéciale que nous lui avons préparée, ordonna-t-il aux deux gars qui saisirent immédiatement chacun un des bras de la jeune femme. Elle frissonna sans pour autant montrer sa peur.

— Quelle hutte spéciale ? demanda Zia, en essayant de délivrer ses bras de l'emprise puissante de ses gardiens. Je n'ai pas besoin d'une autre cabane, celle où j'habite me convient parfaitement ! ajouta-t-elle ne voulant pas comprendre ce qui se passait.

C'est un cauchemar.

— Si, si tu en as besoin ! Tu y resteras pendant deux jours afin de réfléchir à tes croyances et nous verrons par la suite si tu as changé d'avis sur ton hérésie, conclut-il. Il se leva d'un coup et se précipita vers elle.

Zia recula, mais les hommes la bloquèrent fermement. D'un geste rageur, Kirilo arracha sa coiffe d'or avant de faire signe aux gardiens de l'amener. Tellement choquée par la rapidité des événements, la prêtresse ne broncha pas. Il se retourna sans lui lancer aucun regard.

22.
Kadmeron

Deux jours étaient passés depuis qu'il avait décidé d'attendre, avec l'espoir que Zia revînt en traversant la Grande Rivière Mère. Mais rien ne changeait de l'autre côté de la rive. Kadmeron surveillait les allées et venues du Peuple du Poisson, mais celui-ci vaquait à ses occupations. Et, il fallait bien l'admettre, même avec sa vue perçante il ne pouvait pas faire la différence entre les femmes d'aussi loin. Laquelle de ces silhouettes féminines à la chevelure brune était Zia ? Que faisait-elle, en ce moment même ? Pensait-elle encore à lui ? À leur couple ? Lui en voulait-elle comme il lui en avait voulu de l'avoir blessé ?

Du pied, il tapa un caillou qui dévala la pente jusqu'à la berge en contrebas. Il suivit du regard le mouvement, les rebonds de la petite pierre, tout en écoutant les différents bruits. D'abord minéral contre minéral, puis un bruissement sur les herbes, puis plus rien.

Plus rien.

L'absence était cruelle, indifférente à la tristesse sourde qu'il ressentait. Il eut envie de crier. Mais quoi exactement ? Qu'avait-il à hurler dans l'immense gorge et les hautes montagnes où serpentait le fleuve ? "*Zia, reviens ! J'ai si mal sans toi !*" ? Il n'en avait pas le courage. Pas la force. Tout comme le caillou à jamais perdu dans les fourrés, l'écho de sa peine finirait lui aussi par s'entrechoquer sur les hautes parois, s'affaiblir, puis disparaître. À quoi bon crier quand il n'y avait plus personne pour entendre ?

Tout à coup, des éclats de voix retentirent derrière lui. Des rires. Il se retourna et observa. Ce qu'il vit le figea.

Veca et Goran s'enlaçaient tendrement, échangeant un long baiser. Puis ils se séparèrent, se tenant amoureusement par les bras avant de s'observer, l'un l'autre, pendant un moment. Enfin, le chef partit vers le sanctuaire du soleil alors que sa femme regagna leur hutte.

Eux aussi vaquent à leurs occupations ! Tout comme celles et ceux qui habitent de l'autre côté ! Tout comme Zia.

Il n'avait plus envie de rien. Il s'éloigna tristement, sans but précis.

Ce fut alors qu'un hennissement tout proche lui fit se sentir en vie de nouveau. *Potac !*

Le cheval l'accueillit en piaffant, secouant magistralement sa crinière. Il lui suffit de quelques instants pour susciter en Kadmeron le désir de le chevaucher et de partir loin.

— Hiiii ! hennit-il en le regardant d'un air complice.

— D'accord, on y va ! cria le Marteron, au comble de la joie.

Il se préparait à lui grimper sur le dos, quand le quadrupède se déroba et se mit à trotter vers la hutte du chasseur.

— Mais qu'est-ce que tu fais ? Qu'est-ce que tu veux mon ami ?

Le cheval se retrouva rapidement devant la cabane, fourrant son museau dans l'un des sacs que le chasseur avait sortis pour qu'ils s'aérassent un peu à l'extérieur. Il fit quelques mouvements dans la large besace en cuir et en tira quelque chose entre ses dents.

— Attention ! cria Kadmeron en s'approchant. Il était intrigué par ce comportement inhabituel.

Ce fut alors qu'en arrivant sur place, qu'il reconnut un objet étonnant qu'il avait totalement négligé depuis qu'il avait rencontré Zia et vécu toutes leurs aventures. Son sang ne fit qu'un tour.

— La peau de biche de Bantil ! Incroyable ! Comment savais-tu qu'elle était là ?!

Potac hennissait de joie, ayant senti la vive émotion de Kadmeron. Ses yeux intelligents trahissaient un certain amusement à voir son ami bipède sursauter ainsi et s'agiter comme un enfant ayant retrouvé son jouet.

Le Marteron s'accroupit au sol, déroulant le témoignage

peint de sa quête des signes-mots. Sa quête à lui. Il lança un regard plein de reconnaissance au cheval, qui remua la queue et frappa le sol de ses sabots avant.

— Oui mon ami. Comme tu me connais bien !

Tant de souvenirs lui revenaient soudain. Le village des signes-mots. Nadia. Dardanos. Ces maisons décorées aux motifs si fantastiques qui ne ressemblaient en rien à tout ce qu'il avait vu, à tous ces grands animaux dont il avait dessiné les formes gracieuses, reproduit les périodes du rut et des naissances en comptabilisant le nombre de lunes écoulées depuis le début de la bonne saison.

— La quête des signes. Ma quête à moi ! déclara-t-il en se levant, victorieux.

Les signes-mots étaient là, devant lui, sous ses yeux ébahis. Il les redécouvrait, passant avidement son doigt sur les formes noires étalées sur le cuir. Et la même émotion, intense, le parcourut de part en part. Comme ce matin-là où, après son réveil dans le campement du vieux Bantil, il avait recopié tous les signes-mots pendant un jour entier. Ces mêmes dont une partie étaient gravés sur le bracelet et sur la paroi de la caverne où il s'était écroulé, épuisé de fatigue.

— Je pense que Zia a terminé sa quête de prêtresse ! C'est sûr ! Alors il est temps de continuer la mienne.

Potac hennit d'un peu plus loin. Il faisait mine de vouloir partir vers le levant.

— Tu veux me dire quelque chose d'autre ?

Le cheval se cabra, sautant encore et encore. Des Enfants du Soleil s'arrêtèrent, surpris par sa chorégraphie bruyante.

— Tu sautes ?! Par-dessus quoi ?

Kadmeron comprit enfin.

— Tu veux que nous partions vers le levant, par-dessus la Grande Rivière Mère ?!

Potac hennit et trotta vers lui, manifestant son contentement.

— Magura. Oui. La grotte des signes. C'est là que nous irons.

Potac revint vers lui. Il fourra son museau dans le torse de Kadmeron, lui provoquant un fou rire.

— Attends, tu vas déchirer ma peau avec les signes-mots !

Le cheval s'écarta et le regarda de ses grands yeux un

moment, avant de s'incliner.

— Mais Zia n'est plus avec moi, c'est ça, hein ?

Potac confirma, hochant la tête.

— Je ne sais pas si je dois partir d'ici maintenant, en fait. Quelque chose me dit que je ne peux pas m'en aller sans elle. Pas encore.

Kadmeron regarda son ami et ajouta :

— En fait, je pense que je pourrai parler de cette peau de biche ici même et expliquer aux gens ce que j'ai découvert. Peut-être que d'autres villageois pourraient m'aider. Qu'en penses-tu ?

Potac hennit avec vigueur pour marquer son accord.

— Très bien, j'en parlerai alors à la veillée ce soir ! décida le Marteron.

✦

Tout le monde s'était pressé autour du jeune chasseur étranger. Le feu crépitait dans la cabane du conseil, et la peau de biche était désormais plaquée au sol, à la lumière des flammes. Elle venait tout juste de revenir dans les mains de Kadmeron, après avoir navigué entre les différentes personnes de l'assistance, toutes curieuses d'en apprendre plus sur ces signes-mots.

Le chasseur poussa les coins de la peau, s'assurant que personne n'avait dégradé les peintures si précieuses.

— Ces signes-mots sont si... étranges ! déclara Veca. Sais-tu ce qu'ils veulent dire, Kadmeron ?

— Non, pas encore. Je les ai recopiés d'après ceux qui étaient peints dans une grotte, près du village où vit encore Bantil, peut-être... Il y a certains de ces signes-mots sur le bracelet que j'ai offert à Zia, aussi.

La cheffe s'approcha.

— Je crois en reconnaître certains que j'ai vus à Magura.

— Ah oui ? Lesquels ? demanda Kadmeron, enthousiaste.

— Celui-ci et celui-là, dit-elle en les pointant du doigt.

— On dirait un peigne et une échelle.

Goran ajouta :

— Oui, c'est exact. Il y en a d'autres aussi qu'on voit partout : une croix avec deux traits. Et puis aussi une fourche avec trois traits : deux en haut, qui se rejoignent au milieu, d'où en part un troisième vers le bas.

— Ça, c'est le signe de la naissance chez nous ! déclara Kadmeron. Dans la grotte sacrée, c'est le signe qui symbolise l'union du mâle et de la femelle, et le petit. Nous le peignons pour les bisons, les aurochs, les chevaux. Et juste à côté, nous mettons le nombre de traits correspondant aux lunes jusqu'à la naissance.

— Neuf lunes pour nous les humains ! déclara Veca avec un sourire.

— Oui, c'est ça ! confirma Kadmeron en riant. Mais pour les hommes, pas besoin de période de rut, nous sommes toujours en chaleur !

Tous s'esclaffèrent autour de lui.

— Oui, c'est bien vrai, je ne peux pas le nier ! dit Goran en faisant un clin d'œil à leur invité.

Tout à coup, une voix chevrotante se fit entendre :

— Et moi aussi, j'ai entendu qu'ils utilisent des signes-mots, comme ceux-là, loin d'ici ! dit un vieillard.

— Ah bon ? s'intéressa le Marteron en se retournant vers l'intervenant. Où ça ?

— Quand je suis allé dans le sud, par-delà les montagnes, j'ai rencontré beaucoup de tribus qui utilisent des signes. Elles les gravent sur des tablettes en bois et les échangent entre les villages.

— Pour quoi faire ?

— Pour marquer le nombre de coquillages qu'ils échangent contre de la farine, des sacs de nourriture, des vases, ou ce genre de transactions. Et puis aussi pour expliquer leur carte des étoiles ou comment le monde est apparu.

— C'est vrai ? Tu comprends ces signes-mots, toi ? demanda Kadmeron

— Non, mais je sais qu'à Magura ils les comprennent. Et Kirilo, lui aussi.

Un froid glacial sembla tomber sur l'assemblée.

— Kirilo ? Vraiment ?!

C'est alors que Kadmeron réalisa quelque chose. Tentant de chasser l'atmosphère morose qui s'était installée, il se leva, brandissant la peau de biche :

— J'ai vu plusieurs signes-mots au village du Peuple du Poisson. Zia m'en avait même fait remarquer ! C'est seulement maintenant que je m'en rends compte. J'étais tellement préoccupé par... d'autres choses, que c'est comme si je ne les ai pas vues !

— Oui, nous avons aussi des signes-mots. Mais pas de sage pour pouvoir les comprendre et les reproduire, intervint Veca tristement.

Kadmeron afficha un large sourire :

— En fait, partout où je vais, que ce soit au pays des Grands Lacs jusqu'ici, au bord de la Grande Rivière Mère, il semble que les hommes et les femmes cherchent à créer des images, des signes, pour transmettre leurs connaissances. Pour parler lorsque leur bouche n'est pas présente ! Ils peignent pour expliquer et gravent pour parler. Ils veulent absolument, presque désespérément, raconter leur histoire et connaissances à d'autres qu'ils ne verront peut-être même pas de leur vivant. Ils veulent transmettre aux autres leur savoir, comme l'Amulette des Saisons ! Comme les peintures sur nos cavernes ! Comme les gravures sur les pierres ovales du Peuple du Poisson !

Comme les pierres de mes parents, de ma tribu, attachées à mon cou. Moi aussi, je veux transmettre mon histoire... songea-t-il, se recueillant au souvenir douloureux de son deuil.

Kadmeron se tut un moment. La cabane était silencieuse, suspendue à ses lèvres. Ses traits devinrent plus durs, avant qu'il continuât :

— Et ce qui est triste, c'est que beaucoup comme nous, comme moi, ne savent pas comprendre ce qu'on leur dit, ne sont pas capables de voir ce qui est évident, ne saisissent pas toujours la signification de ces images-là, ni ces mots-là...

— Et alors ? demanda Goran, un peu déstabilisé par le raisonnement du chasseur.

— Et alors, pour qu'on comprenne tous, ça serait mieux de créer des signes-mots communs, que tout le monde pourrait connaître, partout, tout le temps, non ? Comme ça, tout le monde pourrait transmettre son savoir et son histoire. Personne n'oublierait plus rien. Même après la mort !

Il secoua la peau de biche, tremblant d'émotion. Tous le regardèrent, stupéfaits. Personne ne réalisait encore l'énormité de cette idée.

23.
Zia

Les terribles menaces proférées par Kirilo tournaient en boucle dans sa tête : *Ceux et celles qui s'y opposent vont mourir ! D'ailleurs, les Enfants du Soleil seront les premiers.* Malgré ses jambes et ses mains endolories, Zia réussit à se redresser en position assise. Elle ne savait pas depuis combien de temps elle se trouvait recluse dans cette cabane qu'elle ne reconnaissait pas. Une douleur sourde à la tempe lui rappela que les deux hommes l'avaient frappée et attachée. Elle s'était débattue et c'est peut-être pour ça qu'elle avait reçu ce coup qui lui avait fait perdre la notion du temps. Mais comment accepter de se laisser ainsi lier les poignets et les pieds sans protester ?! C'était la première fois de sa vie qu'une telle chose lui arrivait. La première fois qu'elle était... captive. Car il fallait se rendre à l'évidence : les deux jours de réflexion avancés par Kirilo n'étaient bel et bien qu'une forme perverse de lui présenter le fait qu'elle n'était plus libre de ses mouvements. Tout s'était passé si vite !

Lorsqu'elle réalisa cela, elle sentit un frisson glacé lui parcourir la colonne vertébrale. La peur tentait de s'insinuer dans ses veines, la faisant trembler de tous ses membres. Mais Zia décida de ne pas se laisser faire. *Je dois m'enfuir. Je dois prévenir les Enfants du Soleil de l'attaque imminente de Kirilo ! Je ne peux pas le laisser les tuer par surprise !* Le massacre du Village du silex, l'attaque du Rocher Fendu. Tous ces morts, toute cette souffrance ! Elle en eut presque la nausée.

Plus déterminée que jamais, elle respira profondément en réfléchissant à un plan. *Je dois m'échapper !* Elle se rappela les barques qu'elle avait aperçues dans un endroit protégé, près de la berge. Fort heureusement, elles étaient amarrées un peu plus en amont du village. Mais elle réalisa également qu'il y avait toujours un homme qui les surveillait.

Après plusieurs tentatives infructueuses pour libérer ses poignets, malgré les brûlures qui lui tailladaient cruellement la peau, Zia sentit que les cordes s'étaient légèrement desserrées. Elle regretta amèrement ne pas avoir pris son couteau lorsque Kirilo l'avait convoquée. Mais aurait-elle pu imaginer qu'elle allait se trouver ainsi immobilisée, mains et pieds liés ?!

Tout à coup, il lui sembla entendre un reniflement à l'extérieur de la cabane. Zia se traîna péniblement vers l'endroit d'où provenait le bruit étrange. Une agitation discrète attira son attention, comme si un animal grattait la terre de l'autre côté des parois en peaux. Un sourire illumina son visage.

— Cani, c'est toi ? chuchota-t-elle remplie d'espoir.

Des grattements et des reniflements ainsi qu'une faible plainte confirmèrent que son fidèle ami l'avait retrouvée et essayait de creuser avec ses pattes le sol à l'extérieur. Elle réalisa qu'il avait cependant peu de chances de réussir à percer l'enduit dur du sol. Néanmoins, les peaux qui constituaient les murs pouvaient être soulevées, même si elles étaient bien tendues sur leurs poteaux en bois. Elle s'assit et avança ses deux pieds en essayant de les faufiler en dessous. Il n'y avait pas assez d'espace, mais en s'y prenant à plusieurs reprises elle arriva à glisser les doigts d'un pied. L'effort était intense, le positionnement de son corps particulièrement douloureux. Elle avait mal partout et de grosses gouttes de sueur tombaient de son front. Au bout de plusieurs minutes d'acharnement, Zia fut obligée de s'arrêter pour reprendre son souffle. Malgré la position inconfortable et les crampes qui commençaient à la paralyser, elle conserva son pied sous la peau. Puis un sourire illumina son visage : elle sentit les léchouilles de Cani et vit même apparaître son museau dans la cabane, juste à côté de son pied.

Le chien continua son travail de sape pendant qu'elle se reposait. Avec ses griffes puissantes, son museau et ses dents, il arriva à élargir davantage l'espace en déchirant la peau par endroits. La gueule pleine de terre et de gravas, il n'abandonnait pas sa tâche, transmettant son courage à sa maîtresse qui regagnait espoir.

Zia reprit également son effort mais avec plus d'attention pour ne pas risquer de se faire blesser par les crocs de Cani qui ne se basait que sur son odorat et sa puissance pour continuer à creuser. Au bout de plusieurs heures, le chien put enfin se faufiler sous la peau et pénétrer dans la cabane. Il se secoua et remua la queue, au comble de la joie.

— Tu y es arrivé mon brave ! se réjouit Zia à voix basse, en souriant, mais incapable de le gratifier d'une caresse. Aide-moi à me débarrasser de ses liens ! dit-elle en se retournant et montrant ses poignets à Cani qui comprit tout de suite ce qu'elle lui avait demandé. Malgré son envie de continuer à faire la fête à Zia, le canidé commença à ronger la corde et réussit à la délivrer.

Il faillit aboyer, mais Zia put lui fermer le museau à temps :

— Chut ! Faut surtout pas aboyer Cani, chuchota-t-elle. Nous devons partir au plus vite d'ici, annonça-t-elle en se pressant de défaire la corde qui lui immobilisait les pieds. Voilà !

Maintenant, voyons comment sortir d'ici car je n'ai pas la place de me faufiler là-dessous comme toi, pensa-t-elle alors que le chien se précipitait déjà dehors par la fente par où il était entré.

Zia tendit l'oreille. Le village était plongé dans un silence presque total et seul le clapotis de l'eau s'entendait à l'extérieur. Elle s'approcha doucement de la porte et constata qu'elle n'était pas bloquée. Elle l'entrouvrit avec maintes précautions et lança un coup d'œil dehors. Il faisait nuit noire.

Un bruissement la fit sursauter et elle faillit fermer la porte, alors qu'elle sentit le museau humide de Cani sur ses jambes. Elle s'abaissa et le gratta à tâtons pour le récompenser. Le chien lécha sa main puis bondit comme une flèche.

Zia n'hésita pas longtemps et le suivit dans la nuit, éclairée par la lune et les étoiles qui scintillaient sur le ciel sans nuage. Elle leva les yeux vers la voûte céleste et pensa à Halipta. Elle devait probablement veiller sur elle car cela faisait longtemps qu'il n'y avait pas eu une nuit si étoilée. Cette lumière diaphane lui permit de suivre son chien qui se dirigea à travers le village, vers la cabane où elle avait été précédemment hébergée avec Kadmeron. Lorsqu'il était encore là.

— Cani, arrête ! murmura-t-elle. Viens avec moi ! lui intima-t-elle en changeant de direction et en allant vers l'endroit où elle avait repéré les pirogues.

Regardant de tous les côtés, Zia pressa le pas. Cani la suivit et la dépassa puis commença à grogner.

— Chut ! Tu vas nous faire repérer, chuchota-t-elle.

Soudain, elle sentit deux bras puissants l'immobiliser par derrière. Elle se débattit, essayant de se défaire de l'étreinte musclée, mais sa force était bien inférieure à celle de l'homme qui l'avait surprise.

— Alors, on essaye de fuir, ma jolie ? ricana une voix cinglante dans son oreille gauche alors qu'elle sentit son souffle chaud puant le poisson.

Une main tout aussi mal odorante et rugueuse se plaqua sur sa bouche, l'empêchant de sortir le moindre bruit. Avec l'autre main, l'homme avait attrapé ses poignets et les avait tordus à l'arrière de son dos. Zia n'arrivait même pas à se retourner pour voir qui était là. Elle était sûre que ce n'était pas Kirilo car elle n'avait pas reconnu la voix.

— Arrête de te débattre comme un poisson sur la berge ! siffla-t-il.

Elle gémit, et se tortilla d'un coup violent, tentant de mordre aussi fort que possible la main qui l'étouffait presque.

— Aie ! Espèce de chienne, va ! jura l'homme en retirant sa main blessée de sa bouche.

Zia profita de sa surprise pour essayer de se libérer de son emprise. Néanmoins, le cri de l'homme avait suffi pour faire surgir une torche. Puis une autre. En quelques instants, la place centrale fut éclairée par une dizaine de flambeaux.

Sa fuite avait pris fin.

24.

Kadmeron

Lorsque Kadmeron sortit de sa hutte, son regard fut tout de suite attiré par les épaisses fumées qui s'échappaient sur l'autre berge, en plein milieu du village du Peuple du Poisson. Il en compta sept. Intrigué, il essaya de voir ce qui se passait, mais aperçut seulement un grand nombre de Lepenvis qui s'agitaient sur la place centrale. *Que se passe-t-il ?* Pris par un mauvais pressentiment, il courut jusqu'à la hutte de Goran et frappa violemment à la porte. Celui-ci sortit la tête par la porte :

— Mais qu'y-a-t-il, Kadmeron ? demanda le chef, surpris par la mine atterrée du jeune homme.

En proie à une grande agitation, celui-ci arriva à articuler :

— Je ne sais pas, justement. C'est exactement pour ça que je venais te voir. Il y a des grands feux dans le village du Poisson, annonça-t-il à la hâte. Sais-tu ce qui se passe là-bas ? Pourquoi y a-t-il autant de feux allumés à la fois sur la place centrale ?! haleta-t-il.

— J'imagine que c'est pour fumer les poissons qu'ils ont péchés, répondit calmement Goran ne comprenant pas ce qui agitait autant Kadmeron.

— Sept grands feux comme ça, juste pour du poisson ?! s'étonna le chasseur.

— Attends ! Tu es bien sûr qu'il y en a sept ? lança Goran alors que son visage s'assombrissait.

Le chef sortit de la maison pour s'avancer vers la berge pour constater de ses propres yeux.

— Oui, regarde là-bas ! pointa Kadmeron du doigt. Il y en a bien sept ! Non ?

L'homme se retourna vers lui, la mine sombre.

— Dans ce cas, ce n'est pas seulement pour du poisson, conclut tristement Goran.

— C'est pour quoi, alors !? hurla le jeune homme, au comble de l'exaspération.

— Un sacrifice humain, dit-il avec un regard vide.

Muet de stupéfaction, Kadmeron était comme sonné par l'annonce de Goran. Il n'arrivait pas à le croire. Il ne pouvait pas comprendre. Il se refusait d'accepter une telle chose.

Comment des êtres humains pouvaient-ils être sacrifiés ? Qu'est-ce que c'était, ces coutumes inconnues, cruelles ?

Certes, il avait déjà entendu lors de son périple que certains peuples sacrifiaient quelques fois un animal pour invoquer les esprits ou réclamer l'indulgence de la Mère-Terre. Il n'avait jamais réussi à comprendre comment un tel acte pouvait ne pas mettre en colère les esprits ou Mère-Terre elle-même. *Sacrifier l'un de ses propres enfants ? Sans que cela serve directement à l'un de ses autres enfants ?!* Cela l'avait déjà révolté à l'époque car les enseignements ancestraux qu'ils connaissaient de ses parents et grands-parents disaient qu'au contraire il ne fallait jamais chasser les animaux sauf pour subvenir aux besoins en nourriture du clan. Jamais tuer pour le plaisir ou pour gaspiller une vie. Alors comment accepter de sacrifier des animaux ? Comment même penser à sacrifier un être humain ?!

Kadmeron faisait les cent pas alors que toutes ses pensées le torturaient en le déchirant de l'intérieur. *Quelque chose d'affreux est en train de se passer de l'autre côté de la rivière !*

Comme s'il avait deviné ce que son ami n'osait pas s'avouer, le chef des Enfants du Soleil intervint :

— Calme-toi ! Nous ne savons pas si cela a quelque chose à voir avec Zia, tenta de le rassurer Goran en provoquant exactement le sentiment contraire.

— Quoi, tu penses qu'il pourrait vouloir sacrifier Zia ?! hurla-t-il en serrant les poings si fort que les ongles s'enfoncèrent profondément dans sa chair.

Goran baissa les yeux.

— Je ne sais pas quoi te répondre. Kirilo est capable de tout, finit-il par avouer après un court silence.

— Nous devons traverser la rivière pour en apprendre davantage ! Le plus vite possible ! cria Kadmeron agité.

— Je suis désolé, mais je crois que tu n'arriveras à convaincre aucun Enfant du Soleil à faire ça.

— Mais ce n'est pas possible de la laisser là-bas toute seule! gémit-il, furieux contre un ennemi invisible.

C'est pourtant ce que tu *as fait* ! lui dit une petite voix accusatrice, tout au fond de son crâne. La démangeaison de sa conscience lui revint. Mais ce n'était plus cette sensation-là, à peine perceptible. Désormais c'était comme si un loup lui réduisait le visage en lambeaux de chair.

Réalisant l'énormité de ce qu'il venait de dire, Kadmeron sentit l'acidité mordre cruellement son estomac. La douleur le fit se tordre légèrement. Il releva la tête, entendant vaguement des paroles lui parvenir, comme dans la brume d'un cauchemar. Le chef semblait lui dire quelque chose.

— Ce n'est pas Zia. C'est peut-être un autre voyageur ou un villageois qui aura osé parler du soleil, suggéra Goran, sans grande conviction.

Ce cauchemar était bien réel. Le chasseur se redressa, malgré les souffrances qui l'assaillaient. Il s'insurgea :

— Mais... mais pourquoi est-ce que ce Kirilo voudrait tuer un humain ?! Pourquoi ?

Goran baissa les yeux et soupira longuement.

— C'est quelque chose que Kirilo réclame. Il dit que c'est ce que le Dieu-Poisson lui demande, lorsqu'il est sous les eaux.

— Comment ça ?! C'est juste un moyen pour lui de tuer des gens. C'est tout ! s'insurgea Kadmeron, au comble de la rage. Il serra à nouveau les poings, en s'avançant d'un pas vers la berge.

— Sans doute, je ne sais pas. Mais lorsque nous habitions encore là-bas et que le gros gibier a commencé à disparaître de la région, il a dit qu'en tant que grand-prêtre, il nous fallait faire plus d'offrandes au Dieu-Poisson. Bien plus ! Que c'était trop important et qu'il nous fallait sacrifier un être humain pour faire revenir les bisons, les cerfs et les daims ! Que sans cela, nos campagnes de chasse seraient toujours en vain !

— Et alors ?

— Alors, l'une de nos vieilles femmes, une veuve, s'est proposée au sacrifice.

— Volontairement ?

— Oui.

— Et alors ? continua Kadmeron, sans relâche. Goran lui répondit, ayant du mal à cacher son dégoût et sa honte.

— Et alors... Ça n'a pas suffi. Le gibier n'est pas revenu. Un homme s'est proposé, à son tour, au sacrifice. Puis un voyageur... s'arrêta-t-il au milieu de phrase, avant de conclure : et après, le gibier est réapparu.

Kadmeron avait la mine sombre. Il était catastrophé. Déglutissant avec difficulté, il commençait à réaliser l'énormité de ce qui était en train de se passer de l'autre côté de la rive : un peuple sacrifiait ses semblables pour manger des animaux. Ça n'avait aucun sens !

— Il faut arrêter ça ! cria-t-il.

Goran s'emporta à son tour, lui enfonçant le doigt dans le poitrail.

— Mais pour ça, il faudrait tuer Kirilo ! Il n'y a pas d'autre possibilités ! Ce n'est pas toi, le fier chasseur du couchant, qui nous expliquait il y a quelques jours que "la chasse à l'homme n'est pas bonne" ?! Alors maintenant, tu changes d'avis ?

Kadmeron recula.

— Mais, je ne savais pas qu'il sacrifiait des hommes et des femmes ! Je ne savais pas ! Mais toi, vous tous ici, vous le savez !

Goran baissa les yeux, honteux.

— Ce n'est peut-être pas un sacrifice, maintenant. C'est autre chose. Je l'espère.

— Et si c'était le cas pourtant ? Vous laisseriez faire, encore et toujours, sous vos yeux ? rugit Kadmeron en avançant d'un pas menaçant vers Goran. Comment pouvez-vous permettre une chose pareille ?! s'indigna-t-il.

— Mais que veux-tu qu'on fasse ? Nous ne sommes pas aussi nombreux qu'eux. Nous nous ferions tous tuer si on intervenait ! déclara le chef, le désespoir et le déni se lisant sur son visage.

— Si vous regardez ce sacrifice se passer sans agir c'est comme si vous y participiez ! asséna Kadmeron sans la moindre pitié. Je vais donc y aller seul si personne ne veut m'accompagner ! lança-t-il en quittant la Table du Soleil avant de se diriger, fulminant, vers sa hutte.

25.
Zia

En très peu de temps, Zia se retrouva dans la même cabane d'où elle s'était enfuie. Le mur endommagé avait déjà été réparé puis fixé au sol. Cette fois cependant, les sbires de Kirilo l'attachèrent encore plus fermement. Ce n'étaient pas seulement ses mains et ses pieds qui furent entravés. En effet, en plus des épaisses cordes ligotées autour de ses membres, Zia fut solidement attachée au gros poteau central de l'habitation. Ainsi, elle ne pouvait plus approcher aucune paroi. Cani avait été également capturé et arriva peu de temps après, subissant le même traitement. En plus, son museau fut bâillonné soigneusement pour l'empêcher d'aboyer. Malgré sa furie et son agitation, le canidé avait dû renoncer à ses élans après avoir reçu plusieurs coups de pied. Zia réussit à le calmer et maintenant il gémissait doucement à ses pieds.

Elle était épuisée, dépitée. Ses vêtements froissés avaient été arrachés en quelques endroits. À un moment donné, une femme accompagnée d'un homme armé d'une sagaie vint la nourrir. On lui desserra provisoirement ses liens pour lui permettre de s'alimenter par elle-même, sous surveillance. Cani put aussi manger quelques morceaux de viande séchée. Puis la femme apporta un grand pot, lui fit signe de s'en servir, et tourna le dos. Gênée mais ne pouvant plus s'abstenir, Zia dût faire ses besoins dans le récipient, n'ayant plus le droit de sortir aux latrines. Ceci fait, la femme s'éclipsa et le gardien la ligota à nouveau et s'assura que la prisonnière ne pouvait plus s'enfuir.

S'attendant au pire, Zia ne ferma pas l'œil de la nuit. Elle pensait que Kirilo viendrait la punir, la torturer ou au moins se moquer de sa tentative échouée d'évasion. Toutefois, le chef du Peuple du Poisson ne se montra pas. Toute la nuit, elle entendit deux gardes marteler le sol de leur pas, patrouillant autour de la cabane. Ses chances de s'échapper de cette situation sans issue commençait à diminuer drastiquement. Lorsqu'elle comprit que personne n'allait lui rendre visite, elle décida de se reposer pour prendre des forces.

— Allez Cani, maintenant il faut dormir pour avoir les idées plus claires, lui conseilla-t-elle, en essayant de le caresser avec un de ses mollets qui pouvait toucher l'animal.

Le chien répondit par un glapissement sourd et secoua faiblement la queue. Ses yeux tristes reflétaient le désarroi, mais Zia ne voulait pas se laisser abattre.

— Ne t'inquiète pas Cani, nous allons nous en sortir ! Je trouverai un plan. Maintenant, reposons-nous ! conclut-elle avec confiance même si aucune idée lui permettant de tenir sa promesse lui venait à l'esprit.

◆

Le soleil était déjà haut dans le ciel quand la porte de la cabane s'ouvrit et ses rayons puissants aveuglèrent presque Zia qui sommeillait encore, appuyée contre le poteau. Elle avait mal partout et les douleurs des crampes la ramenèrent tout de suite à la cruelle réalité. La prisonnière eut à peine le temps de réaliser ce que se passait qu'une silhouette imposante obscurcit l'ouverture, suivie d'une autre. Deux hommes bien musclés approchèrent et défirent la corde qui la liait au poteau. Ils élargirent également les liens autour de ses chevilles.

— Voilà, maintenant tu peux marcher ! tonna un d'entre eux. Si tu t'avises encore à essayer de fuir, tu sentiras cette lame sur ta peau, cria-t-il brandissant une hache devant ses yeux.

Zia essaya de se mettre debout mais sans succès. Ses jambes étaient endolories par la position inconfortable dans laquelle elle était restée pendant des heures, mais aussi à cause des liens très serrés. Malgré leur récent relâchement, elle fut incapable de se redresser toute seule et se mit à avancer à quatre pattes.

— Allez, bouge ! cracha l'autre garde. Kirilo le grand ne va pas attendre toute la journée ! cria-t-il en la saisissant sous les aisselles et en la mettant debout avec rudesse.

Le chien grogna et tenta de se délivrer pour protéger Zia mais reçut un violent coup de pied qui le projeta en arrière.

— Non ! hurla Zia. Laissez-le tranquille ! Qu'est-ce qu'il vous a fait ce pauvre chien ? s'insurgea-t-elle. Allons-y maintenant ! ajouta-t-elle en fournissant un grand effort pour se maintenir debout malgré les tremblements de ses jambes et la furie qui commençait à prendre possession d'elle face à ces brutes.

Elle regrettait amèrement sa décision stupide de rester dans ce village. *J'aurais dû partir avec Kadmeron !* pensa-t-elle avec tristesse alors que chaque homme lui saisissait un bras. Leurs doigts pressaient violemment ses muscles et elle grimaça de douleur.

Ils la portèrent pratiquement à bout de bras à travers tout le village et jusqu'à la place centrale devant la maison de Kirilo. Alors qu'elle titubait, obligée à faire de petits pas pour ne pas trébucher, Zia remarqua plusieurs grands feux qui étaient en train de brûler avec vigueur, tous alignés juste devant, près de la rive.

L'espace d'un instant, elle crut apercevoir un décor aux détails singuliers qui la glacèrent d'horreur : des crânes étaient alignés en cercle, tout autour d'une place qui comportait une grande pierre plate au centre. Sur cette sorte d'autel, elle entrevit la gravure profonde d'une silhouette humaine couchée, aux traits ichtyoformes. Un autre détail lui sauta aux yeux malgré la brièveté de sa vision : ces crânes n'avaient pas de mandibules. Mais à côté de chacun d'entre eux, une mâchoire – sans crâne – gisait, formant ainsi une paire macabre et désarticulée.

Réprimant une grimace de dégoût, elle se retourna et demanda à l'un de ses gardiens :

— Qu'est-ce qui se passe ici ? Pourquoi avez-vous placé ces crânes là-bas ? Comme ça ?!

Le garde ricana et lui répondit évasivement :

— Tu le sauras bientôt, grande prêtresse ! se moqua-t-il. Nous préparons une grande cérémonie ! Pour l'instant, nous avons déterré les crânes de nos pères et les mandibules de nos mères pour les unir au moment venu !

— Quel moment ?!

— C'est pour très bientôt ! Et ne t'inquiète pas, tu seras l'invitée d'honneur ! lâcha-t-il en éclatant d'un rire sonore et macabre.

— Tais-toi maintenant ! éructa l'autre homme en lui tordant méchamment le bras. Zia gémit, le membre transpercé par une douleur fulgurante. L'intensité de la souffrance la fit presque tomber.

La vision d'horreur n'avait duré que quelques secondes. Pourtant une boule d'angoisse se forma dans sa gorge. Elle réprima difficilement l'acidité qui envahissait son estomac. *Comment ça, je serai l'invitée d'honneur ? Mais de quoi ?!* Tétanisée par le choc de l'avalanche d'horreurs, elle ne voulut pas réfléchir comme elle le faisait d'habitude si spontanément. Ses pensées se recroquevillèrent dans sa boîte crânienne, comme un escargot effrayé.

Elle préféra se concentrer sur ses impressions visuelles. C'était la première fois qu'elle voyait autant de brasiers à la fois dans ce village. Elle en compta sept et se demanda à quoi ils pouvaient bien servir. *Faire griller la viande de la dernière chasse ou même sécher ou fumer le poisson ? Peut-être bien, mais ils sont quand même trop nombreux...* pensa-t-elle, sans avoir le temps de les observer plus attentivement puisque les deux hommes la poussèrent violemment à l'intérieur de la cabane de leur chef. Elle réussit à ne pas tomber à la renverse.

— Oh, mais sois la bienvenue, grande prêtresse Zia ! clama Kirilo, assis sur sa grande chaise.

La jeune femme se redressa, levant le menton et le regarda droit dans les yeux sans ciller, dissimulant la peur qui lui tiraillent les tripes. Ses cheveux en bataille et ses vêtements froissés et salis, elle n'en menait pas large. Pourtant des flammes sortaient de ses yeux, et elle décida de conserver le silence.

— Eh bien, j'ai cru comprendre que tu as voulu nous quitter cette nuit, reprit Kirilo après une pause, face au mutisme de Zia. Ce n'est pas très poli de partir comme ça, en cachette. Tu ne crois pas ? ricana-t-il en faisant signe aux deux gardes de quitter la cabane.

— Parce que garder prisonnière une voyageuse, ligotée, c'est poli ?! explosa Zia sans pouvoir maîtriser sa colère.

— Oh, j'espère que mes hommes t'ont bien traitée, répondit-il en ignorant la question.

— Bien traitée, tu te moques de moi ?! hurla Zia. Enlève-moi ces cordes tout de suite ! exigea-t-elle, sans réaliser qu'elle n'était vraiment pas en position de demander quoi que ce soit.

— Quelle crise d'autorité soudaine ! Oh, chère Zia, me voilà désolé mais je ne pourrai point faire ça ! C'est toi qui m'y obliges, ajouta-t-il avec un rire sardonique.

Zia déglutit difficilement et se mordit la langue pour ne pas ajouter encore plus de bois sur le feu. Tout à coup, elle décida de changer de ton et répliqua aussi gentiment que possible :

— Je suis désolée. Je n'ai pas voulu vous offenser, ni manquer de respect à vous, Dieu-Poisson.

Complètement désarçonné pendant un instant, Kirilo la scruta attentivement. Ne voyant aucun signe de moquerie, il continua :

— Tu peux l'être car tu m'as offensé, en effet. Bien plus que tu l'imagines. Mais le Dieu-Poisson est grand et généreux et tu pourras te faire pardonner, annonça-t-il en se grattant le visage.

— Comment puis-je me faire pardonner ? s'intéressa Zia d'une voix calme, presque soumise.

— Tu l'apprendras bientôt. Maintenant, tu seras reconduite dans ta cabane car nous avons beaucoup de travail devant nous.

Elle se redressa et tourna la tête.

— Ah ? Ce sont les feux sur la rive ? À quoi servent-ils ? À griller ou à sécher le poisson ? profita-t-elle de l'occasion pour en apprendre un peu plus. Je pourrai peut-être vous aider, proposa Zia en espérant obtenir des réponses et être libérée de ses cordes.

— En effet, nous sommes en train de faire sécher, fumer et griller les poissons de notre grande campagne de pêche avant la saison des neiges qui vient d'arriver, comme tu l'as vu. Quant à l'aide, ne t'inquiète pas, tu vas y participer très certainement, à notre fête ! clama-t-il en frappant des mains.

Aussitôt, les deux gardes firent leur apparition et la conduisirent dans la cabane avant de l'attacher à nouveau au poteau. Ils lui permirent néanmoins de manger une assiette remplie d'un ragoût de poisson, avec des racines et quelques feuilles qu'elle put identifier pour la plupart. Affamée, Zia avala toute la nourriture et réussit même à faufiler quelques morceaux de chair de poisson, bien blanche, dans la gueule de Cani qui la gratifia de plusieurs battements de queue et de quelques gémissements.

26.
Kadmeron

Depuis qu'il avait décidé de partir en chasse, Kadmeron n'avait pas pris un seul instant de repos. Car les préparatifs de cette chasse-là étaient tout à fait exceptionnels. Il n'avait pas le droit à l'erreur. Pas de place pour la moindre faiblesse.

Il polissait sa hache d'obsidienne avec une résolution froide. Les gestes étaient répétés, avec détermination et précision.

Je vais la retrouver.

Sous ses mains expertes qui pressaient fermement la pierre et la maintenait solidement en place dans la profonde rainure qui s'était formée, les deux minéraux en contact émettaient ce doux grattement, cette musique si singulière de l'affûtage qui rendait le coupant si acéré. Il voulait obtenir ce tranchant-là qui provoquait une mort rapide. Comme lorsqu'il avait égorgé le grand cerf. Dans une autre vie.

Je vais la sortir de là.
Quoi qu'il se passe avec ce sacrifice.
Zia n'en fera pas l'objet.
Mon amour, non plus.

Depuis leur départ du Rocher Fendu, la hache avait été légèrement déformée par les coups qu'il avait portés dans le bois pour abattre des troncs, séparer des branches, dans les animaux qu'il avait abattus pour se nourrir, tout au long de leur trajet. Le tranchant de l'arme s'était émoussé dans les os qu'il avait fallu écraser pour en dégager la moelle nourrissante et savoureuse. Dans le crâne des ennemis qu'il avait achevés sans sourciller quand Zlata avait ordonné qu'on les massacrât sans pitié après l'attaque du

Rocher Fendu. Il l'avait d'abord patiemment aiguisée pour retrouver la courbe originelle, pure et magnifique, puis il s'appliquait depuis à faire glisser l'arme sur toute sa longueur sur la pierre d'affûtage. Elle devait être parfaite. Elle devait pouvoir entailler la peau et séparer les chairs d'un seul coup. Au besoin, et selon l'inertie qu'il y imprimerait lorsqu'il frapperait, elle devrait briser l'os le plus dur, caché sous la chair et les muscles.

Je vais le tuer, s'il le faut.

Ou qui que ce soit d'autre qui m'en empêcherait.

L'image des os de la tête du Dieu-Poisson se pulvérisant sous l'impact irrésistible de la pierre noire et brillante s'imposa devant ses yeux. L'œil sortant de son orbite, pendant lamentablement par le nerf optique, et baignant au sol dans une marre de cervelle étalée. Voilà le fantasme qui lui apporta un peu de paix. Il inspira longuement, un rictus sur ses traits.

Je vais le massacrer s'il a fait du mal à Zia.

Il baissa les yeux. Le va-et-vient de l'obsidienne se poursuivait sous la prise de Kadmeron. Comme un accouplement morbide. Comme l'union de la vie et de la mort. Celle qui menaçait maintenant l'existence de sa femme. Il en était sûr. Et par sa faute.

Je n'aurais pas dû la quitter, la laisser seule au milieu de ce peuple.

Il répétait sans cesse ce mouvement-là, cette transe qui le projetait hors de la réalité, le préparait au combat, y mettant toute son énergie. Il reculait puis avançait son torse, les bras tendus. La sueur perlait de son front et tombait en grosses gouttes sur le sol. Les genoux pliés depuis plus d'une heure sous son corps prostré étaient perclus de crampes. Ses mollets étaient devenus durs comme le granit. Ses cuisses criaient de souffrance. Mais la douleur aiguë le soulageait, en quelque sorte. Lui faisait expier un sentiment terrible et indigne de lui-même, de sa tribu disparue.

La lâcheté.

Il sentait sur lui, par-delà la distance et le temps, par-delà le territoire des esprits, les regards remplis de reproches de sa mère Enat et de son père Aydan. D'Ausgon aussi, le chaman qui lui avait tant appris et qui avait été un modèle pour lui !

Je les ai abandonnés.

Je l'ai abandonnée, elle.

Je mérite d'avoir mal.

De souffrir comme un animal à l'agonie.

Bien sûr qu'après avoir quitté Goran comme il avait lâché Zia dans une sinistre répétition de sa couardise, il avait propulsé ses poings fermés dans l'air vide pour terrasser un Kirilo ricanant, mais hors de portée. Bien sûr qu'il avait hurlé sa haine et son désespoir dans le vent qui avait transporté un peu plus l'écho de sa rage. Bien sûr qu'il avait jeté des pierres, brisé des flèches, tapé du pied comme un enfant pris d'un caprice.

Mais à quoi bon toute cette violence stérile ?! Il scrutait l'autre rive, plissant ses yeux parmi les larmes. Les fumées d'en face s'élevaient toujours, indifférentes à son désespoir.

Non ! Il lui fallait canaliser cette rage. Trouver à qui confier son malheur et ses regrets. C'était pourtant évident : dans un sursaut de lucidité il avait finalement enfourché Potac. Ensemble, ne faisant qu'un, ils avaient chevauché longtemps sur la berge puis dans la lande avant de remonter sur la haute colline. Son cheval et lui avaient parlé tout en galopant. Sans échanger un seul mot. L'esprit du Cheval était descendu en lui et il avait compris. Cette chasse-là qui s'annonçait serait une chasse à l'humain. La traque d'une proie qu'il devrait délivrer, arracher de l'abandon et de la mort à laquelle il l'avait condamnée, lui-même, par son indifférence, par son orgueil démesuré. Il se frappa violemment et plusieurs fois la tête, de rage.

À quoi cela servirait-il ou m'aiderait-il de te blesser toi-même ? Franchement ?! résonna dans son crâne la douce voix de Zia. Il se sourit à lui-même et réalisa quelque chose de fondamental : *Elle est toujours en moi. Elle est avec moi ! Mais son corps est ailleurs, loin de moi. À cause de moi !*

Soudain de retour à la réalité, il souleva la hache d'obsidienne, et appuya son petit doigt sur le tranchant brûlant. Une entaille se forma immédiatement sur le moelleux de la chair, et son sang coula. Il le lécha, savourant l'amertume et le goût métallique de sa propre sève.

Je ne commettrai plus cette erreur-là.

Plus jamais.

Il se leva, satisfait du résultat de son affûtage. La colère avait petit à petit diminué dans sa poitrine, lui permettant de respirer mieux à nouveau. La douleur atroce dans le creux de son ventre s'était atténuée, grâce au fromage frais et au lait de chèvre que lui avait donnés Veca pour diminuer l'acidité de ses entrailles. Il se rappela la scène qui s'était déroulée un peu plus tôt dans la journée.

Silencieusement, la cheffe des Enfants du Soleil s'était approchée de lui. Après quelques mots échangés et la confirmation de l'imminence d'un sacrifice humain, elle n'avait pas eu besoin de longtemps pour comprendre ce qui se passait dans le cœur de l'étranger. Elle avait lu la tempête sur son visage. Et, plus encore, elle y avait vu la mort.

◆

La traversée en pirogue se fit de nuit. Kadmeron n'avait pas eu de difficulté à emprunter l'embarcation. Malgré les réticences de Goran, Veca avait insisté pour que les Enfants du Soleil, s'ils ne participeraient pas directement à l'incursion du chasseur dans le village des Lepenvis, offrissent tout leur soutien logistique à l'opération.

Pour se donner les meilleures chances de réussir sa mission et de maximiser l'effet de surprise, le chasseur avait décidé de contourner son objectif par l'ouest. Il ne voulait pas arriver en remontant le fleuve, mais en le descendant. C'était une voie beaucoup plus dangereuse car le relief du côté gauche de la Grande Rivière Mère devenait de plus en plus abrupt dans ce sens-là. Il avait fallu harnacher Potac très différemment que d'habitude, pour qu'il pût porter une petite barque et la hisser entre les rochers et l'épaisse végétation. Kadmeron était parti devant, et sa monture chargée de l'embarcation ainsi que d'une partie de son équipement avaient remonté l'immense cours d'eau, en prenant toutefois soin de s'éloigner suffisamment de sa berge pour ne pas être vu par qui que ce fût de l'autre rive.

Avec son cheval, ils avaient attendu ensemble que la nuit sans lune, pour cause de nuages épais, fît son apparition. La lumière blafarde des étoiles éclairait faiblement le passage encaissé que s'était façonné la Grande Rivière Mère au cours des éons pour creuser son lit tortueux. Seul le clapotis de l'onde léchant les rochers affleurant la surface se faisait entendre, comme une respiration aquatique.

La mise à l'eau s'était déroulée dans une petite crique calme. On entendait au loin l'écho des tourbillons qui grondaient sourdement dans le défilé en aval du village du Peuple du Poisson, au niveau des « Portes de l'enfer ». La séparation entre les deux amis avait été courte mais très émouvante : leurs regards suffisaient à exprimer tout l'amour et le respect réciproques qu'ils se portaient depuis tant d'années et tant d'aventures. Potac savait pertinemment ce qui allait se passer, des risques que son ami à deux pattes allait encourir. Docilement, il s'était laissé délester de la pirogue et des bagages avant de s'éloigner, seul, pour regagner le village des Enfants du Soleil le plus discrètement et le plus rapidement possible.

Tout en pagayant silencieusement très en amont du village dont il s'approchait rapidement, un sentiment étrange de paix s'installa dans le corps et l'esprit du chaman. Le bruit de la rame dans l'eau le rassurait. La nuit l'entourait, l'aidant dans son effort solitaire vers la délivrance.

Il réalisa, sans toutefois réussir à le formuler clairement, qu'il avait bel et bien remporté une bataille sur lui-même. Un conflit décisif. Il avait réalisé qu'il s'était trompé, qu'il s'était fourvoyé. Il avait réussi à prendre suffisamment de recul pour enfin *comprendre* ce que sa Zia, son épouse, son amour, tentait vainement de lui révéler depuis des lunes.

Des images fugaces lui revenaient en mémoire alors que les ombres des berges défilaient sur le côté, de part et d'autre de sa fine pirogue. Le sourire de Zia. Les tisanes qu'elle lui préparait avec amour, tous les matins. Son chien. Ses grimaces. Ses mimiques. Comme tout cela lui manquait ! Comme il avait été fou et stupide ! *Plus jamais je ne la quitterai. Plus jamais rien ne nous séparera ! Même pas mon orgueil !*

Le paysage changea. Les falaises avaient disparu, remplacées par de hautes rives qu'il devinait clairement grâce à sa vision périphérique très entraînée par des années d'observation et de traque. Il sortit progressivement du défilé pour arriver dans cette portion large du fleuve, où les poissons pullulaient dans cette fracture presque indécente du lit de l'immense rivière.

Instinctivement, il se rapprocha de la berge droite. Il devait abandonner son embarcation assez rapidement pour éviter de se faire repérer. Le plan était de localiser Zia sous le couvert de la nuit, de l'emmener, puis de voler une autre barque pour filer le plus vite possible vers la rive gauche, cette fois en utilisant le courant du fleuve. *Je dois réussir !*

Il amarra la pirogue à un arbre et la poussa dans l'axe du courant. Elle pivota lentement puis finit par se stabiliser sagement, parallèle à la rive où elle se colla pour s'immobiliser. Avec ardeur, il sortit ses quelques bagages de l'embarcation et s'équipa. Puis il se retourna et s'enfonça dans les fourrés, avant de gagner la forêt.

Ses pas ne faisaient pas de bruit. Amortis par la neige qui était tombée abondamment ces derniers jours, les chaussures en peau de daim assuraient un déplacement discret et le protégeaient du froid. Il ne fallait pas glisser, cependant, c'est pourquoi ses yeux allaient dans tous les sens, inspectant les branches basses et les obstacles au sol. Au besoin, il tendait la main et tâtait une pierre, l'inclinaison d'une tige courbée par le poids de la neige. Mais il se sentait dans son élément. Il avait chassé tant de fois ! Le chaman-chasseur se sentait supérieur à ses potentiels ennemis, même ici dans les bois à quelques distances de sagaie de leurs cabanes.

L'arc et le carquois solidement accrochés à son torse, Kadmeron tenait fermement sa hache dans la main droite. La progression fut plus rapide que prévu. Sans le réaliser tant il était concentré, il se retrouva à la lisière ouest du village des Lepenvis. Dissimulé par les branches basses, il distingua une vigie un peu plus loin. Même s'ils disposaient d'un emplacement privilégié au creux des montagnes, protégés de la colère intempestive du fleuve, le Peuple du Poisson et surtout son chef, avaient placé des gardes pour surveiller le village. Ce soir-là, il n'y en avait qu'un seul.

J'ai de la chance. L'esprit du Cheval est avec moi ! songea Kadmeron en esquissant un sourire.

Un seul coup sec derrière le crâne, du plat de la lame d'obsidienne, mit l'homme à terre. Des dizaines de huttes s'étalaient devant lui.

Où es-tu, mon amour ?

✦

Les sept feux préparés pour le sacrifice brûlaient toujours éclairant une partie du village comme en plein jour. Des formes humaines allaient et venaient entre les brasiers, s'assurant qu'ils avaient assez de combustible.

Il fallait qu'il réfléchît. Et vite. Mais il l'avait déjà fait abondamment lorsqu'il avait affûté son arme. Si Zia était l'objet de ce futur rituel atroce – et il en était intimement convaincu – elle devait être gardée prisonnière dans une cabane, à l'écart, pour éviter tout contact avec le reste de la population.

Kadmeron contourna à pas de loup les premières huttes, jusqu'à gravir le promontoire qui dominait le village dans sa partie sud. Le vent ne portait pas son odeur vers les habitations et il ne risquait pas de se faire détecter par les quelques chiens des Lepenvis. *Encore un signe, comme le dit Goran ! Un signe de la bienveillance de l'esprit du Cheval !* se persuada le maraudeur.

De son nouveau poste d'observation, il scruta les environs. Il fallait agir rapidement : l'homme assommé finirait par reprendre conscience, et donnerait l'alarme. Une cabane, plus à l'est, semblait convenir : deux gardes allaient et venaient tout autour, contournant sept torches qui éclairaient les environs immédiats.

Une prison. C'est là.

Il commença à dévaler la pente, le plus précautionneusement possible. Des ronflements se faisaient entendre sur sa gauche. Le vent dans les arbres derrière lui fournissait un cadre sonore suffisamment intense pour couvrir le bruit de ses pas. Il glissa la hache d'obsidienne dans sa ceinture. Sa décision était prise, et il ne reculerait pas. Il prit son poste d'observation derrière une hutte d'aspect plus modeste. De là, il voyait clairement son objectif, à une trentaine de mètres. Il sortit son arc. Puis, il prit une flèche de son carquois.

Il n'attendit pas longtemps. Un premier garde apparut, et tomba à terre, la poitrine transpercée par son trait à la pointe microlithique.

Le chasseur se déplaça immédiatement vers le nord pour ouvrir son angle de tir, tendant l'oreille, scrutant les alentours, le cœur tambourinant dans sa poitrine. À travers le mur de peaux tendues, le ronfleur invisible renâcla à son approche, comme s'il sentait la menace mortelle.

Kadmeron s'immobilisa. Le deuxième garde allait apparaître à son tour, fermant la boucle de sa ronde. Le tendon de l'arc vibra avec un claquement à peine audible. L'air frissonna dans le sillage de la hampe en bois de cornouiller. La pointe en silex se ficha dans la tempe de sa victime, avec un tamponnement sourd. Elle ressortit de l'autre côté du crâne.

Avant qu'il ne pût s'en rendre compte, le visage de l'homme percuta lourdement le sol meuble qui entourait la cabane. Kadmeron était déjà sur place, d'un bond. Il posa deux doigts sur la veine jugulaire du corps encore chaud. *Mort, lui aussi !* se dit-il sans le moindre regret. *J'espère que tu es bien là, mon amour !* songea-t-il plein d'espoir. Il tremblait de peur, mais la résolution était bien plus forte que son angoisse d'avoir pris délibérément deux vies d'hommes. De les avoir attaqués volontairement.

— Zia ?! Es-tu là ?! murmura-t-il le plus fort qu'il pût sans risque de révéler sa présence, se penchant contre la paroi.

Rien ne se fit entendre.

Désespéré, il commença à être saisi de spasmes. S'était-il trompé ?! Qu'allait-il faire ? Il ne s'enfuirait pas. Pas cette fois-ci ! Il allait vendre chèrement sa peau, s'il le fallait, mais il allait la trouver!

— Zia ?! chuchota-t-il encore un peu plus loin.

Soudain, un bruit étouffé se fit entendre de l'intérieur. Il sembla reconnaître un aboiement étouffé.

— Cani ?! C'est toi ?!

— Ouaf !

— Kadmeron ?! Tu es là mon amour ?

Un frisson le parcourut de part en part. Il n'entendait plus rien. Ne voyait plus rien. Ne sentait pas ce qui se passait autour de lui, les voix qui s'élevaient, l'agitation qui grondait dans les cabanes. Les cris.

Non. Rien de tout ça ne comptait plus, n'avait jamais compté.

J'arrive.

Je te sors de là ma chérie.

Il leva sa hache d'obsidienne qui scintilla un instant dans la lumière des feux du sacrifice avant de s'abattre sur la peau qui formait la paroi de la hutte. Dans un craquement sinistre, la paroi tannée s'ouvrit, béante. Un autre coup, et ce fut la structure en bois qui vola en éclat.

Les cris retentissaient derrière eux.

Comme dans un rêve, il la vit, seule, prostrée, attachée comme un animal au poteau central. Cani était lié lui aussi, un bâillon sur la gueule pour l'empêcher d'aboyer.

Ses réflexes façonnés par des années de chasse prirent le contrôle sur sa conscience. En un instant, il s'était accroupi derrière la prisonnière, avait tranché ses liens aux pieds et aux mains, l'avait redressée. Elle titubait, hébétée, mais souriante. Puis il avait fait de même avec le quadrupède.

Néanmoins, les cris étaient alors tout proches.

Nous sommes repérés, pensa-t-il avec effroi.

— Fuyons ! Maintenant ! hurla-t-il en lui saisissant la main.

Ils sortirent de la hutte éventrée. Cani aboyait à tout rompre, et se jeta sur le premier assaillant qui apparut, plantant ses crocs dans la cheville du malheureux.

— Par où allons-nous ? cria Zia. Elle se forçait à tenir le rythme de leur course, ignorant les souffrances causées par le retour du sang dans ses membres ankylosés.

— Par ici ! lança Kadmeron, l'entraînant vers la rive et l'embarcadère.

Trois hommes s'approchèrent d'eux, menaçants. Ils levèrent leur sagaie. Une femme hurlait, levant les bras.

La hache d'obsidienne s'abattit sur un attaquant qui tenta d'esquiver le coup. Sa clavicule céda sous le choc, et il cria de douleur. Les deux autres reculèrent, prenant peur. Les fuyards continuèrent à courir en zigzag, traversant ce qui devait être le lieu du sacrifice.

Se retournant, Kadmeron tonna à son tour :

— Laissez-nous passer, où je vous tuerai ! Tous !

Zia le regarda avec horreur. Il était transfiguré. Elle n'arrivait pas à saisir l'expression sur son visage déformé. Mais elle n'eut pas l'occasion de se poser plus de questions, tant la souffrance de son bras, qu'il arrachait littéralement en la traînant derrière lui dans leur fuite, était vive.

Cani aboyait, comme fou, et rattrapa ses maîtres.

Tout autour, les gens se réveillaient et sortaient de leurs cabanes, sans comprendre ce qui se passait.

— Capturez-les ! Amenez-les !! rugit une voix.

Kadmeron se retourna et reconnut Kirilo. Son sang ne fit qu'un tour. Il lâcha Zia, saisit son arc, le banda. Zia était déjà loin devant lui, se précipitant vers l'embarcadère.

La flèche partit.

Kadmeron était déjà aux prises avec deux hommes qui s'étaient jetés sur lui. Les coups pleuvaient. La hache d'obsidienne trancha les chairs, ouvrit les cages thoraciques, tailladais les flancs.

Mais il reçut des blessures, lui aussi.

— Viens ici, Kadmi ! Je t'en prie !! hurla Zia au loin. Elle avait réussi à délier l'une des pirogues. Elle s'était arraché plusieurs ongles dans l'opération. Ses mains étaient en sang, mais elle ignora la souffrance.

Que se passe-t-il ? Où est-elle ?

Il n'arrivait plus à penser. Où était-il ?

Comme dans un cauchemar, il lui sembla distinguer Kirilo, de loin, qui hurlait des ordres. *Ma flèche... ne l'a pas touché ?!* Des femmes semblaient lui lancer des pierres. Certaines le touchèrent à la tête, d'autres au ventre. Mais il ne semblait plus rien ressentir. Plus rien. Il se retourna. Il faisait encore nuit. Un peu. Il crut voir Zia, près du fleuve, près des barques.

Oui ! La pirogue ! C'est par là-bas que nous devons fuir !!

Il titubait, ayant mal un peu partout. Son sang coulait.

Tout à coup, un aboiement hystérique le sortit de sa torpeur.

— Cani ? Zia ? Où est-elle, mon bon chien ?

Le canidé l'entraîna vers la rive. Vers le salut.

Tout à coup, des bruits résonnèrent aux oreilles du chasseur.

Des sifflements caractéristiques.

Des flèches ! pensa-t-il, terrorisé. Rassemblant ses dernières forces, il courut désespérément, en titubant, avec une seule jambe valide vers la barque.

Zia était déjà dans la pirogue, et lui cria :

— Viiite ! Viiiite !! Viens ici mon amour ! Je t'en prie ! Ne m'abandonne pas encore !!! hurla-t-elle, dans un dernier effort, brandissant une pagaie.

T'abandonner ? Non ! pensa-t-il alors que les voiles de la souffrance tombaient de toute part et obscurcissaient sa pensée.

Les aboiements du chien s'entendaient comme les hurlements de la tempête dans les rochers près de la Nouvelle Mer. Les flèches pleuvaient et se fichaient dans le sol tout autour du lui. Il lui sembla que plusieurs impacts le touchèrent. Mais il ne ressentait plus rien, simplement des vagues sensations. Comme si plusieurs enfants le poussaient ou le pinçaient en jouant.

Mourir ? Maintenant ?

Non. Je vais continuer... à... courir.

Il s'écroula dans la pirogue, comme une masse inerte. Le choc la fit tanguer dangereusement et Zia crut qu'elle allait chavirer, alors même qu'elle était encore tout près de la rive. Cani sauta dans la barque.

Sans hésiter un seul instant, sans s'attarder sur la gravité des plaies béantes de son mari qui saignait de partout, la jeune femme lâcha la corde qui la maintenait près de la berge et plongea la pagaie dans l'eau. Le bois taillé heurta violemment le fond. De toutes ses forces, elle poussa vers l'avant, vers le fleuve. L'embarcation quitta la rive. D'autres flèches tombaient. L'une d'elles se planta à quelques doigts à peine des jambes de Zia.

Elle ne pensait plus qu'à cela : partir, ramer de toute ses forces.

Cani hurlait à la mort.

Les tendons de ses bras semblaient gémir de douleur. Ses jambes la lançaient. Mais elle pagayait encore, et la barque fusa vers le milieu de la Grande Rivière Mère. L'aurore se levait.

Les villageois arrivèrent finalement au bord de l'eau.

Mais ils ne pouvaient plus traverser. Leurs pirogues étaient désormais hors d'atteinte, dérivant vers les rapides en aval.

Affichant un sourire narquois, Zia les regarda de loin. Avec la hache de Kadmeron, elle avait eu tout juste le temps de trancher les amarres des embarcations de leurs poursuivants.

27.
Zia

Le courant puissant entraînait leur barque en aval, l'éloignant du village du Peuple du Poisson. Zia continua à pagayer jusqu'au milieu du grand fleuve, puis elle fut obligée de ramener sa rame dans la barque. Ses bras étaient endoloris, engourdis, et elle les sentait à peine : après tant d'heures immobilisés par les liens serrés, fournir un tel effort après une fuite éperdue sous des jets de flèches était surhumain. Zia n'en pouvait plus. Tremblante, elle se retourna et jeta un coup d'œil au corps gisant au fond de la pirogue. Cani était en train de lécher le sang de Kadmeron, tout en geignant doucement. Le chasseur ne bougeait plus depuis longtemps.

Zia s'intima de reprendre ses esprits et d'agir vite. Elle inspira profondément, et avec des gestes rapides et précis commença à évaluer les blessures de son homme. Elle réalisa rapidement que la plaie la plus dangereuse pour sa vie était celle de sa jambe, qui saignait abondamment. Elle arracha vite une de ses manches et se pencha au-dessus de Kadmeron. La barque se balança mais continua à avancer, portée par le courant. La guérisseuse s'agenouilla pour avoir plus de stabilité et souleva légèrement la jambe qui continuait à saigner. Elle glissa en dessous le tissu qu'elle avait déchiré en préalable tout en longueur de telle sorte à obtenir une bande lui permettant d'entourer toute la cuisse du chasseur. Elle fit ensuite un nœud et serra aussi fort qu'elle pût. Avec les mains, elle écopa de l'eau du fleuve et en jeta à plusieurs reprises sur la plaie pour laver le sang. Elle savait qu'elle n'était pas propre, mais c'était mieux que rien et cela lui permit de constater que sa manœuvre avait réussi à arrêter provisoirement l'hémorragie.

Soulagée, elle soupira et regarda son chien.

— Bon, allez Cani, maintenant continue à essayer de le réveiller pendant que je rame ! l'encouragea Zia.

Le canidé aboya plusieurs fois et se mit à lécher le visage du blessé qui sembla bouger ses yeux. Zia s'approcha de son visage, pleine d'espoir.

— Kadmi, réveille-toi ! Tu m'entends ? demanda-t-elle.

Le Marteron arriva à entrouvrir les yeux faiblement pendant quelques instants mais les ferma aussitôt, visiblement épuisé par cet effort. Un peu déçue et inquiète, Zia décida qu'il était plus important d'arriver sur l'autre rivage le plus vite possible et d'y chercher de l'aide. Elle pourrait s'occuper de soigner Kadmeron lorsqu'ils arriveraient en sécurité, chez les Enfants du Soleil.

Le bruit assourdissant des rapides s'approchait dangereusement. Pagayant de toutes ses forces, les larmes sur le visage, Zia réussit à diriger la pirogue vers l'autre rivage. Lorsqu'elle leva les yeux pour trouver un endroit propice pour débarquer, elle aperçut avec grand soulagement quelques personnes qui lui faisaient des larges signes avec les mains. Elle reconnut Goran et Veca qui lui pointaient du doigt une petite crique située un peu plus bas.

Dans un ultime effort extrême, Zia aborda le rivage et les Lepenvis se précipitèrent immédiatement pour l'aider à transporter Kadmeron jusqu'au village des Enfants du Soleil. Le blessé fut alité dans la cabane qu'ils avaient occupé ensemble lors de leur arrivée dans le village.

Elle était si fatiguée. Elle avait tant besoin de se coucher, de se reposer, de reprendre des forces après de telles épreuves ! Mais son homme avait besoin d'elle plus que jamais. Ses instincts de guérisseuse reprirent vite le dessus sur son incertitude et sur sa fatigue. Elle regarda tout autour, dans la cabane. Un frisson d'angoisse la parcourut de part en part, et la bile lui vint à la gorge. *Elle n'est plus là !* songea-t-elle avec terreur.

— Ma trousse ! Je ne l'ai plus !! cria-t-elle, faisant se retourner les chefs qui s'affairaient autour de Kadmeron.

En voulant commencer ses soins au plus vite, elle venait de réaliser avec horreur que la trousse à plantes de sa grand-mère, ainsi que beaucoup de ses affaires personnelles, étaient restés chez le Peuple du Poisson. Déglutissant difficilement, elle comprit qu'elle ne pouvait plus compter sur ses plantes médicinales. *Comment vais-je faire pour le sauver ? Il va mourir si je ne peux pas le soigner avec mes plantes !*

Kirilo les avaient sans doute confisquées, car elle n'avait rien vu dans la cabane où elle avait été tenue prisonnière. Heureusement, elle avait encore sa mini-trousse à plantes que Kadmeron lui avait confectionnée et qu'elle portait toujours à sa ceinture, ainsi que quelques autres objets rangés dans le large bandeau de tissu entourant sa taille. Il n'y avait pas un instant à perdre : le front du patient était déjà glacé, son visage arborait une pâleur inquiétante et son corps était secoué par des frissons de temps à autre. Déballant le contenu sur une table à proximité, elle réussit à trouver de la sauge et du millefeuille pour faire un pansement à l'aide d'un tissu propre que lui remit Veca. À peine rassurée, elle put donc lui accorder les premiers soins. Les villageois lui apportèrent tout ce dont elle avait besoin et la cheffe Lepenvi l'aida à recoudre la blessure à la jambe.

Le blessé réussit à dormir plusieurs heures, d'un sommeil parfois agité. Pleine d'espoir, Zia fut contente lorsqu'il ouvrit les yeux et qu'il arriva à prononcer quelques mots juste avant de tomber, à nouveau, dans un lourd sommeil. Elle profita de ces moments pour manger et se reposer, trop heureuse de se trouver enfin de ce côté-ci du fleuve. Même si elle était douloureusement consciente que tout danger n'était pas encore écarté.

✦

Se réveillant en sursaut, couverte de sueur, Zia réalisa qu'elle avait oublié d'informer les villageois du danger imminent qui les guettait. Elle bondit hors de la hutte et se dirigea vers la cabane de Veca et Goran. Elle frappa violemment à la porte.

Goran lui ouvrit, tout ensommeillé :

— Qu'est-ce qui se passe Zia ? Je faisais une petite sieste.

— J'ai oublié de vous dire une chose très importante. Kirilo a menacé l'autre jour qu'il allait vous attaquer ! cria-t-elle en haletant.

— Mais de quoi tu parles ? répliqua Goran en se frottant les yeux et en essayant de comprendre ce qu'elle racontait.

— Il va venir vous tuer ! Je l'ai entendu dire qu'il allait tuer tous ceux qui ne croyaient pas au Dieu-Poisson, en commençant par les Enfants du Soleil ! hurla-t-elle ne sachant pas pourquoi le chef avait l'air si calme et ne semblait pas la prendre au sérieux.

— Mais c'est ce qu'il dit depuis des lustres, Zia. C'est pas nouveau. Va dormir et repose-toi, tu es fatiguée ! lui conseilla-t-il gentiment.

— C'est pas possible, vous devez vous préparer ! insista-t-elle.

— Nous avons tous besoin de repos maintenant car la nuit a été très courte, alors va dormir ! Les guetteurs nous annonceront s'il y a le moindre danger. De toute manière, j'ai vu à la lueur des feux que tu as largué toutes leurs barques sur la Grande Rivière Mère. Ils ne vont pas traverser à la nage quand même ! la rassura-t-il avec un sourire.

Zia le regarda d'un air hébété, mais ne sut que lui répondre. Abattue, elle retourna au chevet de son homme blessé.

✦

Le soleil était déjà haut dans le ciel lorsque Zia réussit enfin à émerger de sa torpeur. Elle avait horriblement mal dormi. Kadmeron n'avait cessé de gémir, comme s'il se battait à nouveau contre le Peuple du Poisson. Elle avait épongé son front. Lui avait parlé avec amour. Avait embrassé ses lèvres avec tendresse. Elle avait souffert de ne pas avoir pu discuter avec lui. Leur fuite et la menace imminente des villageois déchaînés leur avait ôté toute occasion de se parler, même pour quelques instants.

Cela ne va-t-il jamais s'arrêter ? se lamentait-elle en contemplant le corps tremblant de son chasseur. Les muscles s'agitaient de spasmes et la sueur avait trempé ses vêtements.

Et là, une fois de plus, comme un horrible déjà-vu, elle songea à l'accident du Rocher Fendu. La chute de l'arbre. Le coma de Kadmeron. Elle déposa un baiser sur son front brûlant. Les lèvres du blessé remuèrent, sans pour autant émettre le moindre son.

Encore une fois, ton esprit est loin de moi, et tu me laisses soigner les blessures de ton corps. Alors que mon cœur saigne de l'intérieur. Vas-tu jamais le soigner ? Mon cœur à moi ?

Elle l'aida à boire d'une écuelle d'argile. Au moins, ses réflexes étaient encore bons et il avala sans s'étouffer. Elle continua à lui parler, cette fois à voix haute, sentant que son esprit l'entendait, quelque part dans les tourments du délire :

— Pourquoi dois-tu toujours être si orgueilleux ? Si arrogant, mon amour ? Pourquoi ne peux-tu pas m'écouter sans te vexer ? Tout le temps...

Mais c'est vrai que cette fois-ci, je suis responsable de notre séparation, moi aussi. Comme je le regrette ! se dit-elle amèrement.

Tout à coup, un aboiement se fit entendre.

— Cani ! C'est toi mon chien !

Il se précipita sur elle et lui fit la fête.

— Mais d'où viens-tu, toi ?

Un hennissement déchira le silence, en-dehors de la cabane.

— Potac ! Il est là aussi ?! Mais que se passe-t-il ?

C'est alors qu'elle réalisa avec terreur qu'il lui fallait urgemment de l'aide : Kadmeron était intransportable, vu la gravité de ses blessures. Il luttait entre la vie et la mort, et elle ne disposait pas de toutes ses plantes médicinales pour le soigner. De plus, Kirilo allait certainement attaquer le village des Enfants du Soleil, tout comme les Budas avaient assailli la ginte du Rocher Fendu !

Un frisson lui parcourut le corps. Prise de panique, elle se précipita à l'extérieur, courant de toutes ses forces vers la cabane de Veca et Goran.

Au bout de quelques foulées, elle s'arrêta net, tétanisée, jetant un coup d'œil circulaire. Potac la regardait avec ses grands yeux expressifs et balançait doucement sa tête. Cani jappa.

Le village était totalement vide.

Il n'y avait plus personne.

Elle était seule.

Seule avec son mari, gravement blessé.

À suivre...

Saga préhistorique

La collection **"Héritiers de l'Âge de Pierre"** narre la vie et les amours de nos lointains ancêtres. Tout au long des époques de la Préhistoire, vous découvrirez des personnages attachants, faisant face avec courage aux pires épreuves et aux bouleversements du monde. Vous les verrez inventer des technologies, explorer de nouvelles contrées, se soigner par les plantes, témoigner leur profonde communion avec la nature et leur émerveillement face aux mystères de l'univers.

Vous réaliserez combien leur expérience humaine résonne puissamment en nous-mêmes – par-delà les territoires et les âges révolus – encore aujourd'hui.

Retrouvez ci-dessous les différentes séries et cycles qui composent notre *Saga préhistorique* :

Série "**La quête des signes**"

- Tome 1 – La furie des eaux
- Tome 2 – L'Amulette des Saisons
- Tome 3 – La Montagne d'Or
- Tome 4 – Le peuple du Poisson (à paraître)

Cycle "**Anciennes cités ibères**"

- La Bastida

Si vous appréciez les mondes anciens, découvrez nos autres livres d'aventures fantastiques :

Série "**Je briserai mes destins**"

- Tome 1 – La cité engloutie

Notre site : https://olivierrebiere.com/

Lexique

- păpăradă – plat régional roumain à base d'œufs battus et frits.
- zer – petit-lait, utilisé pour la fabrication du fromage
- slană – préparation traditionnelle roumaine à base de graisse du ventre et du dos du cochon saumurée puis fumée.
- urda - fromage roumain à base de petit-lait de brebis, de chèvre, ou de vache.
- cornata – nom d'une boisson alcoolisée à base de cornes – fruits du cornouiller sauvage – qui est consommée en Roumanie.
- papa rouge - Papaver rhoeas – coquelicot
- hydrontin - *Equus hydruntinus* ou âne européen est un équidé éteint, répertorié dans des sites de la fin du Pléistocène de diverses régions européennes.
- tuica - eau-de-vie traditionnelle de Roumanie et Moldavie provenant de la distillation des prunes.
- coliba (ou *coliva*) – préparation à base de blé bouilli mélangé avec du sucre et des noix concassées et garni de bonbons et de sucre en poudre, qui est distribué en commémoration des morts, lors des funérailles et des services commémoratifs en Roumanie.
- colac (pluriel colaci) - est une viennoiserie typique de la cuisine roumaine et moldave qui se présente sous la forme de brioche de formes différentes comme des tresses, des cercles, des croix ou des oiseaux. En slave, cela signifie "roue" et se réfère à quelque chose de circulaire. En Roumanie, Moldavie et plus largement dans les Balkans, il existe une offrande céréalière lié au culte des morts.
- papanaşi - dessert traditionnel roumain à base de fromage blanc
- alac – le nom roumain du *Triticum monococcum,* une espèce de blé cultivée depuis la préhistoire.
- Iris du ciel - *Iris sintenisii* - iris aux nuances de bleu et violet originaire d'Europe de l'Est et de l'Asie Mineure, présent dans la Dobrogea (Dobroudja), sur la côte de la Mer Noire.
- colac (pluriel colaci) - est une viennoiserie typique de la cuisine roumaine et moldave qui se présente sous la forme de brioche de formes différentes comme des tresses, des cercles, des croix ou des oiseaux. En slave, cela signifie "roue" et se réfère à quelque chose de circulaire. En Roumanie, Moldavie et plus largement dans les Balkans, il existe une offrande céréalière lié au culte des morts.

Auteurs

 Cristina et Olivier Rebière se sont connus à l'âge de dix-sept ans en Roumanie, peu de temps après la chute du mur de Berlin et la Révolution roumaine de décembre 1989. Après deux ans de correspondance et quelques rencontres, Cristina réussit à obtenir une bourse d'études en France et Olivier l'épouse en 1993. Depuis, ces deux aventuriers de la vie ont eu une existence pleine de rebondissements, au cours de laquelle ils ont pris le goût pour les voyages, l'entrepreneuriat et l'écriture.

Auteurs de nombreux livres de non-fiction, ils se passionnent pour la préhistoire et notamment la série « Les enfants de la terre » de Jean M. Auel. Après de nombreuses recherches, ils se lancent dans la rédaction des « Héritiers de l'Âge de pierre » qui tente d'apporter, grâce à la fiction, des réponses aux nombreuses questions non résolues du Mésolithique, cette période charnière qui offre tant de similitudes à la nôtre. Cristina vient de Roumanie, un pays riche en découvertes et en trésors archéologiques. Olivier est né en Dordogne, une région de France qui regorge de témoignages de nos ancêtres, à laquelle il se sent profondément lié. Découvrez cette histoire du passé qu'ils ont tous deux imaginée, comme un clin d'œil à leur propre vie.

Pour en savoir plus...

Vous voulez nous contacter ou connaître les dernières nouvelles ? Chercher d'autres livres ou guides ? Nous faire part de vos remarques pour améliorer la qualité des futures éditions ? Alors connectez-vous à notre site : **https://OlivierRebiere.com**

Si vous avez apprécié notre travail, n'oubliez pas de mettre un commentaire sur nos livres ;-)

Merci à vous !

Cristina & Olivier

.

Milton Keynes UK
Ingram Content Group UK Ltd.
UKHW011941010124
435297UK00001B/33